Ciencia, tecnología y ambiente

Tercera edición

Ciencia, tecnología y ambiente

Tercera edición

Armando Rodríguez Durán

Universidad Interamericana, Bayamón

Norma I. López Ramírez

Universidad Interamericana, Recinto Metropolitano

Héctor E. Quintero Vilella

Universidad Interamericana, San Germán

Rafael R. Canales Pastrana

Universidad Interamericana, Bayamón

CENGAGE
Learning

Australia · Brasil · Corea · España · Estados Unidos · Japón · México · Reino Unido · Singapur

Ciencia, tecnología y ambiente, 3a. ed.
Armando Rodríguez Durán, Norma I. López
Ramírez, Héctor E. Quintero Vilella y Rafael
R. Canales Pastrana

**Presidente de Cengage Learning
Latinoamérica:**
Javier Arellano Gutiérrez

Director editorial Latinoamérica:
José Tomás Pérez Bonilla

Director de producción:
Raúl D. Zendejas Espejel

Editora:
Rocío Cabañas Chávez

Editora de producción:
Abril Vega Orozco

Diseño de portada:
Daniel Aguilar

Composición tipográfica:
Foto Grafic & Diseño

Datos para catalogación bibliográfica
Rodríguez Durán, Armando *et al.*
Ciencia, tecnología y ambiente, 3a. ed.
ISBN-13: 978-970-830-048-3
ISBN-10: 970-830-048-9

Visite nuestro sitio web en:
http://latinoamerica.cengage.com

Impreso en México
1 2 3 4 5 6 7 11 10 09 08

Dedicatoria

Dedicado con todo mi amor a...
mis estudiantes, que me motivaron a compartir lo nuevo que aprendemos cada día,
mi hija, Simara, y a mis padres, Aramis y Ada, que con fortaleza me inspiraron
a ser lo mejor que puedo ser y a comprender que la felicidad es sentirse bien
consigo mismo y a regalar esto a la humanidad.

Norma I. López Ramírez

A mi hijo, Alexis Armando.

Armando Rodríguez Durán

A Stuart J. Ramos y Daniel Simberloff, profesores excelentes.

Héctor E. Quintero Vilella

A mi familia, particularmente a mi esposa, Marie Tere López Rohena,
a mis hijos, Ricardo Rafael y Dana Isabel, mi inspiración de vida.

Rafael R. Canales

Contenido

Agradecimientos

Muchas personas han contribuido de una manera u otra a la realización de este trabajo. En general, la administración de la Universidad, que respondiendo a su función principal de facilitar la labor académica, ha provisto las condiciones necesarias para que el trabajo se gestara. Los profesores Ricardo Mediavilla y Eduardo Lay proporcionaron asesoramiento en las áreas donde nuestro conocimiento era más limitado, pero debe entenderse que cualquier falta en la manera de presentar los conceptos se debe a nuestra obstinación y no a deficiencias de los asesores. No menos importantes han sido nuestros profesores, en especial aquellos que en el camino nos inspiraron y aportaron más "memes" que los demás.

A José Tomás Pérez y Rocío Cabañas les debemos que, con mucho estilo y clase, nos facilitaron el camino para que completáramos el trabajo en el plazo establecido. No podemos dejar de agradecer a nuestros estudiantes, especialmente a aquellos que hicieron preguntas que nos pusieron en "tres y dos", porque son ellos la "chispa de la vida".

Armando Rodríguez Durán agradece a Jannette Arroyo, quien cargó parte del peso del trabajo cotidiano que hubiese imposibilitado el completar este libro a tiempo. Rafael R. Canales desea extender un agradecimiento especial al doctor Armando Rodríguez Durán por permitirle participar en esta empresa.

Prefacio

Éste es un libro sobre ciencias, pero no es una obra científica. Hay una gran diferencia entre estos dos acercamientos, porque aunque no todos somos científicos, llevamos por naturaleza la semilla de la curiosidad científica. Por ejemplo, es de conocimiento general que los niños enloquecen a sus padres con sus insaciables preguntas de cómo y por qué. Pero esta curiosidad natural es poco a poco obliterada por las instituciones sociales. Por eso, a menudo se ha dicho que un científico es aquel que nunca ha dejado de ser niño.

Nuestro objetivo no sólo es presentar información científica básica, sino también ilustrar los métodos que se aplican en las ciencias naturales para generar nuevos conocimientos. En este sentido, una de nuestras mayores ambiciones es ayudar al maestro en su trabajo para que el estudiante descubra la gran relevancia que tiene el conocimiento científico en su vida diaria. La ciencia ha provisto al ser humano un estándar de vida que hace 10 000 años hubiese sido inconcebible; más aún, ha conferido un importante ejercicio de libre pensamiento.

En la sociedad actual, las repercusiones de la ciencia son cada vez mayores, tanto en los aspectos materiales de nuestra cultura como en los éticos y morales. Por tanto, nuestras sociedades modernas, tecnológicas y democráticas enfrentan un reto gigantesco: educar a una porción cada vez mayor de la población que tiene opiniones y poder de decisión sobre asuntos que desconoce. Resulta entonces imprescindible que las bases del conocimiento científico lleguen a toda la población, y ése es el espíritu de esta obra, como los franceses dirían sin ánimo peyorativo, la *vulgarisation* del conocimiento, es decir, ponerlo al alcance de los estudiantes de todas las disciplinas.

Dentro de las ciencias naturales, nuestro trabajo se inclina más hacia aspectos relacionados con las ciencias biológicas que con la física o la química, pero sin excluirlas. Hay más de una razón para este enfoque. En primera instancia, no es posible estudiar la vida sin examinar los aspectos físicos y químicos del universo. En segunda instancia, pero no menos importante, está el hecho de que en los últimos años los avances científicos y tecnológicos más polémicos y que mayor influencia han tenido en nuestra manera de pensar tienen un fuerte componente biológico.

Es imposible desentendernos de las bases del conocimiento científico, que es uno solo, ya sea que hablemos de pruebas genéticas para identificar criminales, de la razón para eliminar el plomo en la gasolina y cambiar el tipo de soldadura utilizada para enlatar alimentos, de los peligros del uso indiscriminado de antibióticos o simplemente al discernir entre la realidad y la fantasía en la última película de Hollywood.

La obra está dividida en cuatro unidades. La primera ilustra lo que es la ciencia, traza su desarrollo y expone los mecanismos mediante los cuales se genera el conocimiento. Este último es el tema central de la obra. La segunda unidad aborda las bases físicas, químicas y biológicas de la vida y del universo. La tercera unidad examina al ser humano como organismo en toda su complejidad morfológica y fisiológica, pero sin entrar en detalles y definiciones innecesarias para los propósitos. Finalmente, la cuarta unidad ubica al ser humano como especie dentro del contexto más amplio del planeta, examinando las bases científicas de su impacto en el ambiente y sus posibles consecuencias.

Al estructurar esta obra pensamos que nuestro trabajo no estaría completo si no lográbamos establecer el puente entre el conocimiento científico y los avances tecnológicos que cada día repercuten más en nuestro estilo de vida. Con esa idea y para reforzar el concepto de cómo funciona y cómo descubrimos la naturaleza, establecimos las secciones **Enlaces**. En esta tercera edición de la obra, hemos tenido la ventaja de contar con la participación de científicos e ingenieros adicionales que han contribuido con algunos de estos enlaces.

Con todo lo anterior, esperamos brindar una visión amplia y sencilla del conocimiento científico y su importancia en nuestro diario vivir.

Armando Rodríguez Durán
Norma I. López Ramírez
Héctor E. Quintero Vilella
Rafael R. Canales Pastrana

UNIDAD
1

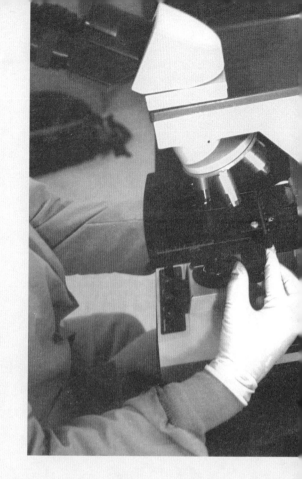

El quehacer científico

CAPÍTULO

1

El método científico

La ciencia, al igual que cualquier otra actividad humana, no puede ser totalmente objetiva. Se desarrolla a partir de una mezcla de folclor, misticismo y observaciones objetivas (capítulo 10). En el Renacimiento y, específicamente con las obras de Galileo y sus contemporáneos, la ciencia comenzó a desarrollar su naturaleza estructurada y especializada, y se fue haciendo cada vez más ininteligible para quien no fuera científico. Por su parte, el estudiante de esta área, es decir, el que se preparaba con la aspiración de ejercer las ciencias, era instruido en los paradigmas de las disciplinas. Podría pensarse que el inculcar estos paradigmas o ejemplos aceptados de la práctica científica, leyes, teorías, aplicaciones e instrumentación, entorpece hasta cierto punto la objetividad del practicante. No obstante, esta manera de preparar al científico ha resultado eficaz y aun cuando de primera intención parece oponerse al cambio, en la práctica lo ha estimulado mediante nuevos descubrimientos.

El descubrimiento se inicia cuando se hace una observación de la naturaleza que, con base en ciertos paradigmas, se considera como una anomalía. De inmediato se sigue un proceso de exploración de tal anomalía hasta que el paradigma se ajusta a la nueva realidad y así la anomalía pasa a ser norma. En estos casos se suscita un cambio de paradigma. Los criterios para determinar qué es aceptable en la ciencia son distintos de los de otras disciplinas. Sin embargo, hay uno que la ciencia, al igual que la "Gasolina" de Daddy Yanqui, la "Primavera" de Vivaldi o la "Bohemian Rhapsody" de Queen, debe cumplir y es el de satisfacer el público al que se dirige. En este capítulo veremos el esquema a partir del cual se elaboran los paradigmas científicos de manera que sean aceptables para su audiencia.

Definición de ciencia

No es fácil definir el término *ciencia*. Filósofos y científicos han debatido mucho al respecto y aunque en la práctica parece relativamente fácil distinguir entre disciplinas científicas y no científicas, el asunto de la definición es más complejo. Estas dos aseveraciones pueden parecer incongruentes, pero cuando se entra al mundo de las ideas, la claridad no siempre se alcanza con facilidad.

Por el momento, definimos el término *ciencia* como el área del conocimiento que se preocupa por establecer leyes generales verificables sobre el universo. Esta actividad científica se lleva a cabo principalmente mediante la *inducción, deducción, hipótesis y experimentación* (figura 1.1).

De esta definición se siguen varias inferencias. Primero, consideramos que el universo tiene un orden que podemos llegar a entender; de no ser así, la ciencia no tendría razón de ser. En segundo lugar, reconocemos que puede haber otras maneras de entender el universo, otras formas de comprensión que no tienen características científicas. Para que una explicación sea científica, debe ser verificable empíricamente. ¿O deberíamos decir que se pueda rechazar empíricamente? ¿Nos referimos a lo mismo cuando decimos que una hipótesis debe ser verificable y puede ser rechazada o probada incorrecta?

En 1934, el influyente filósofo de la ciencia Karl Popper publicó su obra *Die Logik der Forschung* o *La lógica del descubrimiento científico*. Ahí, y en trabajos subsecuentes, Popper desarrolló la idea de que la característica que define a la ciencia es la capacidad para generar leyes universales que al menos en principio puedan ser *falsadas,* es decir, rechazadas o desaprobadas empíricamente. Este enfoque ha sido debatido, refutado y modificado por algunos filósofos y científicos; por ejemplo, David Stamos ha señalado una serie de fallas e inconsistencias en los argumentos de Popper, sin que esto desmerezca la importancia de la obra de éste. Por ejemplo, desde el punto de vista de Popper, la pregunta sobre si hay vida en otros planetas sería una pregunta metafísica y no científica, puesto que no puede ser descartada empíricamente. Sin embargo, al

Figura 1.1 ■ Ejemplo de un experimento, en este caso para medir variables fisiológicas durante el ejercicio.

FUENTE: Lygre, D. G., *General, Organic and Biological Chemistry*, Brooks/Cole Publishing Co., California, 1995.

establecer como criterio científico la verificabilidad de la aseveración, entonces sí podemos hacer un examen empírico, porque como no es posible investigar todos los planetas del universo, no se rechaza la idea de que no haya vida en ninguno; es decir, que el no encontrar vida en los planetas examinados no implica que la misma no pueda existir en otros. Por otra parte, encontrar vida en tan solo un planeta es automáticamente una verificación de nuestra presunción. La definición que hace Popper de la ciencia es sumamente restrictiva, por lo que preferimos nuestra definición inicial de ciencia con el criterio principal de verificabilidad empírica.

Metodología

Independientemente de la disciplina científica que se examine, todos los científicos tienen algunas prácticas comunes. Por lo general, el científico se plantea un problema, propone una explicación educada pero tentativa al problema y diseña una estrategia para examinar las predicciones que se desprenden de su explicación del fenómeno. De manera más formal, el método científico se desglosa en los siguientes pasos:

- Identificar un problema o una pregunta sobre algún aspecto del universo, entendiendo éste como todo aquello que nos rodea (y no el espacio extraterrestre).
- Analizar toda la información disponible y generar una **hipótesis** o explicación tentativa para el fenómeno o pregunta que se examina.

■ hipótesis

- Diseñar experimentos que lleven a aceptar o rechazar la hipótesis. Esta hipótesis que se examina se conoce en estadística como hipótesis nula: H_0.
- Aceptar, rechazar o modificar la hipótesis de acuerdo con los resultados obtenidos en los experimentos.

La información que se recopila al hacer un experimento son los **datos**. A base de datos se trata de entender la naturaleza, para generar leyes, teorías e hipótesis (figura 1.2). A menudo no se tiene claro la diferencia entre estos tres conceptos y se habla, por ejemplo, de la teoría de evolución, cuando en realidad la evolución es un hecho y la teoría que la explica es la selección natural.

■ datos

Sin olvidar que desde el punto de vista filosófico la ciencia no puede generar verdades absolutas, se considera **ley** todo enunciado para el que no se conoce excepción alguna; es decir, la ley resume una serie de observaciones que nunca han mostrado variaciones impredecibles. Una **teoría** es un grupo coherente de principios hipotéticos, conceptuales y pragmáticos que forman el marco de referencia de un campo de la investigación. En otras palabras, la teoría conforma leyes, hipótesis en varios estados de verificación e ideas o modelos para proveer la base a partir de la cual se generan nuevas hipótesis.

■ ley

■ teoría

Para entender mejor lo anterior hagamos una analogía: pensemos que vamos en automóvil cuando súbitamente éste comienza a emitir un sonido raro. Tratamos de escuchar con detenimiento y le damos una explicación tentativa al sonido (hipótesis). Luego procedemos a examinar el automóvil (experimentación) para finalmente acep-

Figura 1.2 ■ Representación esquemática del método científico.

FUENTE: Hein, M. y S. Arena: *Foundations of College Chemistry*, Brooks/Cole, California, 9a. ed., 1996, p. 7.

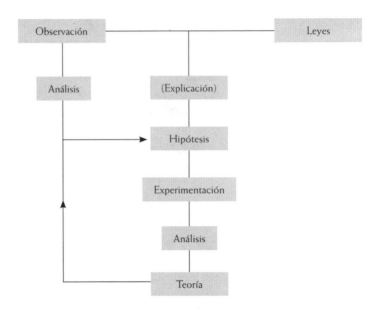

tar o rechazar la hipótesis. Esa primera explicación que le dimos al problema no la sacamos de la nada, sino de todos nuestros conocimientos, experiencias y observaciones.

Tipos de investigación

La investigación científica se clasifica, entre varias maneras, en investigación física, química y biológica; en investigación pura y aplicada; en investigación teórica y empírica.

La primera división provee unas categorías por disciplina más que por tipo de investigación (sin que queramos implicar que estos dos elementos están desvinculados). La segunda se acerca más a la diferencia entre ciencia y tecnología o ingeniería, por lo cual continuaremos nuestro estudio contrastando la investigación teórica y la empírica.

Una de las formas elementales de investigación empírica es la *clasificación* y *nomenclatura*. Antes de poder realizar experimentos más complejos, es necesario organizar la naturaleza mediante construcciones mentales que simplifiquen el trabajo (figura 1.3). Así vemos que entre los cuerpos celestes distinguimos planetas, cometas, asteroides, lunas, galaxias, etc. Organizamos los elementos en una tabla periódica (capítulo 2) y clasificamos la vida de este planeta en cinco reinos (figura 1.4). Estos sistemas de clasificación y nomenclatura son indispensables para el progreso ordenado de la ciencia. La figura 1.5 muestra que una misma especie de culebra puede tener alrededor de 50 nombres comunes en los diversos países donde habita. La importancia de la nomenclatura se hace más patente si observamos que una especie de ave *(Quiscalus niger)* en una isla tan pequeña como Puerto Rico tiene al menos cuatro nombres (mozambique, chango, pichón prieto y cuervo). Si los estudiosos no asignaran un nombre científico a cada especie, sería imposible realizar una investigación biológica.

Otro elemento fundamental de la investigación es la *medición*. Por lo general, los datos obtenidos durante un experimento se expresan como un valor numérico seguido por la unidad de la medida tomada. Contamos con dos sistemas de medidas: el **sistema métrico** y el **sistema inglés.** La diferencia entre estos sistemas es que tienen diferentes unidades para medir las mismas cantidades físicas (tabla 1.1). El sistema métrico se conoce como sistema internacional de medidas (SI), ya que lo aplica la comunidad científica de todo el mundo.

■ **sistema métrico**
■ **sistema inglés**

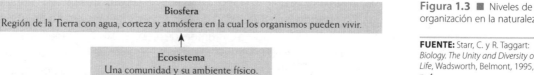

Biosfera
Región de la Tierra con agua, corteza y atmósfera en la cual los organismos pueden vivir.

↑

Ecosistema
Una comunidad y su ambiente físico.

↑

Comunidad
La población de todas las especies ocupando la misma área.

↑

Población
Grupos de individuos de la misma clase, es decir, las mismas especies, ocupando un área determinada al mismo tiempo.

↑

Organismo multicelular
Individuo compuesto y especializado, con células interdependientes en tejidos, órganos y sistemas.

↑

Sistema de órganos
Dos o más organismos que interactúan química o físicamente en vía de contribuir a la sobrevivencia de todo el organismo.

↑

Órgano
Estructura en la que sus tejidos se combinan en cantidades específicas y diseños específicos y que realizan una misma tarea.

↑

Tejido
Grupo de células y sustancias aledañas que funcionan juntas en una actividad especializada.

↑

Célula
Diminuta unidad viviente que vive independientemente o participa en el organismo multicelular.

↑

Organelo
Sacos u otros compartimentos que separan las diferentes actividades dentro de la célula.

↑

Molécula
Unidad de dos o más átomos del mismo o diferentes elementos enlazados.

↑

Átomo
Unidad más pequeña de un elemento que conserva las propiedades de los elementos

↑

Partícula subatómica
Un electrón, protón o neutrón, una de las tres myores partículas de las que están compuestos los átomos.

Figura 1.3 ■ Niveles de organización en la naturaleza.

FUENTE: Starr, C. y R. Taggart: *Biology. The Unity and Diversity of Life*, Wadsworth, Belmont, 1995, p. 4.

El Sistema Internacional (SI) tal como lo conocemos es un derivado del sistema métrico. El sistema métrico surgió en Francia hace aproximadamente dos siglos, para satisfacer la necesidad de un sistema de pesos y medidas común que facilitara el comercio y la industria entre poblados. En aquel tiempo, el sistema fijó las siguientes unidades bases: metro, gramo, segundo. El **metro** (m) es la unidad de longitud, y se definió como una diezmillonésima parte de la distancia del ecuador al polo norte. El **gramo** (g) es la unidad de masa y se definió como la masa de un centímetro cúbico (1 cm = 0.01 m) de agua. El **segundo** (s) es la unidad de tiempo y no se propuso como una medida nueva, sino que se adoptó la vieja costumbre de dividir el día en 24 horas, una hora en 60 minutos y un minuto en 60 segundos. Así, el segundo es igual a 1/86 400 de día.

Por la necesidad de más exactitud, estas definiciones se fueron modificando a través de los tiempos hasta llegar a la que tenemos hoy. Así, un segundo es igual a 91 92631 770 ciclos de la radiación de un átomo de cesio (133CS). Un metro se define como la distancia que viaja un haz de luz en el vacío en 1/299 792 458 de segundo (esta distancia en el sistema inglés es de aproximadamente 3.28 pies). El **kilogramo** se define como la masa de un cilindro de platino e iridio con un diámetro de 39 milímetros y una altura igual a su diámetro.

- **metro**
- **gramo**

- **segundo**

- **kilogramo**

Figura 1.4 ■ Versión modificada del sistema de clasificación en cinco reinos de Robert Whittaker.

FUENTE: Starr, C: *Basic Concepts in Biology,* Wadsworth, Belmont, 1997, p. 259.

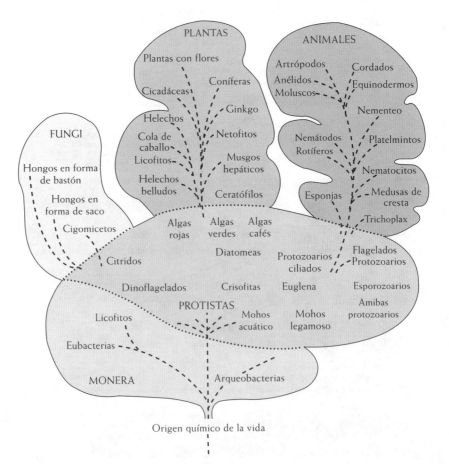

Figura 1.5 ■ Nombres comunes de la especie *Bothrops asper* a través de su área de distribución en América Latina.

FUENTE: Starr, C. y R. Taggart: *Evolution of Life*, Wadsworth, Belmont, p. 310.

Nombre científico: *Bothrops asper*

Ejemplos de nombres locales:

yellow-jaw tommygoff (Belice)

barba amarilla (costa colombiana)

boquidorá, boquidorada (costa caribeña)

cuatro narices, equis, equis negra, equis rabo de chucha (isla Góngora, Cauca)

gata, macabrel, macaurel, mapaná, mapaná de uña, mapaná equis, mapaná prieta, mapaná rabo blanco, mapaná tigre (chocó) equis (costa de Ecuador)

barba amarilla, cantil boca dorada (Guatemala, costa sur) barba amarilla (Honduras)

ahueyactli, barba amarilla, cola blanca, cuatro narices, nauhyacacóatl, nauyaca, nauyaca cola de hueso, nauyaca real, nauyaque, palanca, palanca loca, palanca lora, palancacoate, palancacóatl, palancacuate, rabo de hueso, tepocho, tepotzo, víbora sorda, xochinauyaque (México)

barba amarilla, terciopelo (Nicaragua)

fer-de-lance, mapepire balsain (también llamada: balsin, balcin, valsin, barcin), rabo frito (juveniles) (Trinidad)

macagua, macaurel (Venezuela, costa central)

mapanaré (Andes)

terciopelo (Andes del Oeste)

cachete de puinca, changuanga, chigdu, cuaima carbón, cuatronariz, deroya, doroya, juba-vitu (nombre de tribus indígenas), macao, mapanaré terciopelo, rabo amarillo, sapamanare, talla equis, tigra, tukeka (Venezuela)

El SI se compone de prefijos que se añaden a las unidades bases de distancia y masa. En la tabla 1.2 se anotan estos prefijos con su valor numérico que es múltiplo o submúltiplo de la unidad base, así como sus abreviaciones.

Si se conocen ambos sistemas de medidas y sus factores de conversión se puede trabajar confiablemente en uno u otro.

En la figura 1.6 se presentan algunos factores de conversión. Por ejemplo, si quisiéramos determinar nuestro peso utilizando una romana, y obtuviéramos, digamos, una medida de 150 libras, ésta sería igual a 67.2 kilogramos. Es importante entender que toda medición tiene cierto grado de incertidumbre estadística, la cual se debe a las limitaciones del equipo o de la persona que lo utiliza.

El grado de incertidumbre de una medida está determinado por el fabricante del instrumento cuando establece su tolerancia. Por ejemplo, si buscamos las especificaciones

Tabla 1.1 ■ Sistema métrico o internacional. Cantidades físicas.

Cantidades físicas	Sistema métrico o internacional		Sistema inglés
	MKS	**CGS**	
Longitud	Metro	Centímetro	Pulgada
Masa	Kilogramo	Gramo	Libra
Tiempo	Segundo	Segundo	Segundo

de la romana en la cual nos pesamos quizá señale ±0.5 libras, o sea que nuestro peso sería en realidad 150 ± 0.5 libras, es decir, que estará entre 149.5 y 150.5 libras.

■ **precisión**
■ **exactitud**

Estas características del equipo determinan lo que se conoce como *precisión* y *exactitud*. La **precisión** es la capacidad de reproducir los resultados obtenidos. La **exactitud** es la coincidencia con un valor aceptado. Estos términos son explicados en forma ilustrativa en la figura 1.7.

Tanto la precisión como la exactitud en las medidas sufren el efecto de los fenómenos que llamamos *errores,* que se clasifican en aleatorios, personales o sistemáticos.

■ **errores aleatorios**
■ **errores personales**

Los **errores aleatorios** son el resultado de variaciones desconocidas e impredecibles de la configuración original del experimento. Los **errores personales** son ocasionados por la falta de cuidado al tomar la lectura del instrumento, fallas en la observación o en los cálculos matemáticos. Los **errores sistemáticos** son aquellos ocasionados por la instrumentación. Por ejemplo, si nuestra romana nos dio un peso de 150 ± 0.5

■ **errores sistemáticos**

Tabla 1.2 ■ Prefijos más comunes del SI.

Prefijos	Valor numérico	Abreviación
Giga-	1 000 000 000	G
Mega-	1 000 000	M
Kilo-	1 000	K
Hecto-	100	H
Deci-	0.1	d
Centi-	0.01	c
Mili-	0.001	m
Micro-	0.000 001	μ
Nano-	0.000 000 001	n
Pico-	0.000 000 000 001	p

Longitud

S. inglés		S. métrico
pulgadas	=	2.54 centímetros
pies	=	0.30 metros
yardas	=	0.91 metros
millas (5.280 pies)	=	1.61 kilómetros
Para convertir	multiplicar por	Para obtener
pulgadas	2.54	centímetros
pies	30.00	centímetros
centímetros	0.39	pulgadas
milímetros	0.039	pulgadas

Figura 1.6 ■ Algunas unidades de medición del sistema inglés y métrico.

FUENTE: Starr, C: *Biology: A Human Emphasis*, Wadsworth, Belmont, 1997, p. A4.

Peso

S. inglés		S. métrico
gramo	=	64.80 miligramos
onza	=	28.35 gramos
libra	=	453.60 gramos
tonelada corta (2 000 libras)	=	0.91 tonelada métrica
Para convertir	multiplicar por	Para obtener
onza	28.3	gramos
libra	453.6	gramos
libra	0.45	kilogramos
gramos	0.035	onza
kilogramos	2.0	libra

Volumen

S. inglés		S. métrico
pulgada cúbica	=	16.39 centímetros cúbicos
pie cúbico	=	0.03 metros cúbicos
yarda cúbica	=	0.765 metros cúbicos
onza	=	0.03 litro
pinta	=	0.47 litro
cuarto (de galón)	=	0.95 litro
galón	=	3.79 litro
Para convertir	multiplicar por	Para obtener
onzas líquidas	30.00	mililitros
cuarto (de galón)	0.95	litros
mililitros	0.03	onzas líquidas
litros	1.06	cuartos

libras, y al bajarnos de ella en vez de marcar cero marca 10 ± 0.5 libras, entonces sabemos que nuestro peso real es de 140 ± 0.5 libras, porque le tenemos que restar las 10 libras de error sistemático.

Debemos prestar una atención especial cuando realizamos cálculos, ya que podemos introducir errores al tratar de ser más específicos. Por ejemplo, si un vehículo de

Figura 1.7 ■ Las partes A, B y C muestran respectivamente: una pobre precisión y exactitud, una pobre exactitud pero una buena precisión y una buena precisión y exactitud.

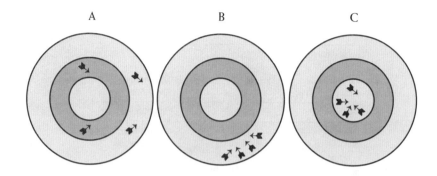

motor recorre una distancia de 18.4 ± 0.1 cm en 0.37 ± 0.01 segundos y queremos saber su velocidad, dividimos la distancia por el tiempo y obtenemos un valor de 49.729729 cm/segundo. Entonces aquí surgen varias preguntas.

¿Cómo puede el resultado tener mayor precisión que las medidas? ¿Cuál sería la incertidumbre del resultado?

■ **cifras significativas**

Antes de proceder a contestar estas preguntas tenemos que definir **cifras significativas,** que son el número de dígitos excepto por los ceros (el cero a la izquierda) usados para resaltar la posición del punto decimal. Entonces, nuestra distancia tiene tres cifras significativas y el tiempo tiene dos, pues el cero de la izquierda es utilizado para resaltar el punto decimal. Con esto, contestamos que ningún resultado puede tener más cifras significativas que las medidas que lo generan; por tanto, tenemos que redondear a la décima el resultado anterior, ya que es la parte decimal más pequeña. Aparte, la incertidumbre de un resultado es igual a la incertidumbre mayor de las medidas que lo generan. De este modo, nuestro resultado es 49.7 ± 0.1 cm/s.

■ **modelos**

Un tercer elemento de gran importancia tanto para la investigación empírica como para la teórica son los **modelos,** que son construcciones mentales cuyo propósito es demostrar un concepto en términos matemáticos, esquematizar un sistema complejo o hacer predicciones (figuras 1.8 y 1.9). El modelo se construye tratando de hacerlo tan semejante al mundo real como sea posible, y si bien jamás puede ser una réplica exacta, su utilidad es una función de su correspondencia con la realidad. Una de las actividades principales de la experimentación científica es comparar las propiedades de los modelos con las del universo. No siempre es posible generar modelos de un sistema, ya sea porque no se tiene un conocimiento suficiente del mismo o porque su complejidad no lo permite.

A diferencia de los modelos empíricos que se basan exclusivamente en observaciones, los modelos teóricos se basan en algún concepto sobre la manera en la que opera el sistema (figura 1.9). Como dijimos, la pertinencia del modelo teórico depende de su capacidad para predecir o describir sucesos reales y, por tanto, deberá evaluarse con experimentación. En las ciencias físicas se observa con mayor frecuencia este tipo de modelo, pero cada día es más utilizado en otras disciplinas.

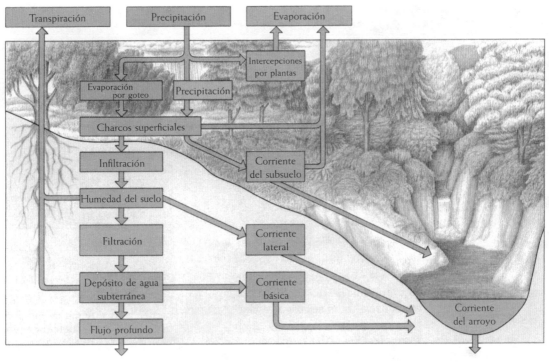

Figura 1.8 ■ Modelo esquemático del movimiento de agua en una cuenca hidrográfica.

FUENTE: Starr, C: *Basic Concepts in Biology*, Wadsworth, Belmont. 1997. p. 670.

Limitaciones del método científico

Mediante el método científico tratamos de entender por qué las cosas son como son. Durante 26 siglos se ha avanzado un largo trecho en esta dirección. Sin embargo, hay preguntas que posiblemente la ciencia nunca pueda contestar porque son de índole ética, moral, filosófica o teológica. Por ejemplo, la ciencia nos puede proveer información sobre cuál es el estereotipo de belleza prevaleciente en una época, pero no puede establecer lo que es belleza o definir lo que es amor. ¿Cuál es nuestro propósito en el universo? ¿A partir de qué etapa se puede considerar a un embrión como ser humano? ¿En qué circunstancias se justifica la eutanasia o la pena de muerte? Éstas son preguntas de carácter subjetivo que comprenden aspectos éticos y morales; por tanto, no pueden ser investigadas con la observación objetiva que caracteriza a la ciencia. Sin embargo, son preguntas importantes para el individuo y para la sociedad, que deben ser contestadas por otros medios.

En ocasiones se ve la ciencia como una disciplina que atenta contra los valores de la sociedad. Es interesante, por ejemplo, la reacción general ante la posibilidad de producir clones de mamíferos (capítulo 5). No cabe duda que la ciencia, como actividad cultural cada vez más importante, influye en gran medida sobre nuestros valores y nuestra manera de pensar. El ejemplo más claro de este fenómeno es el de Galileo,

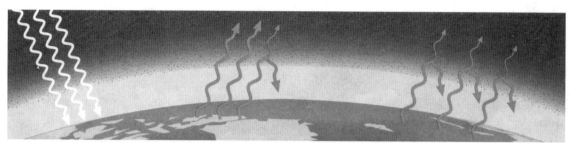

Figura 1.9 ■ La cantidad neta de energía de radiación solar absorbida por la superficie terrestre y disponible para ser transformada a otras formas de energía puede ser representada por el modelo $R_n=S(1-\alpha)+L_w-\varepsilon_\sigma T_s^4$ donde: R_n es la radiación neta, S es la luz solar, α es el albedo, L_w es el flujo de onda larga, ε es emisividad, σ representa la constante Stefan Boltzmann y T_s es la temperatura del suelo.

FUENTE: Starr, C: *Basic Concepts in Biology*, Wadsworth, Belmont, 1997, p. 674.

que fue encarcelado por sostener la idea de que la Tierra gira alrededor del Sol. Pero estamos equivocados si pensamos que esa época de oscurantismo intelectual ha pasado. Así, apenas en 1925 John Scopes, un maestro de escuela superior en Tennessee, fue declarado culpable de infringir una ley que prohibía enseñar evolución; y hoy en día el movimiento del "creacionismo científico" trata de disfrazar la religión como ciencia para burlar la separación de Iglesia y Estado en Estados Unidos. No se debe perder de vista que la ciencia difiere de los sistemas de creencias basadas en fe, fuerza o consenso y se fundamenta en observaciones sistemáticas, hipótesis, predicciones verificables y experimentación.

Hay otra limitación importante respecto a las preguntas que la ciencia puede contestar. Como dijimos, la ciencia no puede ser totalmente objetiva. Nuestra capacidad para razonar de manera lógica y objetiva depende en gran medida de las corrientes de pensamiento prevalecientes. Al mismo tiempo, nuestra capacidad de ver el universo se ve limitada por nuestras facultades sensoriales y la sensibilidad de los instrumentos que utilizamos, así como por la habilidad de comunicar conceptos a otras personas. ¿cómo exploramos fenómenos que no percibimos? ¿Cómo convencemos a otros describiéndoles algo que no pueden percibir?

La historia del descubrimiento de la orientación por sonido de los murciélagos (véase la sección Enlace "El sonar, el murciélago y las alevillas", en la página 15) ilustra el problema de nuestra limitación sensorial. En el siglo XVII, el científico italiano Lázaro Spallanzani descubrió por accidente que los murciélagos no necesitan de los ojos para orientarse en vuelo. Spallanzani diseñó un sinnúmero de experimentos, todos infructuosos, para tratar de determinar cómo se orientaban los murciélagos. En 1793, Monsieur Charles Jurine le sugirió que los murciélagos usaban la audición para orientarse. Spallanzani no quedó convencido hasta después de muchos experimentos, pero esta idea no tuvo mucha acogida y tuvieron que pasar 150 años para que finalmente fuera aceptada. Obviamente, a un organismo con orientación visual como el ser humano le era difícil concebir una orientación acústica. Del mismo modo, hay muchos otros aspectos de la naturaleza que no se pueden percibir (figura 1.10) y que por lo mismo son difíciles de concebir.

El sonar, el murciélago y las alevillas

Los murciélagos son los únicos mamíferos voladores, y siendo nocturnos han debido recurrir a un mecanismo de orientación que no requiera luz. Un mito muy arraigado en muchas culturas es la idea errónea de que los murciélagos son ciegos. Independientemente de la capacidad visual de un animal, la visión necesita luz, que falta en la noche y en las cuevas donde habitan estos mamíferos. Otra idea común de la gente es que los murciélagos usan un sistema de radar para orientarse. De igual manera, se trata de un concepto erróneo. Un radar, al igual que el sonar, puede usarse para determinar la presencia y localizarión de un objeto. Sin embargo, el sonar utiliza ondas de sonido a diferencia del radar, que se basa en ondas electromagnéticas. Como cualquier otro fluido, el aire tiene la capacidad de movimiento vibratorio. Llamamos **ondas** a las distorsiones en la forma de un fluido causadas por vibraciones que se desplazan alejándose de su origen.

Las ondas se pueden producir en sólidos, pero se observan mejor en los líquidos. Las ondas no sólo son importantes para transmitir sonido: sin ellas, por ejemplo, no existiría el deporte del *surfing*.

En la figura A se presenta el diagrama de una onda; la relación entre velocidad, frecuencia y largo de onda está dada por:

$$V = f \times \lambda$$

donde:

V = velocidad
f = frecuencia
λ = longitud de onda

Dos características importantes de las ondas son la *refracción* y la *reflexión*. La primera se refiere a la capacidad que tiene la onda para pasar de un material a otro, cambiando su velocidad y dirección; la segunda, al rebote de una onda

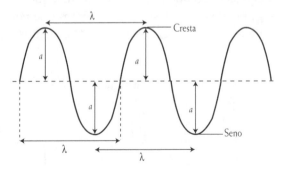

Figura A ■ Diagrama de una onda: a representa amplitud y es el largo de onda. El número de ondas producidas por segundos es la frecuencia.

FUENTE: Michell *et al: Integrated Science, Book 1*, Nelson, Scarbourough, 1997, p. 144.

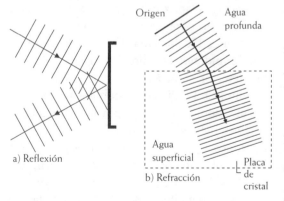

a) Reflexión

b) Refracción

Figura B ■ Reflexión y refracción de una onda.

FUENTE: Michell *et al: Integrated Science, Book 1*, Nelson, Scarbourough, 1992, p. 146.

al chocar contra un objeto sólido (figura B). Esta segunda propiedad es explotada por los murciélagos para orientarse en la oscuridad (figura C).

Figura C ■ Murciélago en vuelo emitiendo una señal de ultrasonido por la boca.

FUENTE: Starr, C: *Basic Concepts in Biology*, Wadsworth, Belmont, 1997, p. 367.

En 1793, el investigador italiano Lázaro Spallanzani se preguntaba por qué al apagarse la luz de la vela en el cuarto donde experimentaba con distintos animales, un búho chocaba contra las paredes mientras el murciélago continuaba volando sin problemas. Luego de innumerables experimentos tanto de Spallanzani como de sus colegas, se convenció de que los murciélagos aprovechaban de alguna manera el sonido para orientarse. Sin embargo, fue hasta unos 150 años más tarde que el científico estadounidense Donald R. Griffin, utilizando un detector sónico creado por el científico e inventor G. W. Pierce, pudo detectar las señales ultrasónicas emitidas por los murciélagos. Cuando hablamos de señales ultrasónicas nos referimos a las que tienen frecuencia mayor de la que el humano puede oír, es decir, más de 20 KHz o 20 000 ciclos por segundo. Los murciélagos emiten la señal a través de la boca o la nariz, y en el eco que regresa a sus oídos detectan obstáculos o presas. Estas últimas son principalmente pequeños insectos voladores.

No todos los insectos son presa fácil de los murciélagos. Muchas alevillas o mariposas nocturnas poseen "detectores de murciélagos", que consisten de tímpanos sintonizados en la frecuencia a la cual emiten su señal la mayoría de los murciélagos en el área. Cuando un murciélago se acerca, la alevilla puede detectarlo antes que el murciélago la detecte a ella. En ese momento la alevilla comenzará maniobras evasivas o simplemente se dejará caer al suelo. Es interesante señalar que cuando Spallanzani notó la diferencia de la capacidad para orientarse en la oscuridad de murciélagos y búhos, fue porque accidentalmente un búho apagó la luz de la vela al volar junto a ella. El descubrimiento de la capacidad de las alevillas para evadir murciélagos también tuvo cierto grado de casualidad. En un cóctel donde había varios científicos tomando vino, uno de ellos comenzó a frotar con un dedo el borde húmedo de la copa. Algunas copas de cristal fino comenzaron a vibrar a manera de diapasón (figura D). La vibración de la copa genera un sonido de alta frecuencia que las alevillas confundieron con un murciélago y se dejaron caer al suelo. Tanto en el caso de los murciélagos como en el de las alevillas hubo una observación casual, que fue seguida de meticulosos experimentos que permitieron descifrar el mecanismo de cada uno.

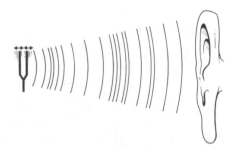

Figura D ■ Al vibrar el diapasón ocasiona distorsiones del aire que se transmiten como sonido.

FUENTE: Michell *et al*: *Integrated Science, Book* 1, Nelson, Scarbourough, 1992, p. 149.

Ramas de la ciencia y su relación con otras áreas del conocimiento

En esta obra, cuando hablamos de "ciencia", nos referimos específicamente a las ciencias naturales, es decir, la astronomía, la biología, la física, la geología y la química, y a su lenguaje universal: las matemáticas. Cada una de las ciencias básicas se subdivide en muchas otras disciplinas más específicas; por ejemplo, la química se divide primero en orgánica e inorgánica, mientras que la biología, en molecular y de organismos completos. Estas subdisciplinas se dividen en su turno hasta formar un árbol con innumerables ramificaciones. Más aún, las cinco ciencias que citamos anteriormente están en mayor o menor grado relacionadas entre sí, con la física como la más fundamental, pues no es posible entender cabalmente ninguna de las otras disciplinas sin

Figura 1.10 ■ Una flor vista como se percibiría con la radiación ultravioleta (izquierda) y con luz visible. Los insectos perciben la radiación ultravioleta, la cual revela unos patrones que sirven de guía para llegar al néctar.

FUENTE: Starr, C. y R. *Taggart: Biology: The Unity and Diversity of Life,* Wadsworth, Belmont, 1995, p. 520.

algún conocimiento de la física. Del mismo modo, la química es fundamental para el estudio de la biología y la geología. De este árbol de las ciencias básicas (figura 1.11) se

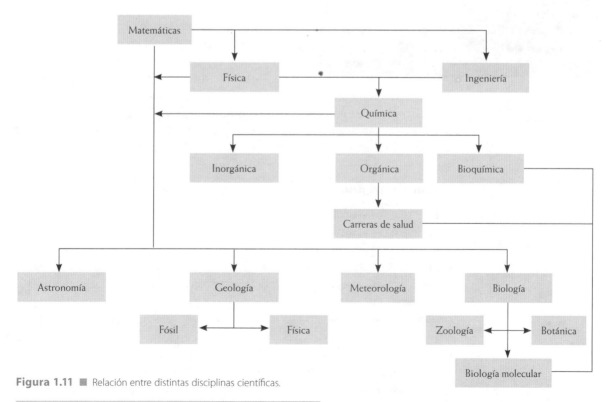

Figura 1.11 ■ Relación entre distintas disciplinas científicas.

FUENTE: Hein *et al., College Chemistry,* Brooks/Cole Publishing Co., California, 1993.

derivan otras disciplinas conocidas como ciencias aplicadas: aeronáutica, agronomía, ingeniería, medicina, metalurgia y farmacología. Así, en la biología tenemos a las ciencias anatómicas y fisiológicas, y como aplicaciones de ellas a la medicina.

De las investigaciones en la historia de la ciencia se desprende que tiene un origen común con la filosofía. De hecho, toda disciplina científica tiene una sólida base filosófica, y es ésta la que define lo que es o no aceptable en una disciplina en particular. Esta distinción es importante, porque a menudo se toma como argumento científico cualquier opinión de un científico, lo que es incorrecto ya que la ciencia comienza a divergir de la filosofía cuando busca pruebas empíricas más que metafísicas.

Tecnología y ambiente

Cuando se habla de tecnología, la mayoría de las personas piensa en radio, televisores, computadoras, reproductores de música y otros artefactos electrónicos. Éstos sin duda son parte del acervo tecnológico de la humanidad, pero sólo son representativos de finales del siglo pasado e inicio del presente. Si deseamos hablar de la **tecnología** en todo su alcance tendríamos que definirla como todo aquel desarrollo humano que facilita sus labores y alivia sus necesidades. Para hablar sobre este aspecto, tenemos que remontarnos a la Edad de Piedra, discutiendo la tecnología característica de cada periodo hasta llegar a nuestros días. En este trayecto histórico, es difícil discernir el punto de confluencia y sinergia entre la ciencia y la tecnología. Como reconocimiento de esta interacción, la Real Academia Española en la vigésima segunda edición de su diccionario, define la tecnología como: "Conjunto de teorías y técnicas que permiten el aprovechamiento práctico del conocimiento científico".

■ tecnología

Técnica y tecnología

■ técnicas

Aunque a veces se utilizan de manera indistinta las palabras técnicas y tecnologías, no son sinónimas. Las **técnicas** son conocimientos y procedimientos prácticos enfocados a producir un resultado determinado, de manera consistente. Muchas de las técnicas implementadas por el humano requieren diferentes tipos de destrezas, que pueden ir desde la intelectual hasta la mecánica. Algunas de las técnicas pueden requerir el uso de herramientas. Las técnicas se desarrollan por prueba y error, y se transmiten principalmente por la experiencia social. Por el contrario, la tecnología se basa en aportes científicos que bien pueden o no haber sido una evolución de la aplicación de diferentes técnicas. Al analizar el origen etimológico de la palabra *tecnología,* entendemos mejor su significado; proviene del griego *tekné*, que significa arte, técnica u oficio, y *logos*, que significa tratado, ciencia o conocimiento. De su raíz se desprende su relación estrecha con la técnica y su distinción.

Historia de la tecnología

En sus inicios, la técnica fue la guía de la tecnología para desarrollar invenciones para la mejor adaptación del humano a su ambiente, para su supervivencia. En tiempos relativamente recientes su guía ha sido la ciencia, con sus diferentes hallazgos. A fin de analizar de manera representativa la historia de la tecnología, dividiremos la Época Reciente u Holoceno, con base en las aportaciones tecnológicas más relevantes.

Era de Piedra. ■ Esta era se divide en dos periodos, el Paleolítico (Era Antigua de Piedra) y el Neolítico (Nueva Era de Piedra). Durante el Paleolítico los seres humanos eran nómadas; su supervivencia dependía de la caza y la recolección. La ejecución de estas tareas conllevó a la incorporación del uso cotidiano de herramientas de piedra y de la técnica de generación de fuego. En el Neolítico se trabajaron piedras de diferentes maneras y se pulieron. La domesticación de animales y el desarrollo de la ganadería le dio al ser humano la posibilidad de asentamientos, lo que abrió paso al desarrollo de las civilizaciones antiguas. Comenzaron los escritos pictográficos y se inventó la rueda.

Era de los Metales. ■ Este periodo se caracterizó por el uso de los metales y el desarrollo de la tecnología metalúrgica, que modificaron la forma de hacer herramientas y utensilios. Se divide en tres partes: Era del Cobre, Era del Bronce y Era del Hierro. Los asentamientos facilitaron el desarrollo de la fundición del cobre y, más tarde, de la del bronce. A su vez, el dominio de estas destrezas repercutió en la creación de diferentes utensilios. Cuando estas civilizaciones lograron el dominio de la tecnología necesaria para el trabajo del hierro, dieron inicio a la Era del Hierro. Esta era posibilitó la creación de nuevas y más eficientes herramientas y armas, así como de diferentes ornamentos y monumentos.

Civilizaciones antiguas

Estas civilizaciones se desarrollaron en los deltas de los grandes ríos del mundo. Entre las más destacadas del viejo mundo se encuentran la egipcia, la griega, la romana, la india y la china. Algunas de sus contribuciones más relevantes se presentan a continuación.

Egipto. ■ Invenciones de máquinas simples para sus construcciones. El desarrollo del papiro para plasmar sus escritos.

Grecia. ■ Con la cultura de grandes pensadores desarrollada, los griegos atemperaron gran parte de las tecnologías existentes a sus necesidades. Entre sus aportaciones se encuentran el conocimiento de la mecánica, la neumática, y el motor de vapor básico. Fueron pioneros en el desarrollo de molinos tanto hidráulicos como de vientos. Arquitectónicamente trabajaron las cúpulas.

Roma. ■ Los romanos modificaron la tecnología agrícola y la desarrollaron a un estado más sofisticado; mejoraron las herramientas utilizadas y las técnicas. Desarrollaron la construcción de carreteras, sentando así los inicios de la ingeniería civil. Como parte de sus contribuciones a la ingeniería, encontramos el desarrollo del hormigón, vidrio soplado; acueductos y baños públicos.

India. ■ Los indios desarrollaron tecnología marítima de vanguardia. Fueron también vanguardistas en conocimientos químicos y demostraron habilidades en las tecnologías de destilación y purificación, particularmente en la creación de perfumes.

China. ■ A los chinos se les atribuye la construcción de los primeros: sismógrafos, arados de hierro, brújula, hélice, pólvora, entre otros.

Entre las civilizaciones más destacas del nuevo mundo se encuentran la inca y maya.

Incas. ■ Los incas demostraron grandes conocimientos en tecnologías relacionadas con la ingeniería, por sus monumentales construcciones. Algunas de las cuales contaban con canales de irrigación lo que hacía más eficiente la agricultura. El pueblo inca fue de los primeros en trabajar los terrenos en forma sostenible, maximizando el cultivo por medio del establecimiento de cosechas en mesetas.

Mayas. ■ Los mayas tenían conocimiento complejo de la astronomía y desarrollaron sistemas complicados de escritura. Al igual que los incas, contaban con excelentes destrezas arquitectónicas.

Era medieval

Esta época se caracterizó por un estancamiento científico en Europa, pero los desarrollos tecnológicos, combinados con el conocimiento del Islam, abrieron la puerta al Renacimiento. Algunas de las contribuciones relevantes son los anteojos, relojes mecánicos y botones. En cuanto a la tecnología militar y la navegación, se cuentan desarrollos significativos que terminaron por sacar a Europa del medievo y lanzarla a la conquista del mundo.

Era moderna

La Revolución Industrial marcó el inicio de esta época, que se caracterizó por el cambio en la producción de bienes de una manera manual a una mecanizada, revolucionando así la economía. Muchos historiadores coinciden en que la tecnología responsable de estos cambios fue el desarrollo de la máquina de vapor. Esta innovación expandió los límites del comercio y lo agilizó. Con el aumento del intercambio social e intelectual surgieron nuevas invenciones como el tren a vapor, el telégrafo, la bombilla incandescente, entre otras. El desarrollo de la medicina moderna fue también clave en esta era de rápido crecimiento poblacional.

Continuando con el impulso de la Revolución Industrial, el siglo xx se desarrolló rápidamente. Se caracterizó por el desarrollo de tecnologías eléctricas, siendo las más notables el radio, radar, grabación de sonido, teléfono y fax. El aprovechamiento de combustibles fósiles y el uso de la energía nuclear, surgió como principal resultado de aplicaciones militares como el Proyecto Manhattan. El desarrollo del transistor y su miniaturización permitió la masificación de su implementación en tecnologías de uso civil como el computador personal y las calculadoras. Debido a esta tecnología, se han desarrollado instrumentos científicos sumamente impresionantes con los cuales podemos analizar las estructuras metálicas, con los microscopios electrónicos, u observar los confines del universo, mediante sondas espaciales.

Tecnología y economía

El desarrollo de las civilizaciones antiguas en el viejo mundo ilustra el desarrollo de la economía en función de la tecnología. Por ejemplo, el dominio de la navegación le abrió a Europa nuevos horizontes para el comercio. Además, se le añadió a la economía la rentabilidad de nuevos servicios de transporte. Ello dejó atrás la economía de intercambio de bienes y dio paso a la de bienes y servicios.

Al considerar los tiempos modernos, con la Revolución Industrial como inicio y con el motor a vapor como su principal aportación, se hace patente la relación de la tecnología y la economía. Este desarrollo facilitó la transportación, y creó lazos de comunicación más estables y periódicos. Permitió a su vez un flujo de ideas y conocimientos que fueron la base del desarrollo del conocimiento científico del siglo xx. Sin duda la mecanización de los procesos, que redundó en la producción en masa y el abaratamiento de los costos, terminó por aumentar la actividad económica. Con la incorporación de la iluminación artificial, pudo extenderse el periodo productivo y, por ende, la actividad económica.

Pero si aún no estamos convencidos de la relación entre la tecnología y la economía, basta esperar el lanzamiento de una nueva consola de videojuegos, celular, reproductor mp3, para ver abarrotadas las tiendas.

Tecnología y ambiente natural

Así como hemos establecido una relación positiva entre la tecnología y la economía, podemos poner de manifiesto una relación negativa entre aquélla y el ambiente. Antes del dominio de las destrezas agrícolas, el impacto del humano en el ambiente podría considerarse como equivalente al de cualquier animal con necesidades similares. Sin embargo, desde que el humano comenzó a dominar las destrezas agrícolas, inició el impacto significativo sobre el planeta. La razón principal ha sido la capacidad humana de sostener poblaciones cada vez mayores. En condiciones naturales, el ambiente limitaría el tamaño de la población, pero la tecnología ha permitido al humano modificar el ambiente para continuar aumentando su densidad demográfica (capítulo 12).

A medida que los seres humanos avanzaron en su conocimiento tecnológico su impacto ha sido mayor. Un ejemplo es la implementación de sistemas de riego, que en palabras sencillas consiste en desviar el agua de un lugar para suplir las necesidades de otro; en muchas ocasiones se hace sin pensar mucho en lo que sucederá con el lugar hacia el cual el agua estaba destinada originalmente. Más aún, con la Revolución Industrial, la producción en masa y la generación de energía eléctrica, se pasó a utilizar combustibles fósiles, lo que ha tenido un enorme impacto en nuestro planeta.

En la actualidad existe el consenso en la comunidad científica de que las emisiones como consecuencia de los combustibles fósiles constituyen la causa principal de los gases de invernadero (véase la sección Enlace "Cambios climatológicos" en el capítulo 12). Estos gases son los responsables de que el planeta no pueda irradiar de vuelta al espacio la energía proveniente del Sol, lo que provoca un calentamiento excesivo.

Enlace ■ ■ ■ ■

Mecatrónica

Amilcar A. Rincón Charris

La tecnología tiene varias ramas, entre ellas, la electrónica, la mecánica y la informática, cuya unión forma el concepto de mecatrónica. Esta nueva disciplina se ha convertido en estos últimos años en un área de interés en universidades y centros de investigación en el mundo. El término *mechatronics* se originó en Japón, hace más o menos 15 años, como una palabra compuesta de las palabras: mecánica y electrónica. Su origen se remonta a la integración entre el Diseño Asistido por Computadora (CAD, por sus siglas en inglés) y la Manufactura Auxiliada por Computadora (CAM, por sus siglas en inglés). Más recientemente se han integrado conceptos de Integración computacional e Inteligencia Artificial. Una definición más apropiada es la siguiente: "**mecatrónica** es la combinación del diseño y la fabricación de sistemas mecánicos, electrónicos y computacionales con el propósito de crear productos o sistemas de producción inteligentes".

A lo largo de la historia observamos una evolución que parte de disciplinas que en un principio eran aparentemente independientes entre sí. A medida que la tecnología fue evolucionando provocó la integración cada vez mayor de estas disciplinas, hasta el punto en que los límites entre una y otra están difusos. Un ejemplo claro de esta integración lo componen los robóticos actuales, que conjugan diferentes especialidades de la tecnología. En este sentido, la mecatrónica se ha descrito como una aproximación necesaria de conocimientos y una nueva cultura para realizar la nueva generación de máquinas, robots y mecanismos inteligentes requeridos en nuevas aplicaciones de producción, así como en ambientes hostiles para los seres humanos.

Dentro de los desarrollos interesantes de la mecatrónica está el brazo **Airic´s_arm**, una combinación de mecatrónica y biónica que pone de manifiesto nuevas posibilidades de futuros movimientos automatizados. **Airic's_arm** es un brazo robótico dotado de huesos y músculos artificiales. Treinta músculos se encargan de mover una estructura ósea que se compone, como en el humano, de los siguientes elementos: húmero, cúbito, radio, metacarpo, falanges, articulación del hombro y omoplato. Los huesos del **Airic** se han construido mediantes técnicas de control numérico computadorizado y manufactura, mediante prototipos rápidos.

Los músculos utilizados para movilizar el sistema óseo del brazo robótico son los conocidos como **fluidic muscle** (músculo neumático). El músculo neumático es un tubo flexible de elastómero con fibras de aramida entrelazadas. Al llenar el músculo con aire comprimido, aumenta su diámetro y a su vez reduce su longitud. La fuerza inicial de este músculo artificial es muy grande y, en cuanto a su dinámica, es semejante al músculo humano. La gran ventaja frente a éste es que no precisa ser alimentado con energía cuando está en contracción. Una unidad mecatrónica, regula las presiones del

Figura B ■

sistema y permite realizar movimientos cuya cinemática, velocidad, fuerza y precisión se aproximan a los movimientos humanos.

La coordinación de esta multitud de variables sólo es posible aplicando sistemas mecatrónicos y software avanzados. Los movimientos que el humano hace sin pensar y sin darse cuenta, incluyendo los movimientos reflejos, en este caso deben ser controlados y regulados con ayuda del computador realizando un gran esfuerzo. Es fácil imaginar que en el futuro se ampliarán los sensores del **Airic's_arm** por medio de, por ejemplo, cámaras o elementos para la percepción táctil, así como también que se perfeccionará el diseño de la espalda, cadera, nuca, etcétera.

En el futuro, estas características también serán de interés para el sector de la robótica. Con su ayuda, las personas podrán dejar a la técnica los trabajos peligrosos. Asimismo, constituyen una ventana a las futuras competiciones deportivas entre robots que, como lo demuestra la actual Robocup, prometen ser uno de los espectáculos deportivos del futuro.

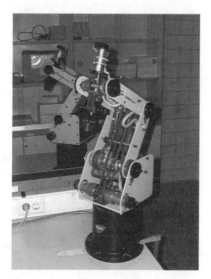

Figura A ■

CUESTIONARIO

1. ¿La creación y la evolución son dos teorías científicas acerca del desarrollo de la vida?

2. ¿Pueden coexistir la ciencia y la religión?

3. ¿En qué aspectos de nuestra vida diaria utilizamos el método científico?

4. ¿Es posible una relación positiva entre tecnología y ambiente?

UNIDAD 2

Materia y energía

CAPÍTULO

2

La naturaleza química

El cuerpo humano está constituido por huesos, diferentes tipos de músculos, tejidos y órganos como el corazón. Todos interactúan para permitir su funcionamiento. A su vez, estos componentes se integran por unidades más pequeñas conocidas como **células**, que están compuestas de una gama de sustancias químicas.

■ células

Un organismo lleva a cabo innumerables reacciones químicas, por lo que se dice que la vida depende de los cambios que ocurren en la materia. Ésta es una razón por la cual debemos conocer la naturaleza del mundo químico. Ingerimos alimentos que no son sino mezclas de sustancias químicas que entran a nuestro cuerpo a través del sistema digestivo, se mueven en el torrente sanguíneo hasta que cada una de los trillones de células de nuestro cuerpo recibe los nutrientes necesarios. La célula aprovecha estos alimentos o sustancias químicas para obtener la energía necesaria para fabricar nuevas células y efectuar actividades cotidianas como movernos, pensar y amar. El cuerpo produce sustancias químicas de excreción que libera y elimina principalmente por medio de la orina y por los pulmones. En otras palabras, ingerimos sustancias químicas, las procesamos en nuestro cuerpo y las excretamos. Pero, ¿cuánto sabemos de química?

Las ciencias y la tecnología proporcionan una gama de objetos que también están formados por diversas sustancias químicas y que utilizamos en nuestra vida.

A diario usamos, por ejemplo, artículos personales como prendas de vestir, pasta dental, calzado, sombreros y gorras. En la escuela o en la oficina usamos lápices, papel, pegamentos, computadoras y cuadernos. Para transportarnos, recurrimos a autos o autobuses, trenes, bicicletas o aviones. En fin, nos valemos de numerosos objetos, todos compuestos por diferentes materiales. Así, el mundo que nos rodea se compone de diversos materiales constituidos por combinaciones de sustancias químicas.

Hoy día, los adelantos en la química han proporcionado una amplia variedad de nuevos materiales. Muchos artículos se fabrican de plástico; en aviones y naves espaciales se usan compuestos que hace varios años no se hubieran imaginado siquiera, y algunos sirven también en prótesis para seres humanos. Se han creado materiales que tienen un tipo de "memoria" estructural: poseen la capacidad de mantener su forma original que recuperan sin importar cuánto se les tuerza.

Estructura de la materia

Por siglos nos ha intrigado la constitución de la materia. Los primeros intentos de conocer su naturaleza consistían en tratar de convertir el plomo en oro. Los antiguos alquimistas mezclaban diferentes sustancias, calentándolas a altas temperaturas por tiempo prolongado, con la esperanza de convertir una sustancia en otra. Sin embargo, sus intentos fueron infructuosos, ya que se encontró que ciertas sustancias como el plomo, el oro y la plata no pueden cambiarse por métodos químicos.

■ átomo

La unidad más pequeña en que se divide la materia sin que pierda sus propiedades es el **átomo,** palabra griega que significa *indivisible*.

Los átomos son extremadamente pequeños (aproximadamente 20 millones de veces menores que un milímetro) y la mayor parte de su volumen es espacio vacío. Esto significa que tendríamos que dividir un milímetro en 20 millones de unidades iguales y una de ellas correspondería al tamaño del átomo. Al ser tan pequeño, su estudio ha sido laborioso y todavía se hacen descubrimientos sobre su composición. Para estudiar la composición del átomo, se han usado diversos equipos e instrumentos; sin embargo, mucho antes se predijo su estructura usando la imaginación y haciendo deducciones a partir del comportamiento de la materia. A principios del siglo xx, uno de los instrumentos que se usaba para estudiar la estructura del átomo era la cámara de gases; en ésta se disminuía la presión y el choque de los átomos dejaba huellas de vapor que sugerían su estructura. En la actualidad se usan aceleradores de materia en los que mediante magnetismo se consigue que los átomos se desplacen a grandes velocidades para estudiar los rastros que dejan cuando chocan unos con otros.

■ partículas
atómicas

■ partículas
subatómicas

Estos experimentos demuestran que el átomo se compone de partículas más pequeñas, las **partículas atómicas**, que a su vez están formadas por unidades todavía menores llamadas **partículas subatómicas**. Las partículas atómicas son el protón con carga positiva, el neutrón que no posee carga y el electrón de carga negativa. El protón y el neutrón forman el núcleo, aportan la mayor parte de la masa y se encuentran en el centro del átomo (figura 2.1). Los electrones son mucho más pequeños y se mueven rápidamente alrededor del núcleo. La cantidad de electrones de un átomo es igual a la cantidad de protones, por tanto el átomo es neutro, es decir, tiene igual número de cargas positivas y negativas. Las cargas eléctricas positivas y negativas son las que mantienen al átomo unido y son importantes, pues desempeñan un papel preponderante en la forma en que reaccionan unos elementos con otros.

Se creía que el átomo tenía una estructura parecida al sistema solar; sin embargo, esta idea no prevalece hoy día. Los electrones se mueven alrededor del núcleo sin seguir un rumbo fijo como lo hacen los planetas en sus órbitas alrededor del Sol; se mueven alrededor del núcleo formando una "nube" de electrones, que ocupa la mayor parte del espacio del átomo. Si un átomo fuese del tamaño de una casa, el núcleo correspondería al tamaño de una cabeza de alfiler, el espacio restante estaría ocupado por la "nube" de electrones.

Elementos y compuestos

Un **elemento** es una sustancia que no se puede descomponer por reacciones químicas ordinarias. Las características de un elemento se deben a la cantidad de protones que tiene el átomo. Por ejemplo, el aluminio tiene 13 protones y es un elemento metálico relativamente liviano y brilloso; mientras que el oxígeno tiene ocho protones y es un gas incoloro e inodoro. Se reconocen 118 elementos, de los cuales 92 son elementos naturales y los restantes son creados artificialmente. Los elementos naturales se encuentran en su forma libre, esto es, puros o unidos con otros elementos formando **compuestos**. La unión de los elementos que forman un compuesto se conoce como **molécula**. Hay también moléculas de átomos del mismo elemento, como O_2. Un ejemplo de un compuesto es el dióxido de carbono (CO_2) liberado por nuestros cuerpos. El CO_2 se forma de dos átomos de oxígeno unidos a uno de carbono. Es raro encontrar elementos naturales en su forma pura; es más común hallarlos formando compuestos. Un compuesto adquiere características diferentes a las de los elementos que lo componen. La sal de mesa y el agua son buenos ejemplos de compuestos: la primera se compone de dos elementos, sodio (Na) y cloro (Cl). Las características de estos elementos son muy diferentes dependiendo de si se encuentran en su forma pura o compuesta formando la sal (NaCl). Con el agua ocurre algo similar, las características del hidrógeno (H) y el oxígeno (O) son muy diferentes a las del agua (H_2O).

■ **elemento**

■ **compuestos**
■ **molécula**

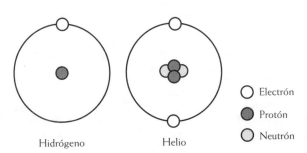

Hidrógeno   Helio

○ Electrón
● Protón
○ Neutrón

Figura 2.1 ■ Modelo de un átomo de hidrógeno y uno de helio. Los protones y neutrones se encuentran en la parte central formando el núcleo y los electrones se mueven alrededor.

FUENTE: Starr, C. y R. Taggart: *Biology. The Unity and Diversity of Life*, Wadsworth, Belmont, 1995, p. 19.

Algunos elementos como el oro y el uranio son muy raros, mientras otros como el oxígeno y el hidrógeno son muy abundantes. La figura 2.2 presenta la abundancia de algunos elementos en el cuerpo humano, en la corteza terrestre y en una calabaza. Carbono, hidrógeno, oxígeno y nitrógeno (que los podemos recordar mediante el acrónimo CHON) son elementos especialmente abundantes en los organismos, y proveen la base para la mayoría de los compuestos orgánicos. En particular, el carbono forma el "esqueleto" de las moléculas orgánicas (figura 2.3). Nosotros y todo lo que nos rodea estamos compuestos por varios elementos. La tabla 2.1 presenta algunos elementos y sus usos.

Número atómico

■ número atómico

Las características de un elemento están dadas por la cantidad de protones que tiene, esto se conoce como el **número atómico**. El elemento más sencillo, el hidrógeno, tiene un protón y su número atómico es 1. El oxígeno tiene ocho protones, por lo que su número atómico es 8, y así sucesivamente. En las reacciones químicas ordinarias el número de protones de un elemento no cambia; sin embargo, los elementos reaccionan unos con otros formando compuestos. Por ejemplo, el agua (H_2O) se forma por la unión de dos átomos de hidrógeno (H) con uno de oxígeno (O). La sal (Na^+Cl^-) se compone de un átomo de sodio (Na) y otro de cloro (Cl). Cuando se forman los compuestos mencionados, la cantidad de protones se mantiene constante, el hidrógeno siempre tendrá 1 protón, el oxígeno 8, el sodio 11 y el cloruro 17. La forma en que reaccionan los átomos para formar compuestos depende de la cantidad de electrones que tenga.

Tabla 2.1 ■ Importancia de algunos elementos. Se incluye el nombre del elemento seguido del símbolo y el número atómico. En la mayoría de los casos el elemento se usa para las aplicaciones mencionadas en combinación con otros elementos.

Hidrógeno H 1 • combustión de cohetes • hidrogenación de grasas	Helio He 2 • globos, dirigibles • rayos láser	Litio Li 3 • baterías eléctricas • aditivo de lubricantes	Berilio Be 4 • herramientas antichispas • resortes para relojes	Boro B 5 • raquetas de tenis • desinfectante ocular
Carbono C 6 • diamante • grafito de lápices	Nitrógeno N 7 • refrigerante • producción de amoniaco	Oxígeno O 8 • combustión • respiración celular	Flúor F 9 • aditivo, pastas dentales • teflón	Neón N 10 • avisos luminosos • tubos de TV, láser
Sodio Na 11 • alumbrado de carreteras • sal de cocina	Magnesio Mg 12 • bicicletas de carrera • antiácidos	Aluminio Al 13 • latas de refrescos • autos, aviones, cohetes	Silicio Si 14 • celdas solares • vidrio, cemento, grasas	Fósforo F 15 • fósforos • fertilizantes, detergentes
Azufre A 16 • fuegos artificiales • ondulado de cabello	Cloro Cl 17 • desinfectante de agua • blanqueador	Argón Ar 18 • bombillas fluorescentes • rayos láser	Potasio K 19 • abono químico • impulso nervioso	Calcio Ca 20 • metalurgia • preparación de cemento

Masa atómica

La masa del protón y la del neutrón son semejantes, mientras que los electrones casi no tienen masa. La **masa atómica** de un elemento es la suma de la masa de los protones y los neutrones. Así, la forma más común de carbono tiene seis protones y seis neutrones; por lo tanto, la masa atómica es 12. Aunque la masa y el peso no son lo mismo (capítulo 11), pues el peso depende de la fuerza de gravedad, en ocasiones se usa peso atómico en lugar de masa, pero eso es incorrecto.

■ masa atómica

Corteza terrestre		Cuerpo humano		Calabaza	
Oxígeno	46.5	Oxígeno	65	Oxígeno	85
Silicón	27.7	Carbono	18	Hidrógeno	10.7
Aluminio	8.1	Hidrógeno	10	Carbono	3.3
Hierro	5.0	Nitrógeno	3	Potasio	0.34
Calcio	3.6	Calcio	2	Nitrógeno	0.16
Sodio	2.8	Fósforo	1.1	Fósforo	0.05
Potasio	2.6	Potasio	0.35	Calcio	0.02
Magnesio	2.1	Sulfuro	0.25	Magnesio	0.01
Otros elementos	1.5	Sodio	0.15	Hierro	0.008
		Cloro	0.15	Sodio	0.001
		Magnesio	0.05	Cinc	0.0002
		Hierro	0.004	Cobre	0.0001
		Yodo	0.0004	Otros	0.00005

Figura 2.2 ■ Proporción de elementos en el cuerpo humano, en la corteza terrestre y en una calabaza.

FUENTE: Starr, C. y R. Taggart: *Biology, The Unity and Diversity of Life.* Wadsworth, Belmont, 1995, p. 18.

Isótopos

Los neutrones son importantes pues mantienen unidos a los protones del núcleo. El número de neutrones de un elemento puede variar sin que pierda las propiedades

Figura 2.3 ■ Modelo de una molécula orgánica: glucosa. El carbono es el elemento que forma la parte central o "esqueleto" al cual están unidos los átomos de hidrógeno y oxígeno.

FUENTE: Starr, C. y R. Taggart: *Biology. The Unity and Diversity of Life.* Wadsworth, Belmont, 1995, p.37.

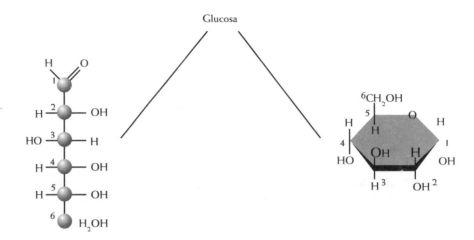

■ isótopos

que lo caracterizan. A estas diferentes formas de un elemento las conocemos como **isótopos**. Por ejemplo, el carbono tiene tres isótopos carbono 12 (^{12}C) con seis protones y seis neutrones; carbono13 (^{13}C) con seis protones y siete neutrones; y carbono14 (^{14}C) con seis protones y ocho neutrones. La importancia de los isótopos radica en la gran cantidad de aplicaciones científicas y tecnológicas que poseen: se han usado en estudios antropológicos y paleontológicos como relojes radiométricos para determinar la edad de fósiles (capítulo 11, página 198); en la medicina se aplican en el tratamiento del cáncer y en tomografías *(PET scan)* del cuerpo humano; en estudios ecológicos son de gran utilidad pues se puede estudiar el movimiento de nutrientes, como el nitrógeno, a través de los componentes de un ecosistema, y el gasto energético de los organismos.

Origen de la materia

Ya dijimos que los compuestos se forman en reacciones químicas ordinarias. ¿Qué ocurre en las reacciones extraordinarias? Es una pregunta interesante. Las pruebas actuales indican que el Sol es un lugar donde se llevan a cabo esas reacciones extraordinarias. Esta estrella se compone principalmente de hidrógeno y helio, los elementos más sencillos. La energía que recibimos en la Tierra es producto básicamente de la fusión de hidrógeno. En el Sol se consumen casi cuatro millones de toneladas de hidrógeno por segundo, pero hay tanto hidrógeno que se estima que será suficiente para que el Sol siga transformando la energía del elemento durante otros cinco mil millones de años. La masa del Sol es 333 000 veces mayor que la de la Tierra, y debido a la inmensa fuerza de gravedad, toda esta masa ejerce una presión hacia el centro de la estrella. Esa enorme presión hace que también aumente la temperatura. La temperatura del Sol es de aproximadamente 6 000°C en la superficie y 40 millones de grados celsius en el interior. Estas altas temperaturas y la enorme presión hacen que los átomos se muevan a gran velocidad y al chocar unos con otros se fusionen, con lo que libera la energía que contiene el átomo y forman átomos nuevos con más protones. Este proceso se conoce como **fusión atómica**.

■ fusión atómica

A consecuencia de la fusión atómica en el Sol, se forman elementos nuevos: el hidrógeno se convierte en helio y más adelante se forman otros elementos como carbono y nitrógeno. En otras estrellas todavía mucho más grandes que el Sol se pueden formar átomos más complejos, pues la evolución estelar depende de la cantidad original de materia de la estrella. Las estrellas son como hornos gigantes fantásticos donde se combinan elementos sencillos para formar otros complejos.

Tal como lo indica la teoría del *Big Bang* o "Gran Explosión" (capítulo 11), la Tierra está hecha principalmente de elementos que se formaron en una estrella. Del mismo modo, todos los organismos están compuestos por varios elementos, principalmente carbono, hidrógeno, oxígeno y nitrógeno (CHON), elementos que provienen de los alimentos ingeridos que, a su vez, provienen de las plantas que los obtienen del aire y del suelo donde crecen. Esto significa que los átomos de carbono que tenemos en la piel, los átomos de oxígeno que se mueven en la sangre y los átomos de nitrógeno en las neuronas de nuestro cerebro se originaron en una estrella.

Tabla periódica

En 1871, el químico ruso Dimitri Mendeleev organizó los 63 elementos hasta entonces conocidos basándose en la cantidad de protones y la forma en que reaccionaban. Es interesante que al momento de agruparlos, Mendeleev dejó espacios en blanco en su tabla periódica y predijo el número atómico y las características de los elementos todavía sin descubrir. El trabajo de Mendeleev ilustra una característica de las ciencias, la capacidad para predecir hechos y fenómenos a partir de observaciones o experimentos.

Mendeleev clasificó los elementos en orden ascendente según su número atómico. Descubrió que hay grupos de elementos que tienen las mismas características; por ejemplo, los elementos flúor (número atómico 9), cloro (17), bromo (35) y yodo (53), aunque con números atómicos discontinuos, reaccionan de la misma forma con el hidrógeno y forman compuestos que tienen propiedades muy semejantes, por lo que los clasificó en un mismo grupo. La tabla periódica actual tiene su base en los descubrimientos de Mendeleev e identifica los elementos de acuerdo con sus propiedades y forma de reaccionar (figura 2.4).

Ya dijimos que los electrones se mueven rápidamente alrededor del núcleo del átomo formando una "nube" de electrones. Ahora veremos esta parte del átomo con mayor detenimiento, pues los elementos reaccionan unos con otros dependiendo del arreglo de los electrones.

Se ha descubierto que los electrones tienen unos orbitales específicos y que éstos se encuentran a ciertas distancias específicas del núcleo conocidas como **niveles de energía**. Para visualizar éstos, imagínese que tomamos una pequeña bola de tenis de mesa (*ping-pong*) y la cubrimos con una bola de *racket-ball*, luego la cubrimos con una pelota de tenis, después con una de béisbol, seguida de una de softbol, después con una de fútbol y, finalmente, con una de baloncesto. Este modelo es parecido a las muñecas rusas y ucranianas, una cada vez más pequeña dentro de otra.

Una forma simplificada de ilustrar el comportamiento de los electrones consiste en comparar cada superficie de estas pelotas con un nivel de energía. En cada nivel cabe cierta cantidad de electrones. Así, en el primer nivel caben dos electrones y en el

■ niveles de energía

Tabla periódica de los elementos

Grupo

Masas atómicas en relación con el carbono-12. Los elementos marcados con † no tienen isótopos estables. La masa atómica dada es la del isótopo con la vida media más larga conocida.

Nomenclatura IUPAC vigente y nomenclatura preferida en Estados Unidos

Número atómico →
Símbolo →
Nombre →
Masa atómica →

11
Na
Sodio
22.99

Gases nobles

Elementos de transición

Periodo	1 IA	2 IIA	3 IIIB	4 IVB	5 VB	6 VIB	7 VIIB	8 VIII	9 VIII	10 VIII	11 IB	12 IIB	13 IIIA	14 IVA	15 VA	16 VIA	17 VIIA	18 0
1	1 H Hidrógeno 1.008																	2 He Helio 4.003
2	3 Li Litio 6.941	4 Be Berilio 9.012											5 B Boro 10.81	6 C Carbono 12.01	7 N Nitrógeno 14.01	8 O Oxígeno 16.00	9 F Flúor 19.00	10 Ne Neón 20.18
3	11 Na Sodio 22.99	12 Mg Magnesio 24.31											13 Al Aluminio 26.98	14 Si Silicio 28.09	15 P Fósforo 30.97	16 S Azufre 32.07	17 Cl Cloro 35.45	18 Ar Argón 39.95
4	19 K Potasio 39.10	20 Ca Calcio 40.08	21 Sc Escandio 44.96	22 Ti Titanio 47.87	23 V Vanadio 50.94	24 Cr Cromo 52.00	25 Mn Manganeso 54.94	26 Fe Hierro 55.85	27 Co Cobalto 58.93	28 Ni Níckel 58.69	29 Cu Cobre 63.55	30 Zn Zinc 65.39	31 Ga Galio 69.72	32 Ge Germanio 72.61	33 As Arsénico 74.92	34 Se Selenio 78.96	35 Br Bromo 79.90	36 Kr Kriptón 83.80
5	37 Rb Rubidio 85.47	38 Sr Estroncio 87.62	39 Y Ytrio 88.91	40 Zr Zirconio 91.22	41 Nb Niobio 92.91	42 Mo Molibdeno 95.94	43 Tc Tecnecio 98†	44 Ru Rutherdio 101.1	45 Rh Rhodio 102.9	46 Pd Paladio 106.4	47 Ag Plata 107.9	48 Cd Cadmio 112.4	49 In Indio 114.8	50 Sn Estaño 118.7	51 Sb Antimonio 121.8	52 Te Telurio 127.6	53 I Yodo 126.9	54 Xe Xenón 131.3
6	55 Cs Cesio 132.9	56 Ba Bario 137.3	57 La * Lantano 138.9	72 Hf Hafnio 178.5	73 Ta Tantalio 180.9	74 W Tungsteno 183.8	75 Re Rhenio 186.2	76 Os Osmio 190.2	77 Ir Iridio 192.2	78 Pt Platino 195.1	79 Au Oro 197.0	80 Hg Mercurio 200.6	81 Tl Talio 204.4	82 Pb Plomo 207.2	83 Bi Bismuto 209.0	84 Po Polonio 209.0†	85 At Astatino 210.0†	86 Rn Radón 222.0†
7	87 Fr Francio 223.0†	88 Ra Radio 226.0†	89 Ac ** Actinio 227.0†	104 Rf Rutherfordia 261.1†	105 Db Dubnio 262†	106 Sg Seaborgio 266†	107 Bh Bohrio 264†	108 Hs Hasio 277†	109 Mt Meitnerio 268†	110 Ds Darmstadio 271†	111 Rg Roentgenium 272†							

Elementos de transición internos

Serie de los lantánidos * 6

58 Ce Cerio 140.1	59 Pr Praseodimio 140.9	60 Nd Neodimio 144.2	61 Pm Prometio 144.9†	62 Sm Samario 150.4	63 Eu Europio 152.0	64 Gd Gadolinio 157.3	65 Tb Terbio 158.9	66 Dy Disprosio 162.5	67 Ho Holmio 164.9	68 Er Erbio 167.3	69 Tm Tulio 168.9	70 Yb Iterbio 173.0	71 Lu Lutecio 175.0

Serie de los actínidos ** 7

90 Th Torio 232.0†	91 Pa Protactinio 231.0†	92 U Uranio 238.0†	93 Np Neptunio 237	94 Pu Plutonio 244†	95 Am Americio 243	96 Cm Curio 247†	97 Bk Berkelio 247†	98 Cf Californio 251†	99 Es Einstenio 252†	100 Fm Fermio 257†	101 Md Mendelevio 258†	102 No Nobelio 259†	103 Lr Lawrencio 262†

Los colores indican el lugar de los electrones de la capa externa

- s orbitales
- p orbitales
- d orbitales
- f orbitales

Figura 2.4 ■ Tabla periódica de elementos.

FUENTE: Hein, M. y S. Arena: *Foundations of College Chemistry*, Wiley, 2007.

segundo, ocho. Los átomos de mayor tamaño tienen más electrones y, por tanto, más niveles de energía, pero se estabilizan cuando en su último nivel hay ocho electrones; esto se conoce como **regla del octeto**. Un elemento logra la estabilidad cuando su último nivel de energía está lleno (figura 2.5).

■ **regla del octeto**

La mejor forma de entender la regla del octeto es observar cómo se comportan algunos elementos. El helio tiene dos electrones que llenan su primer y único nivel de energía. Es un elemento estable, no reacciona fácilmente pues su último nivel de energía se encuentra lleno. En la tabla periódica el neón se encuentra debajo del helio, siendo el segundo elemento del grupo. Su número atómico es 10; en su primer nivel de energía tiene dos electrones mientras que en el segundo, ocho. Su último nivel de energía está lleno; por tanto, es un elemento estable, parecido en comportamiento al helio que está en su mismo grupo. En el caso del argón, el próximo elemento en este grupo, su número atómico es 18: en el primer nivel de energía tiene dos electrones, en el segundo, ocho y en el tercero, ocho. Su último nivel de energía tiene ocho electrones y, por tanto, es un elemento estable al igual que el helio y el neón. Los gases nobles no reaccionan fácilmente porque su último nivel de energía se encuentra lleno. Los elementos se pueden ver como imitadores, es decir, todos se "quieren parecer" a los gases nobles y lograr su estabilidad.

Al otro extremo de la tabla se encuentra el grupo formado por hidrógeno, litio, sodio, potasio y otros. El hidrógeno, el más sencillo de los elementos, tiene un protón y un electrón y su número atómico es 1. En su último y único nivel de energía caben dos electrones; entonces, no está completo, no es un elemento estable. Le sigue el litio, cuyo número atómico es 3. En su primer nivel de energía tiene dos electrones pero en el segundo y último tiene un solo electrón, de modo que tampoco es un elemento estable. Luego viene el sodio. Su número atómico es 11, con dos electrones en el primer nivel, ocho en el segundo y uno en el tercero. Notamos que estos tres elementos, hidrógeno, litio y sodio, se parecen, pues su último nivel de energía tiene sólo un electrón. Los otros elementos del grupo también tendrán un electrón en su último nivel de energía. ¿Qué pueden hacer para estabilizarse y parecerse a los gases nobles?

Figura 2.5 ■ Niveles de energía de los átomos. En el primer nivel de energía caben dos electrones y en el segundo, ocho. En el tercer nivel de energía caben más electrones pero se logra estabilidad en el átomo cuando contiene ocho electrones, esto se llama regla del octeto.

FUENTE: Starr, C. y R. Taggart: *Biology. The Unity and Diversity of Life,* Wadsworth, Belmont, 1995, p. 23.

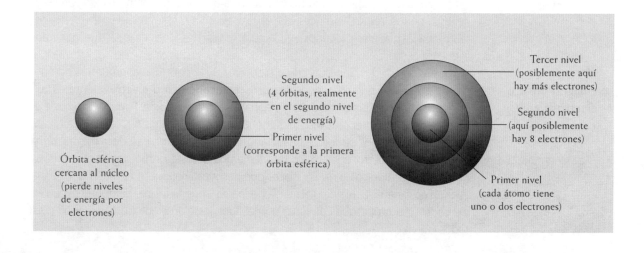

Órbita esférica cercana al núcleo (pierde niveles de energía por electrones)

Segundo nivel (4 órbitas, realmente en el segundo nivel de energía)

Primer nivel (corresponde a la primera órbita esférica)

Tercer nivel (posiblemente aquí hay más electrones)

Segundo nivel (aquí posiblemente hay 8 electrones)

Primer nivel (cada átomo tiene uno o dos electrones)

Enlace: formación de compuestos

La gran mayoría de los elementos se encuentran formando compuestos. Por ejemplo, un grano de arroz está formado principalmente de moléculas que contienen carbono, hidrógeno y oxígeno. Estos átomos forman un compuesto estable que perdura mucho tiempo. Se puede decir entonces que cuando ingerimos el arroz y llega a nuestro estómago lo desestabilizamos para aprovechar la energía que lo mantiene unido y estable. Lo mismo ocurre con todo lo que nos rodea: la mesa, el zapato, el abanico, el papel; todos están hechos de diferentes compuestos relativamente estables, pues sus átomos se encuentran en una forma estable.

Un buen ejemplo de cómo se logra estabilidad es el caso de la sal de mesa. La sal es un compuesto de sodio (Na) y cloro (Cl), su número atómico es 11 y el del cloro es 17. El sodio tiene dos electrones en su primer nivel de energía, ocho en el segundo y uno en el tercero. Es inestable. El cloro posee dos electrones en su primer nivel de energía, ocho en el segundo y siete en el tercero. Para que el sodio se convirtiera en un elemento estable tendría que tener su último nivel lleno, por lo que debería donar un electrón o ganar siete. En este caso es más fácil donar un electrón, pues tiene sólo 11 protones. Por su parte, el cloro tendría que liberar siete electrones o ganar uno para lograr su estabilidad, así que es más fácil ganar un electrón. En resumen, el sodio le dona un electrón al cloro y ambos elementos logran la estabilidad, ya que su último nivel de energía está lleno.

Enlace iónico

■ ion

Al donar el sodio un electrón al cloro, uno de sus protones se queda sin pareja, hay una carga positiva adicional en el átomo y de esta forma, el átomo adquiere carga positiva (Na^+). Al ganar el cloro un electrón le ocurre lo opuesto: hay un electrón adicional y la carga del átomo es negativa (Cl^-) (figura 2.6). Cuando un átomo ha ganado o perdido un electrón y adquiere una carga positiva o negativa se conoce como **ion**. En nuestros cuerpos los iones de sodio, cloro y potasio son la base fisiológica de los impulsos del sistema nervioso (capítulo 6). La entrada y salida de los iones crea una diferencia en cargas positivas y negativas dentro y fuera de la neurona que permite el movimiento de los impulsos. Vemos, entonces, que en las neuronas más intrincadas de nuestro cerebro, con las que interpretamos esta lectura, se usan los iones de la sal que ingerimos ayer en la cena.

■ enlace iónico o electrovalente

Iones con cargas opuestas como el sodio y el cloro forman compuestos por medio de un enlace químico conocido como **enlace iónico o electrovalente.** En un enlace iónico los elementos donan y ganan electrones. Como hemos visto, los elementos que forman el grupo de hidrógeno tienen en su último nivel de energía un solo electrón. Así nos podemos imaginar que todos reaccionarán de la misma forma y, en efecto, es cierto, pues todos los elementos de este grupo donan electrones y forman enlaces iónicos u otros enlaces que después analizaremos. Este grupo se encuentra en la parte izquierda de la tabla periódica y puede formar compuestos con los elementos del grupo que comienza con el flúor, justo antes de los gases nobles. Así todos logran estabilidad.

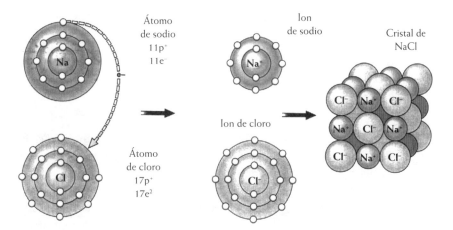

Figura 2.6 ■ Ejemplo de enlace iónico entre sodio (Na) y cloro (Cl). El átomo de sodio dona un electrón al cloro y ambos se convierten en iones: sodio positivo y cloro negativo. Al unirse forman cristales que son la estructura de la sal de mesa.

FUENTE: Starr, C. y R. Taggart: *Biology. The Unity and Diversity of Life,* Wadsworth, Belmont, 1995. p. 24.

Enlace covalente

El oxígeno y los demás elementos a la derecha del carbono tienen la facilidad de aceptar electrones, por eso se les conoce como **agentes oxidantes**. Por otro lado, los elementos que se ubican a la izquierda del carbono, como el berilio y el magnesio, son elementos que donan electrones y se les conoce como **agentes reductores**. ¿Y qué ocurre con el carbono? El número atómico del carbono es seis; por tanto, tiene dos electrones en el primer nivel de energía y cuatro en el segundo. Para lograr la estabilidad necesitaría cuatro electrones adicionales en su último nivel y le resulta difícil ganar o donar cuatro electrones. Lo que hace es compartir electrones con otros elementos. Un buen ejemplo es el metano, constituido por un átomo de carbono con cuatro de hidrógeno (CH_4) (figura 2.7). Aquí es importante recordar que cuando describimos los electrones explicamos que se encuentran formando una "nube" alrededor de núcleo. En este caso, los electrones de hidrógeno se mueven alrededor del átomo de carbono, y viceversa. Como consecuencia, podemos percatarnos de que los electrones no tienen dueño: se mueven alrededor del núcleo de cualquier elemento. El hidrógeno necesita un electrón para tener dos en su último nivel y estabilizarse. El carbono requiere cuatro para completar su último nivel con ocho y para estabilizarse se asocia a cuatro hidrógenos. De esta forma ambos, carbono e hidrógeno, logran su estabilidad al completar su último nivel de energía.

El enlace en que se comparten los electrones se conoce como un **enlace covalente**. El carbono forma enlaces covalentes fácilmente, lo que le confiere una gran capacidad para formar moléculas largas y complejas

■ **agentes oxidantes**

■ **agentes reductores**

■ **enlace covalente**

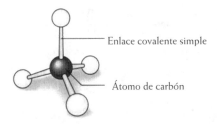

Enlace covalente simple

Átomo de carbón

Figura 2.7 ■ Modelo de la molécula de metano. El átomo central es carbono unido a cuatro átomos de hidrógeno. Los enlaces que los unen se conocen como enlaces covalentes.

FUENTE: Starr, C. y R. Taggart: *Biology. The Unity and Diversity of Life,* Wadsworth, Belmont, 1995, p. 34.

Enlace ■ ■ ■ ■

Buckyballs

Nuestro viejo amigo, el carbono, base de toda la vida, nos ha acompañado a través del desarrollo de la civilización. En sus formas puras de grafito y diamante ha permitido expresar las ideas mediante la palabra escrita, escuchar música en los antiguos fonógrafos y tocadiscos e impresionar a alguna prometida con un anillo deslumbrante. En sus formas menos puras o menos organizadas, provee una de las fuentes de combustible más importantes para generar energía eléctrica. Ahora, con una nueva estructura llegan los buckyballs, Buckminsterfullerenes o C_{60}, moléculas de carbono con una arquitectura geodésica hueca.

Los buckyballs fueron descubiertos por accidente en 1985, como productos secundarios en un experimento con carbono que se realizaba en el espacio. Cinco años más tarde, los científicos descubrieron que aun en la Tierra al calentar grafito en una atmósfera de helio, se obtenía C_{60}. Este descubrimiento desencadenó una explosión de investigación con los buckyballs. La molécula se nombró en honor al célebre arquitecto estadounidense R. Buckminster Fuler, quien con sus diseños geodésicos simplificó la construcción de domos.

Los fulerenos consisten en moléculas formadas por hexágonos y pentágonos de carbono unidas en un arreglo coordinado formando una esfera geodésica hueca. La fuerza en los enlaces de la molécula está distribuida de forma equitativa entre los 60 átomos que la componen. La familia de los fulerenos se ha ido expandiendo, y ya incluye algunas moléculas asimétricas y fibras cilíndricas llamadas buckytubes.

Las aplicaciones prácticas de los fulerenos todavía no se acaban de materializar, pero, dada su gran versatilidad química se cifran grandes esperanzas en sus aplicaciones. Entre las aplicaciones potenciales se encuentra su uso en reacciones químicas como catalizadores, en procesos de polimerización, en superconductividad y en ferromagnetismo. Un área en la que los químicos han trabajado mucho tiempo es en la producción de moléculas huecas. Ahora los fulerenos han llegado para cubrir esa necesidad y su potencial como contenedores moleculares es enorme. Es posible que en el futuro cercano los fulerenos sirvan para encapsular compuestos radiactivos y para regular la dosificación de algunos fármacos.

CUESTIONARIO

1. ¿Qué diferencia hay entre un protón de hierro y uno de oxígeno?

2. ¿Cómo se formaron los átomos de carbono que componen la piel de nuestro cuerpo?

3. ¿Cuál es la importancia del átomo de carbono?

CAPÍTULO

3

Bases químicas de los organismos

Para mantenerse vivos, todos los organismos necesitan una gran cantidad de compuestos tanto orgánicos como inorgánicos.

Compuestos orgánicos e inorgánicos

Los **compuestos inorgánicos** son aquellos que no contienen carbono (C), a excepción del dióxido de carbono (CO_2) y de los carbonatos (CO_3) como el carbonato calizo ($CaCO_3$). Algunos ejemplos de compuestos inorgánicos son el agua (H_2O), la sal (Na^+Cl^-) y el ácido clorhídrico (HCl). Los tres son indispensables para el ser humano: el agua es el compuesto más abundante en todos los organismos; la sal forma electrólitos importantes, que entre otras cosas tienen una función preponderante en la transmisión de los impulsos nerviosos, y el ácido clorhídrico es necesario para la digestión de los alimentos en el estómago.

Los **compuestos orgánicos** son los que contienen el elemento carbono con las excepciones antes mencionadas (CO_2 y CO_3). Algunos ejemplos son la glucosa ($C_6H_{12}O_6$) y la hemoglobina ($C_{3032}H_{4816}O_{872}N_{780}S_8Fe_4$).

En el capítulo 2 dijimos que en los compuestos orgánicos hay cuatro elementos clave: carbono (C), hidrógeno (H), oxígeno (O) y nitrógeno (N), que forman el acrónimo CHON. Los compuestos orgánicos se encuentran principalmente en los organismos vivos o en sus restos. Por ejemplo, el petróleo y el carbón mineral se

- compuestos inorgánicos

- compuestos orgánicos

conocen como combustibles fósiles porque están constituidos de los productos de organismos que murieron hace millones de años. La energía de la gasolina se obtiene de la energía almacenada en el petróleo, ésta proviene de la que quedó almacenada en los compuestos orgánicos que una vez fueron parte de animales y plantas. Las plantas del pasado captaron la energía del Sol; por consiguiente, los autos consumen energía que provino de esta estrella y quedó almacenada en la gasolina.

Carbohidratos

Los carbohidratos son compuestos orgánicos simples formados por átomos de carbono (C), hidrógeno (H) y oxígeno (O) en una proporción de aproximadamente de 1:2:1. Los carbohidratos se componen de uno o más azúcares y tienen tres funciones principales: proveen energía a las células, almacenan energía y sirven como moléculas estructurales. Una característica particular de los carbohidratos es su tipo de arreglo. Aquellos que se componen de un azúcar son llamados **monosacáridos**; los que se componen de cadenas cortas con pocos azúcares simples son **oligosacáridos**, y los que tienen una cadena de muchas unidades son **polisacáridos**. Entre los monosacáridos encontramos algunos isómeros que son azúcares diferentes por su arreglo de los átomos. Ejemplo: glucosa y fructuosa (figura 3.1). Los **isómeros** son compuestos que tienen la misma composición y diferente estructura.

El azúcar más simple es la *glucosa*, su composición química es $C_6H_{12}O_6$ (figura 3.1). Al ser un azúcar simple, se le conoce como *monosacárido*. Las plantas captan la energía radiante del Sol y la convierten en energía química de glucosa por el proceso de fotosíntesis (capítulo 12). Esta energía química de la glucosa es liberada más tarde en las células por el proceso de respiración celular. Se puede decir que la glucosa es la "gasolina" del cuerpo. Para extraer el máximo de la energía de la glucosa, hace falta oxígeno.

Otro grupo de carbohidratos son los oligosacáridos, compuestos formados por moléculas cortas de dos o más azúcares simples. Un ejemplo es la lactosa que se compone

- **monosacáridos**
- **oligosacáridos**
- **polisacáridos**

- **isómeros**

Figura 3.1 ■ **a)** Dos representaciones de la molécula de glucosa y **b)** fructuosa. **c)** La unión de glucosa y fructuosa produce sucrosa, que es el azúcar que se usa en la elaboración de alimentos.

FUENTE: Starr, C. y R. Taggart, *Biology. The Unity and Diversity of Life*, Wadsworth, Belmont, 2006, p. 38.

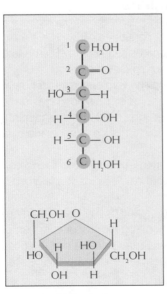

a) Glucosa   b) Fructuosa   c) Formación de sucrosa

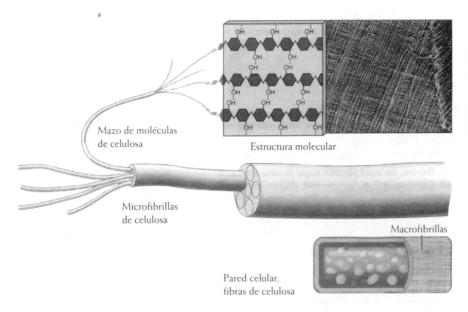

Mazo de moléculas
de celulosa

Estructura molecular

Microfibrillas
de celulosa

Macrofibrillas

Pared celular,
fibras de celulosa

Figura 3.2 ■ Diferentes
perspectivas de la molécula
de celulosa. Estructura y
fotomicrografía de la pared
celular del alga verde
cladophora.

FUENTE: Starr. C.: *Biology: A
Human Emphasis,* Wadsworth,
Belmont, 3a. ed., 1997, p. 31.

de dos azúcares simples: glucosa y galactosa. Otro ejemplo es la sucrosa; la más común de las azúcares, obtenida de la caña y de la remolacha. Se forma de la unión de
dos azúcares simples: glucosa y fructuosa (figura 3.1c).

El tercer grupo de carbohidratos es el de los polisacáridos, compuestos que se
forman de la unión de muchos ("poli") azúcares. El almidón, el glucógeno, la celulosa y
la quitina son algunos ejemplos.

Las plantas almacenan alimentos en forma de almidón. Así tenemos que el arroz
y otras viandas como la yuca están compuestas principalmente de almidón. En los
animales se guarda energía en un compuesto homólogo al almidón conocido como
glucógeno, que se almacena en el hígado y en los músculos. El cuerpo usa las reservas
del compuesto durante el ejercicio prolongado.

Las células de las plantas tienen una pared celular compuesta de celulosa (figura 3.2)
que las protege principalmente de algún daño mecánico, por lo que la celulosa es una
molécula estructural. La madera se compone de los restos de células que formaban un
árbol. El papel se obtiene de la celulosa de plantas. Los artrópodos, como insectos, arañas
y crustáceos, tienen un exoesqueleto duro de quitina, que es otro compuesto estructural
formado por polisacáridos. Algunos hongos también tienen quitina en sus tejidos.

Lípidos

Los **lípidos**, al igual que los carbohidratos, están compuestos de carbono (C), hidrógeno
(H) y oxígeno (O), con menos cantidad de este último. Por ejemplo, un lípido puede
tener una fórmula química de $C_{57}H_{110}O_6$ en la cual observamos que la cantidad de oxígeno es mucho menor. Los lípidos cumplen dos funciones: almacenar energía o ser
componente estructural de los tejidos. Los lípidos son la forma más concentrada de
energía, pues cada gramo contiene más del doble de energía que un carbohidrato. En

■ lípidos

nuestro cuerpo, el exceso de carbohidratos se convierte en lípidos y se almacena en tejido adiposo de la región abdominal, glúteos, caderas y muslos. En caso de que agote su reserva de carbohidratos, el cuerpo convierte los lípidos almacenados en glucosa para suplir de energía a la célula. El tejido adiposo sirve para proteger órganos internos. También, los lípidos son un componente principal de la membrana celular y cubren parte de la neurona del sistema nervioso. La falta de lípidos produce daños al organismo. La anorexia nerviosa es una enfermedad causada por la falta de grasas en la dieta, lo que afecta las neuronas; el sistema nervioso deja de funcionar eficientemente y en casos extremos sobreviene la muerte.

Los lípidos desempeñan otras funciones importantes en los organismos. Las aves producen sustancias lípidas que repelen el agua. En las aves marinas, estas sustancias son especialmente importantes para mantener las plumas funcionales. Muchos insectos como los coleópteros secretan sustancias con lípidos para repeler el agua. Las hojas de las plantas tienen una capa con una base de lípidos para evitar la pérdida de agua. Las abejas construyen sus panales con cera que contiene lípidos.

En los últimos años es común escuchar acerca de *grasas saturadas* y *no saturadas.* En un lípido saturado todos los carbonos están unidos a átomos de hidrógeno y no hay enlaces dobles entre los carbonos. En los no saturados ocurre lo contrario: hay enlaces dobles entre algunos carbonos y, por tanto, no están unidos a átomos de hidrógeno (figura 3.3). Esta diferencia afecta la consistencia del lípido; por lo general, los saturados tienden a ser sólidos a temperatura de salón (grasas), mientras que los no saturados se mantienen líquidos. Los lípidos de las plantas son menos saturados que los de animales. La margarina se produce saturando aceites vegetales, esto es, añadiendo hidrógeno para que se solidifiquen.

Figura 3.3 ■ Diferencias en la cantidad de hidrógeno y enlaces dobles de carbono entre parte de un lípido saturado **a)** y no saturado **b)** y **c)**.

FUENTE: Starr, C.: *Biology. A Human Emphasis,* Wadsworth, Belmont, 3a. ed., 1997, p. 32.

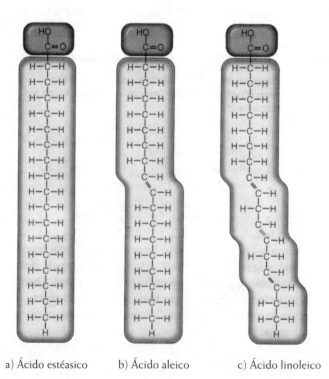

a) Ácido estéasico   b) Ácido aleico   c) Ácido linoleico

Hace tiempo se encontró una relación directa entre un alto consumo de grasas saturadas y enfermedades del corazón y del sistema circulatorio. Sin embargo, la situación se ha hecho cada vez más compleja con los descubrimientos de diferentes tipos de lipoproteínas (unión de proteína y lípido) y sus interacciones con el colesterol. En algunos estudios se demuestra que también influye una predisposición genética. Hay personas que pueden ingerir grandes cantidades de grasas saturadas y su cuerpo las metaboliza sin daños. Otro factor es la fuente de grasa. Las carnes rojas y productos lácteos contienen un tipo de grasa saturada que causa enfermedades del corazón. La grasa del pescado es de otro tipo y no causa tales enfermedades coronarias. Se ha encontrado que en los esquimales, quienes consumen principalmente pescado, la incidencia de tales enfermedades es muy baja.

Desde hace poco se exige por ley a la industria procesadora de alimentos que indique en los envases de sus productos algunos datos nutricionales. Estos datos presentan la cantidad total de calorías y la relación entre grasas saturadas y no saturadas. De esta forma se puede hacer una mejor selección de alimentos, disminuyendo la cantidad de grasas saturadas ingeridas. Por ejemplo, una ración de 42.5 gramos de papitas fritas sazonadas (patatas, *patato chips)* contiene 232 calorías. De éstas, tan solo cuatro gramos corresponden a grasas saturadas (una hoja de papel de carta pesa aproximadamente cuatro gramos), pero esta ínfima cantidad representa el 20% del total de grasas saturadas que una persona debe ingerir en un día. En otras palabras, este alimento contiene muchas calorías en forma de grasas saturadas. Si se analizan los alimentos que se ingieren, se puede tener una mejor salud disminuyendo las grasas saturadas.

Proteínas

A diferencia de los carbohidratos y los lípidos, las **proteínas** están constituidas por unidades más pequeñas conocidas como **aminoácidos**. Además de tener carbono (C), hidrógeno (H) y oxígeno (O), contienen nitrógeno y otros elementos como azufre, fósforo y hierro. En los organismos vivos hay 20 aminoácidos diferentes. Una proteína se forma de una o varias cadenas de estos aminoácidos. Si se cambia el orden de los aminoácidos, cambia la estructura de la molécula y, por consiguiente, sus características. Por tanto, la variedad de proteínas diferentes que se pueden formar es enorme. En la figura 3.4 se muestra un diagrama de la insulina bovina, formada por una secuencia de aminoácidos. La insulina humana es una proteína muy parecida a la que se aprecia en la figura (también tiene 51 aminoácidos), pero el arreglo de los aminoácidos varía levemente. Si ocurre un error en la síntesis de la insulina y un aminoácido no ocupa el lugar apropiado, entonces tenemos una sustancia que no funciona como insulina. La diabetes es una enfermedad en la que no se produce insulina suficiente o la que se produce no funciona de manera adecuada.

■ **proteínas**
■ **aminoácidos**

Figura 3.4 ■ Diagrama de la molécula de insulina de vaca. Cada cuadro representa un aminoácido. La secuencia de éstos en un arreglo específico le proporciona las características a la molécula.

FUENTE: Starr, C. y R. Taggart: *Biology. The Unity and Diversity of Life*, Wadsworth, Belmont, 1995, p. 43.

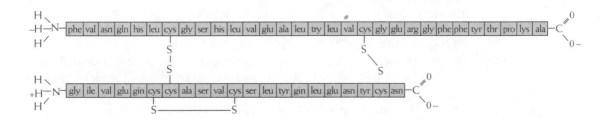

Las proteínas son importantes en los organismos porque son moléculas estructurales y también ayudan a controlar las reacciones celulares. Los músculos, cartílagos y tendones, parte de la piel, las uñas, partes internas del hueso y el pelo (figura 3.5) están formados de proteínas. Las proteínas que ingerimos, ya sean de origen animal o vegetal, llegan al estómago donde se rompen en sus componentes, los aminoácidos. Luego pasan al intestino delgado y de ahí a la sangre. De la sangre llegan a las células donde son utilizados para sintetizar nuevas proteínas.

■ enzimas

Las proteínas funcionan como **enzimas**, es decir, como catalizadores o sustancias que aceleran una reacción, ya que la temperatura del cuerpo no es la suficiente para que las reacciones químicas se lleven a cabo. Ahora bien, el calor excesivo puede degradar las enzimas. La fiebre indica algún mal funcionamiento del cuerpo o de una invasión bacteriana o viral y representa un mecanismo natural del cuerpo para acelerar las reacciones químicas, pero puede ser dañina si aumenta o dura mucho tiempo, pues las enzimas pierden su capacidad reguladora. La célula sintetiza diferentes enzimas siguiendo las instrucciones codificadas en el ácido desoxirribonucleico (ADN).

Figura 3.5 ■ Detalles de la estructura del pelo. Las fibras están compuestas de proteínas.

FUENTE: Starr, C. y R. Taggart. R. *Biology. The Unity and Diversity of Life*, Wadsworth, Belmont, 2007, p. 45.

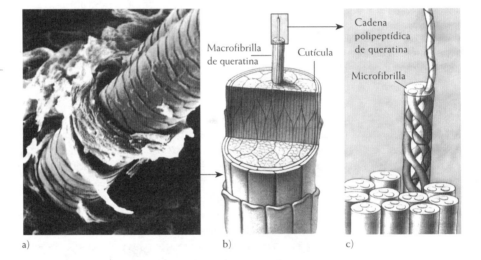

a)   b)   c)

Ácidos nucleicos

■ ácidos nucleicos

Los **ácidos nucleicos** son moléculas que tienen varias funciones en la célula. Se conocen así pues fueron descubiertos en el núcleo donde abundan, aunque también se hallan en otros organelos. Los ácidos nucleicos se dividen en dos grupos: unos que están relacionados con el movimiento de energía en la célula y otros que regulan las actividades de ésta y son responsables de la herencia. En este tema atenderemos principalmente a los últimos. Se ha dicho que las células se mantienen vivas gracias a que procesan energía obtenida de la glucosa. Además, hay otra gran cantidad de reacciones que son necesarias para mantener la célula viva. ¿Cómo sabe la célula qué hacer y cuándo hacerlo? Por ejemplo, al ocurrir una laceración en la piel, se pierden células que hay que reemplazar. ¿Cómo se controla la producción de nuevas células? ¿Cómo deben ser las células? Tiene que haber algún mecanismo de control.

El control de las actividades de la célula lo ejecuta principalmente la molécula llamada **ácido desoxirribonucleico,** mejor conocido por sus siglas ADN. El ADN es una molécula maravillosa por todas las funciones que lleva a cabo: es responsable del control celular pero también es portadora de las características que se transmiten de una generación a otra, es decir, de la herencia (capítulo 9). En el control de la célula hay otra molécula que ayuda al ADN, es el **ácido ribonucleico**, ARN.

El ADN es una molécula que almacena y transmite la información necesaria para producir un nuevo organismo. Un óvulo y un espermatozoide llevan las características de la madre y del padre. El nuevo individuo se formará a partir de las instrucciones que recibe el ADN de la primera célula (cigoto). En los primeros tres meses se forman gran parte de las estructuras del feto. El ADN controla el patrón generalizado de desarrollo; por ejemplo, dónde van las piernas, la orientación de los ojos en la cara, la cantidad de dedos en las manos, las diferencias entre los dedos de las manos y de los pies, etc. Vemos que hay gran cantidad de información que se interpreta en tan solo tres meses. Durante todo el desarrollo del feto, después de nacer y por toda la vida, el ADN regula las actividades de las células y, por tanto, del cuerpo.

El ADN está compuesto de unidades conocidas como **nucleótidos**. Cada nucleótido se compone por un grupo fosfato, una base nitrogenada y un azúcar (ribosa). Estas subunidades se unen y originan una especie de escalera en forma de espiral (figuras 3.6a y 3.6b).

■ ácido desoxirribonucleico

■ ácido ribonucleico

■ nucleótidos

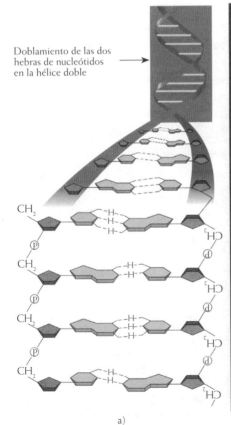
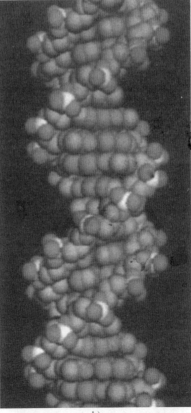

a)   b)

Figura 3.6 ■ **a)** Modelo de la molécula de ADN donde se aprecian los enlaces de hidrógeno que unen las hebras de la molécula. **b)** Modelo de computadora de la molécula de ADN.

FUENTE: Starr, C.: *Basic Concepts in Biology,* Wadsworth, Belmont, 3a. ed.,1997, pp. 37 y 175.

Doblamiento de las dos hebras de nucleótidos en la hélice doble

¡El Planeta Agua!

Al igual que el aire que respiramos, el agua es un recurso que algunos en el planeta consideran ilimitada. Sin embargo, ahora incluso las naciones desarrolladas se están dando cuenta de sus límites. El agua es el más precioso de todos los recursos, un componente esencial de casi todas las actividades humanas, y vital para la salud de todos los ecosistemas. La vida como la conocemos depende del agua; el componente principal de las células es el agua... y se está acabando. Las estadísticas siguientes ponen de manifiesto un hecho real y sorprendente:

- En nuestro planeta, 1100 millones de personas no tienen acceso a agua potable y 2400 millones carecen de sistemas de saneamiento. El efecto es que casi 2 millones de niños mueren cada año a causa de infecciones trasmitidas por el agua insalubre.

- Se necesitará un 20% más agua de la que está disponible ahora para satisfacer las necesidades de los otros tres millones de personas más que vivirán en 2025.

- Dos terceras partes de la población mundial podrían estar bajo estrés hídrico para el año 2025.

- Un tercio de la población mundial depende del agua proveniente de acuíferos, los cuales están siendo utilizados con más rapidez que aquella con que la naturaleza puede reponerlos.

- La mitad de los ríos y lagos del planeta están seriamente contaminados.

- Los principales ríos, como el Yangtze, el Ganges y el Colorado, no fluyen al mar durante gran parte del año debido a retiros de aguas efectuados río arriba (figura 3.7).

Figura 3.7 ■ El "Planeta Agua". El agua es el más precioso de todos los recursos, pues es el fundamento de la vida en la Tierra.

La actual ineficiencia y la falta de entendimiento del problema causa un despilfarro de tan preciado recurso. Se desperdicia gran cantidad de agua en la elaboración de algunos productos comunes, por ejemplo:

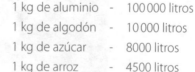

1 kg de aluminio	-	100 000 litros
1 kg de algodón	-	10 000 litros
1 kg de azúcar	-	8000 litros
1 kg de arroz	-	4500 litros

La gravedad de esta crisis ha llevado a las Naciones Unidas a la conclusión de que la escasez de agua, no la falta de tierra cultivable, será el principal obstáculo para aumentar la producción de alimentos en los próximos años. Por lo tanto, la amenaza a los recursos hídricos es una de las grandes crisis que enfrentamos, similar en urgencia e interrelacionado al cambio climático y destrucción de los bosques, causado por la sobrepoblación. La cuestión del agua es, en efecto, omnipresente, así como la vinculación de muchos otros problemas mundiales, especialmente la pobreza, el hambre, la destrucción del ecosistema, la desertificación, cambio climático, e incluso la paz mundial. (Portal del agua de la Unesco: www.unesco.org/water/index_es.html)

Características e importancia del agua

La vida como la conocemos depende del agua. (figura 3.8). El agua es un compuesto formado por dos átomos de hidrógeno y uno de oxígeno unidos por enlaces covalentes (capítulo 2). La molécula de agua posee un arreglo estructural particular, pues tiene un ángulo de casi 105° entre cada átomo de hidrógeno. También adquiere varias características importantes por el arreglo de cargas positivas y negativas entre el oxígeno y los dos átomos de hidrógeno. El oxígeno tiene ocho protones y el hidrógeno, uno; los electrones son atraídos por las cargas positivas de los protones por lo que están más tiempo moviéndose alrededor del oxígeno que del hidrógeno. Debido a esto, la molécula del agua adquiere una leve

Figura 3.8 ■ La escasez de agua será el principal obstáculo para aumentar la producción de alimentos.

carga negativa cercana al oxígeno y cargas positivas en la región de los hidrógenos. Esta diferencia en carga hace que el agua adquiera polaridad (figura 3.9). En la figura 3.10 también se aprecia lo que sucede cuando dos o más moléculas de agua se unen. Al ser una molécula polar, el área positiva de una se juntará con la parte negativa de la otra y así sucesivamente; por tanto, el hidrógeno de una molécula se unirá al oxígeno de otra mediante un **enlace de hidrógeno**, que como es muy débil, constantemente se rompe y se vuelve a formar. El enlace de hidrógeno también es importante en otros compuestos como proteínas y ADN.

■ enlace de hidrógeno

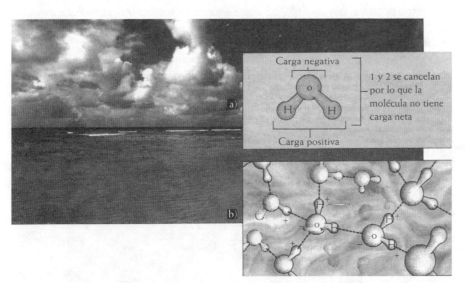

Figura 3.9 ■ El agua es un compuesto esencial para la vida. La Tierra es el único planeta que tiene agua líquida en su superficie. **a)** La molécula de agua tiene un ángulo de aproximadamente 105°; además tiene una leve carga negativa en el área de oxígeno y positiva en la región de los hidrógenos, por eso se conoce como molécula polar.
b) Las moléculas de agua se unen por enlaces de hidrógeno.

FUENTE: Starr, C. y R. Taggart: *Biology. The Unity and Diversity of Life*, Wadsworth, Belmont, 2007, p. 26.

Polaridad del agua

■ polaridad

Una de las características más importantes del agua es la **polaridad**. La polaridad se debe a la leve diferencia en carga positiva de los hidrógenos y negativa del oxígeno. Esta diferencia permite que el agua se una a otras sustancias polares y repela a moléculas no polares; por ejemplo, el agua y el aceite no se unen ya que la primera es polar y el segundo es no polar. Al poder unirse a sustancias polares, el agua es un solvente muy importante y por ello muchas sustancias polares se disuelven en ella. En la figura 3.10 se muestra la unión de la sal a moléculas de agua.

Figura 3.10 ■ Moléculas de agua unidas a iones de sal (Na^+Cl^-).

FUENTE: Starr, C.: *Basic Concepts in Biology*, Wadsworth, Belmont, 3a. ed., 1997, p. 25.

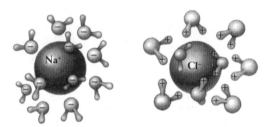

Estas propiedades de la molécula de agua la hacen fundamental para el desarrollo de la vida. La vida evolucionó en el agua, y cuando las plantas y animales invadieron la tierra hace millones de años, adquirieron características que les permitieron vivir alejados del agua, aunque las células continuaron medrando en un medio líquido. La célula, los espacios entre las células y la sangre están formados principalmente de agua. En nuestro cuerpo, el plasma sanguíneo, compuesto principalmente por agua, transporta gran cantidad de moléculas que se disuelven y llegan a todas las células del cuerpo. La polaridad del agua también permite explicar por qué nos bañamos con agua. Al ducharnos las partes positivas y negativas de la molécula de agua se unen a las partes negativas y positivas del "sucio" (mugre) y lo remueven del cuerpo (figura 3.11). Lo mismo ocurre al lavar la ropa, sólo que aquí en el "sucio difícil", como grasas y otras sustancias no polares, se usan detergentes y jabones que se unen a la sustancia no polar y la separan para que pueda ser arrastrada por el agua.

Como estudiaremos en el capítulo 5, la membrana celular está compuesta de fosfolípidos. Estas moléculas tienen una parte no polar lo que hace que no se disuelvan en agua. En este capítulo veremos por qué los lípidos son básicos en la estructura y funcionamiento de los organismos.

Figura 3.11 ■ Representación de la unión de moléculas de agua a lo "sucio". El agua se va a las regiones positivas y negativas. También se encuentran iones positivos y negativos.

FUENTE: Starr, C. y R. Taggart: *Biology. The Unity and Diversity of Life*, Wadsworth, Belmont, 1995, p. 30.

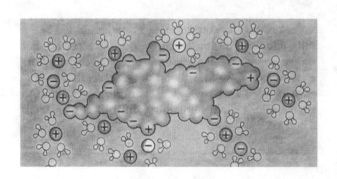

Capilaridad y tensión de superficie del agua

Otra característica importante del agua es la **capilaridad**, que es su capacidad de moverse por espacios extremadamente pequeños. Esta capacidad se debe a dos propiedades: la cohesión y la adhesión. Los enlaces de hidrógeno que hay entre las moléculas de agua hacen que éstas se atraigan. Podemos hacer una analogía y visualizar los enlaces de hidrógeno como pequeñas manos: con estas manos, las moléculas se sostienen y pueden unirse a las moléculas que las rodean. Por ejemplo, en un vaso con agua las moléculas están unidas unas a otras por enlaces de hidrógeno. Esto se conoce como **cohesión**, que es la atracción entre moléculas iguales. También hay un tipo de unión entre las moléculas de agua y las paredes del vaso que se denomina **adhesión**, que es la unión de moléculas distintas. Por tanto, la capilaridad del agua es producto de la cohesión entre las moléculas del agua y la adhesión al envase en que se encuentren.

La capilaridad es una característica básica para las plantas. Al observar las palmas de coco nos preguntamos cómo sube el agua a este fruto. Las palmas no tienen un sistema circulatorio, como los vertebrados, para mover líquidos dentro de su cuerpo.

- capilaridad

- cohesión
- adhesión

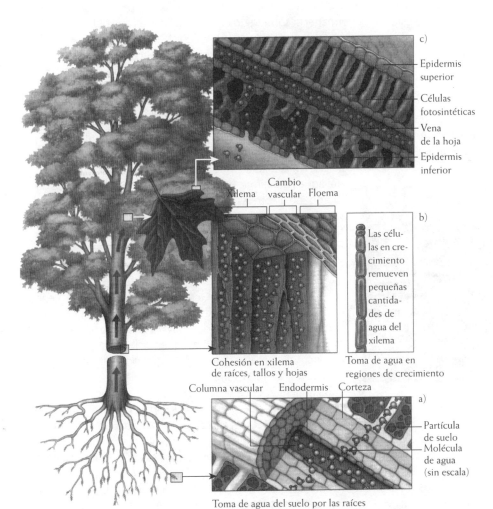

c)
- Epidermis superior
- Células fotosintéticas
- Vena de la hoja
- Epidermis inferior

Cambio
Xilema   vascular   Floema

b)
Las células en crecimiento remueven pequeñas cantidades de agua del xilema

Cohesión en xilema de raíces, tallos y hojas

Toma de agua en regiones de crecimiento

Columna vascular   Endodermis   Corteza

a)
- Partícula de suelo
- Molécula de agua (sin escala)

Toma de agua del suelo por las raíces

Figura 3.12 ■ Movimiento del agua en las plantas. **a)** El agua entra por las raíces, **b)** luego se mueve por el xilema en el tronco hasta llegar a la hoja. **c)** En la hoja se mueve por las venas y sale por los estomas en la parte inferior de la hoja. Al salir el agua se crea una tensión que facilita el movimiento en toda la planta.

FUENTE: Starr, C. y R. Taggart: *Biology. The Unity and Diversity of Life*, Wadsworth, Belmont, 2007, p. 507.

■ transpiración
■ estomas

Dependen de varias fuerzas para subir el agua a partes tan elevadas. Dos de estas fuerzas son la capilaridad y la **transpiración**. En la parte inferior de la hoja de una planta, hay millones de orificios conocidos como **estomas**, que están rodeados de dos células guardianes que cambian de tamaño y permiten la entrada y salida de gases y de agua. En la figura 3.12 se muestran los procesos generalizados del movimiento de agua en un árbol. Cuando la radiación solar choca con la hoja, las moléculas de agua en el interior se mueven más rápidamente hasta que algunas salen por las estomas a la atmósfera; esto se conoce como *transpiración*. Al salir una molécula, ésta arrastra a otras con ella y a la vez hala a todas las demás que se encuentran dentro de la hoja y consecuentemente, la columna de agua en los conductos internos de la planta. Tal acción combinada con la capilaridad y la transpiración permite el movimiento del agua en una planta.

La cohesión del agua es responsable de la tensión de superficie.

■ hidrofóbica

Los insectos acuáticos tienen la capacidad de caminar sobre el agua, pues los enlaces de hidrógeno evitan que se rompa la capa superficial (figura 3.13). Otra estrategia que utilizan algunos insectos acuáticos es tener el exoesqueleto con una capa de aceite que les ayuda a mantenerse en la superficie pues repele el agua, es **hidrofóbica**. Algunas de estas especies han desarrollado mecanismos fantásticos para usar el oxígeno disuelto en el agua y de esta forma permanecer sumergidos. Al zambullirse, la capa hidrofóbica de aceite hace que se cree una burbuja de aire a su alrededor. El insecto utiliza la burbuja como una membrana que le sirve para extraer el oxígeno disuelto en el agua.

Calor específico del agua

■ calor específico

El agua tiene la capacidad de almacenar calor, fenómeno que se conoce como **calor específico**. Como consecuencia, se necesita gran cantidad de calor para subir la temperatura del agua y se pierde mucho calor al bajarla. La temperatura mide el movimiento de moléculas. Al aplicar calor, las moléculas se mueven más rápido. La gran capacidad

del agua para almacenar calor se debe a que los enlaces de hidrógeno al romperse y formarse rápidamente tienen la capacidad de absorber más energía que si fuesen estables, lo que permite a los organismos mantener una temperatura interna apropiada para llevar a cabo las reacciones químicas de las células.

Cuando sudamos, se remueve calor del cuerpo mediante la evaporación de agua a la atmósfera. En días en que la humedad relativa es alta, sentimos más calor, pues la atmósfera tiene grandes cantidades de vapor de agua y, por tanto, menos capacidad de absorber agua adicional, que no puede entonces evaporarse de la piel. Los patrones climatológicos mundiales también sufren la influencia de la capacidad del agua para retener calor. Los huracanes o ciclones tropicales son necesarios para mover grandes cantidades de calor de los mares tropicales a regiones templadas. A diferencia de otros líquidos, el agua se expande cuando se congela; esto se debe nuevamente a los enlaces de hidrógeno. Al expandirse el hielo ocupa mayor volumen que el agua líquida y flota. Esta característica es importante, pues los cuerpos de agua en regiones frías del planeta se congelan comenzando en la superficie. La capa de hielo actúa como aislante y evita que se solidifique el cuerpo de agua, lo que a su vez evita que los organismos mueran congelados.

Figura 3.13 ■ Insecto del orden hemíptera que camina sobre el agua gracias a la tensión de superficie del agua, producto de los enlaces de hidrógeno.

FUENTE: Starr, C.: *Biology: A Human Emphasis*, Wadsworth, Belmont, 3a. ed., 1997, p. 25.

Datos nutricionales

Algunas personas tienen malos hábitos alimenticios, ya sea porque ingieren cantidades excesivas de comida o por falta de nutrientes básicos. Cualquiera que sea el caso, no se alimentan de manera adecuada. Algunas dietas o hábitos contribuyen a la aparición de enfermedades relacionadas con la nutrición por factores como exceso de sal, grasas o colesterol en grandes cantidades o simplemente falta de fibras. Entre las condiciones cuya frecuencia ha aumentado están la obesidad, ataques al corazón, diabetes, cáncer en el estómago y cáncer en el colon.

En Estados Unidos y otros países se ha incorporado en las etiquetas y envolturas de los alimentos una tabla que desglosa los datos de nutrición del alimento o producto, con el fin de que el consumidor aprenda a reconocer el valor nutritivo de los productos, a hacer una mejor selección entre las alternativas y a calcular el total de calorías en su dieta diaria.

Figura A ■ Ejemplo de una tabla de datos de nutrición de una lata de frijoles negros.

La tabla "Datos de nutrición" (figura A) en los productos debe leerse con cuidado, ya que por lo regular los porcentajes están calculados por porción o servicios, pero si el consumidor ingiere dos o tres veces la porción, el total de calorías será duplicado o triplicado, según el caso. Los valores diarios de ciertos nutrientes se presentan en porcentajes basados en una dieta de 2000 calorías, así que pueden variar dependiendo de sus necesidades de calorías. El contenido de vitaminas, minerales y fibras, que en ocasiones se presentan en la tabla, no son naturalmente del producto sino que han sido incorporadas para que el alimento o producto sea más nutritivo. Por eso es importante leer y comparar marcas del mismo producto porque puede ser significativo en la selección y compra final. La diferencia en sal y preservativos incorporados al producto es otro valor y dato que debemos considerar en la selección para lograr una dieta saludable.

Finalmente, lo importante es incluir en la dieta alimentos que suplan de carbohidratos, lípidos, proteínas, ácidos nucleicos, vitaminas, minerales y fibras en la proporción necesaria. Para mantener un peso aceptable y el cuerpo en buen funcionamiento, es importante alcanzar un equilibrio entre las calorías ingeridas y la cantidad de energía consumida. Esto se logrará si vigilamos lo que ingerimos y aprendemos a hacer una buena selección de los productos. Es necesario recordar que el requerimiento de calorías de una persona a otra varía grandemente por varios factores, entre los cuales está la actividad física, edad, actividad hormonal, sexo y estado emocional.

Ácidos, bases y escala de pH

■ **ácido**
■ **base**

Un **ácido** es una sustancia que suple protones (H^+) al agua y una **base** provee grupos negativos de hidróxido (OH^-). El agua pura tiene cierta cantidad de H^+ y de OH^- debido a que sus moléculas se rompen y reforman continuamente. En agua pura siempre hay 10^7 moles de H^+ por litro (ésta es una medida de la cantidad de moléculas en una sustancia). Un ácido tiene mayor cantidad de H^+ y una base menos.

La escala de pH (poder de hidrógeno) está confeccionada para clasificar las sustancias de acuerdo con su reactividad (figura 3.14). El valor neutral es 7, sustancias con valores menores de 7 son ácidas y aquellas mayores de 7 son alcalinas (bases). Cuanto más cercana a los extremos de 0 o 14 se encuentre una sustancia, más "fuerte" será. Por ejemplo, el ácido que libera las paredes del estómago para ayudar en la digestión y matar algunas bacterias tiene un pH aproximado de 2. La amonia y los productos usados para destapar tuberías en las casas tiene un pH entre 11 y 14. La figura 3.14 muestra el pH de otras sustancias comunes.

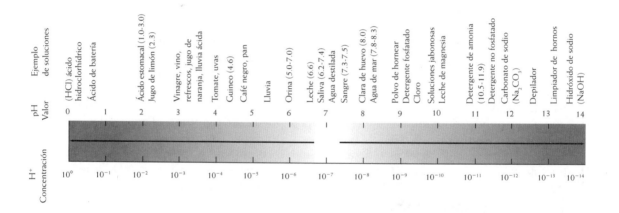

Figura 3.14 ■ La escala de pH y el valor de algunas sustancias comunes. El valor neutral es 7, valores por debajo de 7 son sustancias ácidas y mayores de 7 alcalinas. Ésta es una escala logarítmica y el cambio de un valor a otro representa un cambio de 10 veces.

FUENTE: Starr, C.: *Basic Concepts in Biology*, Wadsworth, Belmont, 3a. ed., 1997, p. 26.

CUESTIONARIO

1. ¿Qué importancia tienen los diferentes tipos de alimentos que ingerimos? Indique cinco tipos de alimentos, sus componentes básicos y su función en el cuerpo.

2. ¿Cómo se explica la acidez estomacal? ¿Qué función tienen los antiácidos?

3. ¿Por qué flota el hielo en agua líquida?

CAPÍTULO

4

Ondas

Cuando se mencionan las ondas, muchas veces pensamos en las las olas del mar y en las perturbaciones que se forman cuando arrojamos una piedra en un lago. Con el término **ondas** hacemos referencia a un movimiento o perturbación de la materia repetido en el tiempo y en el espacio, el cual transmite energía.

■ ondas

Las ondas, que en su mayoría son generadas por vibraciones, son muy diversas y han afectado a la humanidad en diferentes campos, entre los que figuran como los más referidos las comunicaciones y la medicina. Por ejemplo, la técnica de la *litotripsia* ("Extracorporeal Shock-Wave Lithotripsy", ESWL) se aplica con un instrumento, el *litotriptor,* que al producir el choque de ondas de sonido en un mismo punto puede romper los cálculos ("piedras") que se forman en los riñones. Esta técnica brinda a los pacientes una alternativa a la cirugía. El 80% de los que son sometidos a este tratamiento logran su recuperación sin intervención quirúrgica, pues la piedra pulverizada es eliminada naturalmente por el organismo.

Clases de ondas

Las ondas se clasifican en dos grandes grupos: las **electromagnéticas** y las **mecánicas**. Las electromagnéticas son las ondas que no necesitan medio de propagación

■ electromagnéticas
■ mecánicas

(pueden viajar en el vacío). Por ejemplo, la luz que proviene del Sol. Las ondas mecánicas son las que necesitan un medio de propagación; se subdividen en transversales y longitudinales (figura 4.1). Las ondas transversales son aquellas en que las partículas del medio de propagación se mueven perpendicularmente a la dirección en que viajan las ondas. En las ondas longitudinales las partículas del medio de propagación se mueven en la misma dirección que éstas.

Figura 4.1 ■ **a)** Onda transversal continua de un "gusano escurridizo" de juguete. Cada resorte oscila hacia arriba y hacia abajo según la onda viaje a la derecha. **b)** Onda continua longitudinal en el mismo gusano. Cada resorte oscila a la izquierda y a la derecha, según como la onda viaje a la derecha.

Fuente: Ostdiek, Bord:, *Inquiry into Physics*, 4a. ed., p. 209.

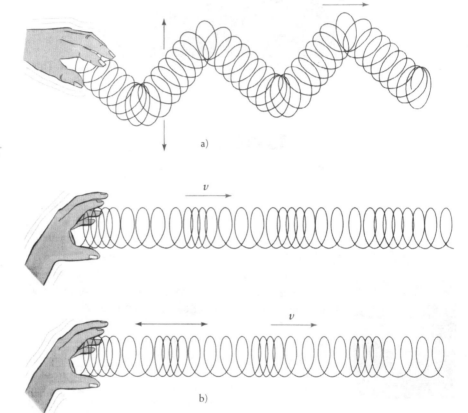

Características de las ondas

Como todo fenómeno físico, las ondas tienen características particulares: cresta, valle, amplitud, longitud de onda, periodo, frecuencia y velocidad (figura 4.2). La cresta de una onda es un punto más alto y el valle, más bajo. La amplitud (*A*) es la distancia que

Figura 4.2 ■ Vista fija de una onda transversal. La línea punteada muestra la configuración de equilibrio: la posición del medio cuando no hay ondas.

Fuente: Ostdiek, Bord: *Inquiry into Physics*, 4a. ed., p. 211.

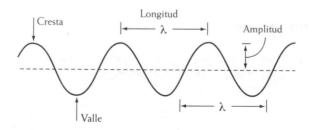

mide la onda desde su cresta hasta el punto de equilibrio. El largo de onda (λ) es la distancia entre dos puntos equivalentes de la onda, sin repeticiones entre ellos, por ejemplo, la distancia que hay entre dos crestas consecutivas. El periodo (T) es el tiempo que le toma a una longitud de onda pasar por un punto. La frecuencia (f) es el inverso del periodo ($1/T$) y se mide en Hertz (Hz). La velocidad de la onda está establecida por el producto de la frecuencia por el largo de onda ($v = \lambda f$).

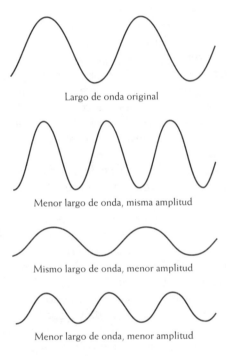

Largo de onda original

Menor largo de onda, misma amplitud

Mismo largo de onda, menor amplitud

Menor largo de onda, menor amplitud

Figura 4.3 ■ Ondas transversales con diferentes combinaciones de longitud y amplitud.

Fuente: Ostdiek, Bord: *Inquiry into Physics*, 4a. ed., p. 212.

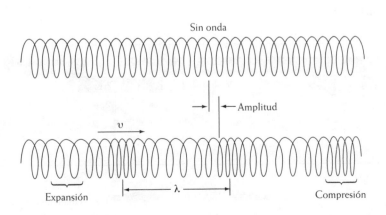

Sin onda

← Amplitud

v

Expansión

λ

Compresión

Figura 4.4 ■ La amplitud de una onda longitudinal en un resorte de juguete es igual al mayor desplazamiento lateral de las vueltas.

Fuente: Ostdiek, Bord: *Inquiry into Physics*, 4a. ed., p. 212.

Ondas electromagnéticas

Las ondas electromagnéticas viajan a la velocidad de la luz (c), que es de 299 792 458 m/s. Por tanto, si la velocidad de una onda está determinada por el producto de su frecuencia por el largo de onda, entonces para satisfacer la relación $c = \lambda f$ el largo de onda tiene que disminuir según aumenta la frecuencia (figura 4.5).

Como vemos, la energía que transporta una onda electromagnética es directamente proporcional a la frecuencia e inversamente proporcional a la longitud de onda. La relación que gobierna este hecho es $E = hf$, donde E es la energía, h la constante de Planck y f es la frecuencia. Dicha relación se conoce como *efecto fotoeléctrico*, postulado por Max Planck, pero que Albert Einstein explicó en 1905.

Podemos, además, observar que el espectro de las ondas electromagnéticas está subdividido por sus frecuencias en: radio, televisión, microondas, infrarrojo, visible, ultravioleta, rayos X y rayos gamma. Cada una de estas frecuencias posee sus alcances, implicaciones y aplicaciones. En una u otra ocasión, hemos oído hablar de ellos porque están presentes en nuestras vidas, sobre todo el campo visible. El campo o luz visible debe su nombre a que contiene las frecuencias que captamos con la vista (4.0 a 7.5 × 10^{14} Hz).

Las ondas del campo visible se componen de los siguientes colores: rojo, anaranjado, amarillo, verde, azul y violeta. La combinación de estos colores forma la luz blanca. Para observar esta composición, necesitamos un prisma que divida la luz visible en sus longitudes de ondas. Un ejemplo de un prisma natural son las gotas de lluvia, que como consecuencia de su translucidez y su forma, y dependiendo del ángulo de incidencia de la luz, la descomponen en sus frecuencias y crean el efecto del arco iris.

Figura 4.5 ■ Espectro electromagnético con sus respectivas frecuencias, largos de onda y energías.

FUENTE: Ostdiek, Bord: *Inquiry into Physics*, 4a. ed., p. 376.

Otro intervalo del espectro que ha contribuido al progreso de la humanidad son las ondas de radio. Éstas cubren el intervalo aproximado de 1 × 10^3 a 1 × 10^9 Hz e incluyen las ondas de radio AM, FM y televisión. Cuando comenzó la era de las comunicaciones, el primer segmento aprovechado fue el de AM y luego, con la necesidad de mayor alcance, se extendió el interés a FM y televisión. La mayor dificultad de explotar los intervalos no radicó en las aplicaciones, sino en cómo generar y controlar las ondas.

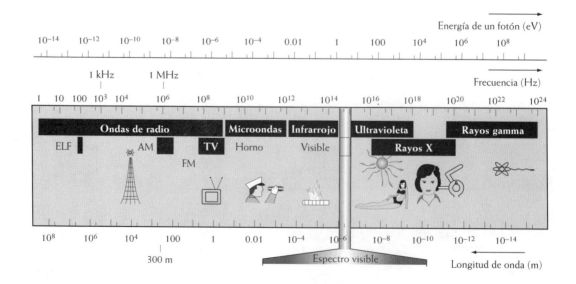

Ondas mecánicas

Como ya explicamos, las ondas mecánicas necesitan un medio de propagación. Las velocidad de estas ondas depende en gran medida de la separación de las partículas en el medio de propagación. Para analizar estas ondas con más detalle seleccionemos el sonido. La fuente es el objeto que perturba las moléculas de aire (figura 4.6). Entonces la velocidad a la cual se mueve la onda de sonido depende de la temperatura del aire, ya que ésta determina cuán distantes están las partículas unas de las otras. Cerca de la temperatura de salón la expresión que describe la propagación de la onda es $v = 333 \text{ m/s} + (0.6 \text{ m/s*°C})T_c$ donde T_c es la temperatura a la cual se encuentra el lugar en grados Celsius.

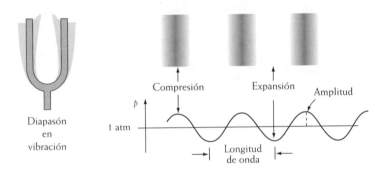

Figura 4.6 ■ Representación de parte de la onda sonora emitida por un diapasón. La presión del aire aumenta con cada compresión y se reduce con cada expansión, como se observa en la gráfica (tomado de *Physics in Everyday Life*, de Richard Dittman y Glenn Schmieg).

La fuente generatriz de nuestra voz son las cuerdas vocales, que se encuentran en la laringe. Al producir diferentes perturbaciones en ella, aprovechando convenientemente la cavidad bucal, podemos producir distintos sonidos que reconocemos como letras o palabras. Esta compresión del aire sigue viajando hasta encontrar un receptor, que en el caso de los humanos es el oído (figura 4.7), o se disipa la energía hasta que ya no pueda ser percibida. En la figura 4.8 observamos las frecuencias que escuchan

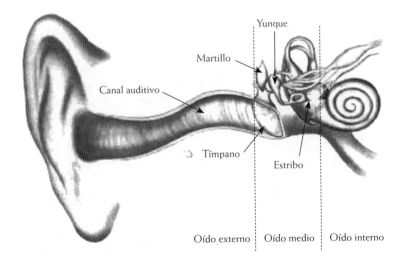

Figura 4.7 ■ Estructura del oído humano.

FUENTE: Ostdiek, Bord.: *Inquiry into Physics*, 4a. ed., p. 367.

Figura 4.8 ■ Frecuencias de audición de varios animales.

FUENTE: Kirkpatrick, Wheeler, *Physics a World View,* 4a. ed., p. 369.

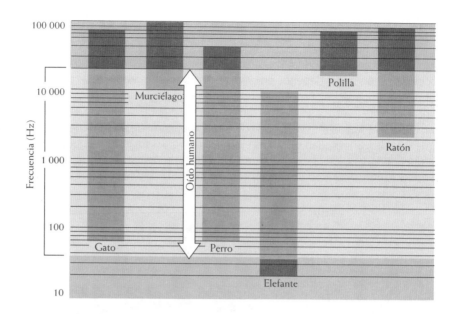

algunos animales. El margen de audición de los seres humanos recorre frecuencias desde 20 hasta 2×10^4 Hz.

Además de las características generales que describen las ondas, el sonido tiene otras peculiaridades como la altura, el timbre y la intensidad. La altura se relaciona con la frecuencia y el timbre define la calidad del sonido generado. La intensidad es la cantidad de energía transmitida por una onda por unidad de tiempo en un área determinada. La intensidad mínima para que un sonido sea audible es de $I_o = 1 \times 10^{-12}$ W/m². La intensidad máxima para que un sonido sea audible sin dolor es de $I^p = 1$ W/m². Alexander Graham Bell estableció una unidad de medida de intensidad de sonido que se llama **decibel** (dB). En la tabla 4.1 se anotan los límites máximos de sonidos permitidos por la Oficina de Seguridad y Salud Laboral (OSHA, por sus siglas en inglés) y la exposición diaria del nivel de intensidad.

■ **decibel**

Tabla 4.1 ■ Límites de ruidos de la OSHA.
FUENTE: Ostdiek, Bord: *Inquiry into Physics,* 4a. ed., p. 236.

Nivel de Sonido	Exposición diaria (horas)
90	8
92	6
95	4
97	3
100	2
102	1.5
105	1
110	0.5
115	0.25

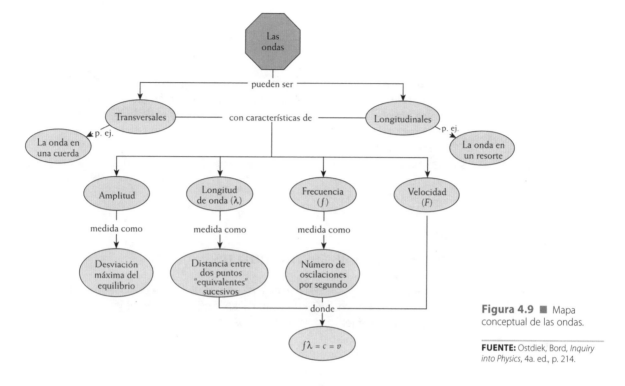

Figura 4.9 ■ Mapa conceptual de las ondas.

FUENTE: Ostdiek, Bord, *Inquiry into Physics*, 4a. ed., p. 214.

Termodinámica

La **termodinámica** es la rama de la física que estudia y analiza los cambios en temperatura y la transferencia de calor. Este campo está regido por tres leyes. La **ley cero** establece que si un objeto A está en equilibrio térmico con un objeto B y si el objeto B está en equilibrio térmico con un objeto C, entonces cada uno se encuentra en equilibrio térmico con respecto a cada uno de los otros. Aquí, "equilibrio térmico" se refiere a que la temperatura ya no cambia o mejor aún que ya no hay intercambio de calor entre los cuerpos porque tienen la misma temperatura.

■ termodinámica
■ ley cero

La **primera ley** postula que el cambio en la energía interna del sistema es igual al calor añadido más el trabajo realizado en el sistema ($\Delta E_{interna} = Q + W$). La **segunda ley** (o **ley de la entropía**) enuncia que en toda conversión de energía en trabajo, parte de la energía se invierte en crear un estado de mayor desorden. Por tanto, la entropía del universo siempre va en aumento. La **tercera ley** afirma que si la temperatura se acerca al cero absoluto, la entropía también se acerca a cero.

■ primera ley
■ segunda ley (o ley de la entropía)

■ tercera ley

Transferencia de calor

Los mecanismos de transferencia de calor son *conducción*, *convección* y *radiación*. La transferencia de calor por **conducción** se basa en el contacto físico de los objetos. La eficiencia de este mecanismo depende en gran medida de las propiedades térmicas de los materiales y el área de contacto. La **convección** se basa en el movimiento de materia para

■ conducción

■ convección

intercambiar energía; por ejemplo, el acondicionador de aire se basa en el movimiento del aire en la habitación para hacer más eficaz la pérdida de energía de las partículas. Estos dos mecanismos dependen tanto de la materia como de que haya diferencias de temperatura.

■ radiación

La **radiación** no depende de la materia, ya que no necesita medio de propagación, sino de la colisión de las ondas electromagnéticas con el objeto. Este mecanismo es una de las razones de que haya vida en nuestro planeta. La energía de la Tierra proviene principalmente de la radiación solar.

■ termografía

La **termografía** es una técnica de mucho auge en el campo de la medicina. Consiste en medir la temperatura del cuerpo humano y asignar colores a las regiones que tienen diferentes temperaturas. Con esta técnica los médicos pueden observar los patrones térmicos de una zona en particular.

Temperatura y termómetros

■ temperatura

La **temperatura** es uno de los términos físicos más utilizados por el lego. La definición popular reza que es la medida de cuán caliente o frío está un objeto o el ambiente. Esta impresión es subjetiva, porque lo que para un individuo es caliente o frío no tiene que ser igual para los demás.

■ termómetros

Los **termómetros** son instrumentos que miden la temperatura de los objetos. Aprovechan la capacidad de algunos materiales de cambiar abruptamente cuando se

Figura 4.10 ■ Esquema de las tres escalas de temperatura. Las escalas de Celsius y Kelvin tienen unidades de la misma magnitud, mientras que los grados de la escala Fahrenheit son cincos novenos de los grados Celsius.

FUENTE: Ostdiek, Bord, *Inquiry into Physics*, 4a. ed., p. 167.

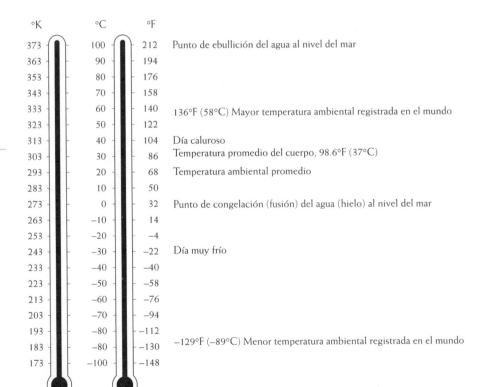

°K	°C	°F	
373	100	212	Punto de ebullición del agua al nivel del mar
363	90	194	
353	80	176	
343	70	158	
333	60	140	136°F (58°C) Mayor temperatura ambiental registrada en el mundo
323	50	122	
313	40	104	Día caluroso
303	30	86	Temperatura promedio del cuerpo, 98.6°F (37°C)
293	20	68	Temperatura ambiental promedio
283	10	50	
273	0	32	Punto de congelación (fusión) del agua (hielo) al nivel del mar
263	−10	14	
253	−20	−4	
243	−30	−22	Día muy frío
233	−40	−40	
223	−50	−58	
213	−60	−76	
203	−70	−94	
193	−80	−112	
183	−80	−130	−129°F (−89°C) Menor temperatura ambiental registrada en el mundo
173	−100	−148	

modifica la temperatura. Desde tiempos inmemoriales, el ser humano ha querido medir la temperatura y ha inventado toda clase de instrumentos y escalas. Las escalas más utilizadas hoy son la Celsius y la Fahrenheit. Como se observa en la figura 4.10 las escalas están relacionadas y se basan en la asignación de un valor en temperatura a la expansión del material. La mayoría de los termómetros utilizan el alcohol o el mercurio.

Para hacer una división de escala necesitamos dos puntos de referencia. En este caso, los puntos de congelación y de ebullición del agua, que en la escala Celsius (centígrado) corresponden a 0° y 100° y en la Fahrenheit a 32° y 212°, respectivamente. El intervalo de la escala Celsius está dividido en 100 partes, mientras que el de la Fahrenheit en 180 partes.

La escala de temperatura absoluta del SI es la Kelvin, que se relaciona con la Celsius de la siguiente manera °K = °C + 273.15°C.

Calor

La percepción del frío depende de la cantidad de calor que la persona libera, debido al intercambio de energía con el ambiente. **Calor** es la transferencia de energía como consecuencia de una diferencia de temperatura (figura 4.11). Como mencionamos en la sección anterior, los materiales reaccionan de diferente manera a los cambios de temperatura.

■ calor

Todos sabemos que la materia está compuesta por pequeñas partículas llamadas *átomos,* cuya libertad para moverse depende del estado en que se encuentre la materia. Debido a este movimiento, las partículas tienen una energía cinética (energía debida al movimiento) y, de acuerdo con su localización, una energía potencial (energía que depende de la posición). Por tanto, cuando un objeto se enfría pierde energía cinética en forma de calor.

Por estas transferencias de energía es que podemos tener un material en diferentes estados. Los estados de la materia más conocidos son sólido, líquido y gaseoso, organizados de manera ascendente en términos de energía cinética.

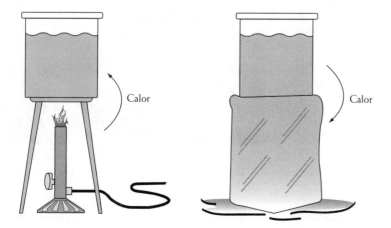

Figura 4.11 ■ El calor fluye al agua del mechero y aumenta la energía interna del agua. En cambio, el calor fluye del agua al hielo, con lo que la energía interna del agua decrece.

FUENTE: Ostdiek, Bord: *Inquiry into Physics,* 4a. ed., p. 177.

El calor fluye espontáneamente de una temperatura elevada a una inferior. Para que el calor fluya en dirección opuesta hay que realizar trabajo, como sucede con los refrigeradores y acondicionadores de aire.

Enlace

Láser

Pocas formas de energía han estimulado la imaginación tanto como el láser. Series de televisión y películas como "Viaje a las estrellas" *(Star Trek)* y "La guerra de las galaxias" *(Star Wars)* han explotado en gran medida el concepto. Sin embargo, el láser más que un arma sofisticada es una herramienta casi indispensable en el diario vivir. El láser sirve para enviar mensajes a través de fibra óptica, escuchar nuestro disco compacto favorito, leer códigos de barras (figura A) en los productos que compramos en el supermercado, llevar a cabo cirugías delicadas y precisas con una pérdida de sangre mínima y la reducción del daño a tejidos circundantes o imprimir este texto una vez corregido en la computadora.

Fue Isaac Newton el primero en darse cuenta de que la luz visible era una mezcla de colores; es decir, que los colores generados por un prisma o por el arco iris son el resultado de la separación de la luz blanca en varios componentes. Estos componentes representan una porción pequeña del espectro electromagnético y los identificamos con los colores rojo, naranja, amarillo, verde, azul y violeta. Los colores son nuestra percepción de la luz cuasi monocromática, la cual es producida por una banda estrecha de frecuencias. El láser emite una luz cuasimonocromática con una pureza de espectro que otras fuentes de luz no pueden igualar.

En 1917 Albert Einstein explicó que con un fotón se podía estimular una molécula para que emitiera otro fotón igual que se moviera en la misma dirección, lo que se conoce como emisión estimulada. En 1953 el físico estadounidense Charles Hard Townes desarrolló un método para estimular moléculas de amonia con microondas y obtuvo como resultado una ampliación en el torrente de fotones que salían del sistema. Unos años más tarde, en 1960, Theodore Harold Maiman aplicó esta técnica a la luz visible para producir la primera "amplificación de luz por emisión estimulada de radiación" o en inglés *Light Amplification by Stimulated Emission of Radiation*, de donde sale el acrónimo láser.

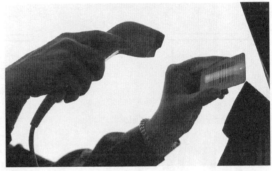

Figura A ■ El láser está presente en muchas actividades de la vida cotidiana.

La luz generada por el láser consta de fotones del mismo tamaño que se mueven en la misma dirección. Esta luz se conoce como "luz coherente", puesto que todos los fotones están en la misma frecuencia y perfectamente alineados, lo que permite concentrar la energía en un punto definido.

CUESTIONARIO

1. ¿Por qué se escuchan mejor las estaciones de radio FM?

2. ¿Cuál de los rangos en el espectro electromagnético ha influido más en el desarrollo de la humanidad?

3. ¿Por qué debemos moderar el volumen de la música que escuchamos?

4. ¿Cómo enfría el hielo un vaso con refresco?

5. ¿Qué mecanismo de transferencia de calor es más importante para ti? ¿Por qué?

6. ¿Por qué nos arropamos cuando sentimos frío?

UNIDAD

3

Organización de la vida

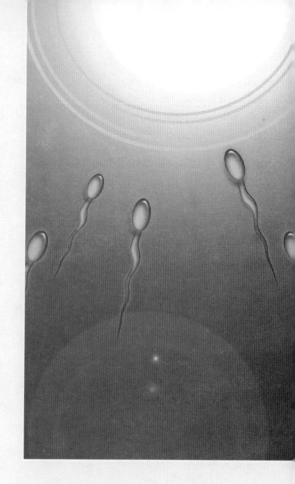

CAPÍTULO

5

La célula

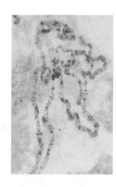

La vida es posible gracias a los procesos metabólicos que llevan a cabo las células, las cuales se mantienen vivas por la energía química que reciben de la glucosa. Esta energía es liberada en el mitocondrio de la célula a través del proceso de respiración celular. Si preguntamos cuál es la estructura más importante de nuestro cuerpo, respondemos por supuesto que la célula. Algunos podrían sugerir que es el corazón o el cerebro; sin embargo, la función del corazón, que está constituido por células, es bombear sangre a través de arterias, capilares y venas para que sean transportados los gases y la glucosa necesaria para las células. Estas oraciones que ahora lees son detectadas por las células de la retina del ojo, el cual convierte las imágenes en impulsos nerviosos que viajan por las células especializadas conocidas como neuronas que forman el nervio óptico. En el cerebro, las neuronas (células) interpretan lo que se lee y almacenan el conocimiento también en neuronas.

Homeostasia es la capacidad que tiene el cuerpo de mantener constantes las condiciones internas. Los sistemas nervioso y endocrino monitorean y controlan permanentemente los órganos que se ocupan de mantener las condiciones internas constantes. Si aumenta la concentración de azúcar en la sangre, una parte del páncreas libera insulina, la cual regula la cantidad de azúcar. Procesos semejantes ocurren con cientos de parámetros internos, tales como la concentración de oxígeno, de glóbulos rojos y el nivel de pH. Este control constante es necesario, pues las células mueren si cambian drásticamente las condiciones internas del cuerpo. El

■ homeostasia

oxígeno y la glucosa son muy importantes, ya que cuando falta alguno de ellos en la sangre, sobreviene la muerte de las células y luego la del organismo. Algunas enfermedades son causadas por el mal funcionamiento de las células; por ejemplo, en la *diabetes*, ciertas células del páncreas no producen suficiente insulina. El *cáncer* es un crecimiento descontrolado de células.

Características y tipos de células

■ procariotas
■ eucariotas

Las células se clasifican en dos grandes grupos: las **procariotas** y las **eucariotas.** El término *procariota* proviene del griego y significa "antes del núcleo". En efecto, las células procariotas no tienen un núcleo organizado como las *eucariotas* (cuyo nombre significa "núcleo verdadero"). Las bacterias son células procariotas mientras que todos los demás organismos: protistas, hongos, animales y plantas, poseen células eucariotas (tabla 5.1). Aunque hay algunas diferencias entre células eucariotas, las semejanzas son mayores.

Tabla 5.1 ■ Diferencias y similitudes de las células eucariotas y procariotas en diferentes grupos de organismos.

FUENTE: Starr. C. y R. Taggart: *Biology. The Unity and Diversity of Life,* Wadsworth, Belmont, 7a. ed., 2007. p. 73.

Componente celular	Función	Procariota		Eucariota		
		Monera	Protista	Hongos	Plantas	Animales
Pared celular	Protección y soporte estructural	*	*	+	+	−
Membrana celular	Control de movimiento de sustancias	+	+	+	+	+
Núcleo	Control celular por medio del ADN	−	+	+	+	+
ADN	Información hereditaria y control	+	+	+	+	+
ARN	Ayuda al ADN en control celular	+	+	+	+	+
Nucléolo	Formación de ribosomas	−	+	+	+	+
Ribosoma	Formación de proteínas	+	+	+	+	+
Retículo endoplásmico	Modificación de proteínas	−	+	+	+	+
Corpúsculo de Golgi	Empaque de sustancias	−	+	+	+	+
Lisosoma	Enzimas digestivas	−	+	*	*	+
Mitocondrio	Formación de ATP	−	+	+	+	+
Cloroplasto	Fotosíntesis	−	+	−	+	−
Vacuola	Almacenaje	−	*	*	+	+
Citoesqueleto	Estructura interna de la célula	−	*	*	*	+
Cilios y flagelos	Movimiento	−	*	*	*	+

+ Organelo presente.

− Ausencia de organelo.

* Por lo menos presente en un grupo.

Algunas características comunes a todas las células son:

■ Todas las células almacenan información en moléculas de ácido desoxirribonucleico (ADN).

■ El código genético usado por todas las células es similar.

■ La información del ADN se traduce en proteínas mediante un sistema similar en el cual el ácido ribonucleico (ARN) es el agente principal.

■ Todas las células producen proteínas en organelos conocidos como **ribosomas**.

■ ribosomas

■ Las proteínas funcionan como catalizador en la gran mayoría de las reacciones químicas de la célula.

■ Todas las células transforman energía química de compuestos usando los mismos compuestos finales, como ATP (trifosfato de adenosina).

■ Todas las células tienen una membrana celular compuesta de una capa doble de fosfolípidos y proteínas.

Estas similitudes sugieren un origen común de todas las células.

Existe evidencia de que la célula eucariota se originó de la unión de varias células procariotas.

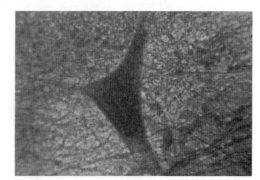

Figura 5.1 ■ Acercamineto de neurona.

Tamaño, cantidad y longevidad de las células

El tamaño y la forma de las células varían y depende de la función que lleven a cabo. Hay células de vida libre como las bacterias y protistas, organismos que consisten en una sola célula. En los animales, hongos y plantas, que son organismos multicelulares, las células también tienen estructuras diversas. La inmensa mayoría de las células son microscópicas. En la tabla 5.2 se compara el tamaño de algunas células, el cual está limitado por el intercambio de sustancias con el exterior. Si el tamaño aumenta, entonces el movimiento de nutrientes y gases hacia los componentes de la célula es limitado. Para tener una mejor idea del tamaño de las células usemos como ejemplo el tamaño de los glóbulos rojos. Cuando éstos se encuentran en la sangre, ya han perdido su núcleo para transportar el oxígeno más eficientemente. Los glóbulos rojos son una de las células más pequeñas del cuerpo; una persona debe poseer aproximadamente 4.5 millones por centímetro cúbico. En otras palabras, imaginemos que en un cubo de un centímetro debemos meter 4.5 millones de glóbulos rojos, ¡tienen que ser diminutos!

Por lo general, las células de las plantas son de mayor tamaño que las de los animales. Hay otras diferencias tales como la pared celular rígida de las plantas, compuesta principalmente de celulosa. Además, las células de las plantas tienen vacuolas de mayor tamaño y cloroplastos clonde se lleva a cabo la fotosíntesis (figura 5.2).

La cantidad de células en el cuerpo humano se calcula entre 50 y 75 trillones; esto es, entre 50 000 000 000 000 y 75 000 000 000 000 de células. En el cerebro se concentra la mayor cantidad.

Tabla 5.2 ■ Tamaño de diferentes células y organelos; también se comparan con el tamaño de un virus, el diámetro de la molécula de ADN y el átomo de hidrógeno.

FUENTE: Starr, C. y Taggart, R.: *Biology. The Unity and Diversity of Life*, Wadsworth, Belmont, 7a. ed., 2007, p. 53

1 centímetro (cm) = 1/100 metro o 0.4 pulgadas		3 cm—	huevo de pollo (yema)
1 milímetro (mm) = 1/1000 metro		1 mm—	huevo de rana o pez
1 micrómetro (μm) = 1/1000 metro		100 μm—	óvulo humano
		100-100—	células típicas de la planta
		10-30—	células típicas del animal
		2-10—	cloroplasto
		1-5—	mitocondria
		5—	*anabaena* (*cyanobacteria*)
		1—	*escherichia coli*
1 nanómetro (nm) = 1/1 000 000 000 metro		100 nm—	virus grande (HIV, virus de influenza)
		25—	ribosoma
		7-10—	membrana celular (espesor)
		2—	ADN, hélice doble (diámetro)
		0.1—	átomo de hidrógeno

(Columnas verticales: UNIDADES DEL OJO HUMANO, MICROSCOPIOS DE LUZ, MICROSCOPIO ELECTRÓNICO)

1 metro $= 10^2$ cm $= 10^3$ mm $= 10^6$ μm $= 10^9$ nm

En el cuerpo humano las células tienen diferente duración o tiempo de vida. Las células del estómago pueden durar dos días; los espermatozoides, de dos a tres días; las células de la piel, entre 19 y 34 días; los glóbulos rojos, 120 días, y las células de los huesos de 30 a 40 años.

Es necesario, pues, reponer las células, y para ello hay dos procesos que producen nuevas células: la **mitosis,** por la que se duplican las células del cuerpo (somáticas), y la **meiosis,** por la cual se producen gametos (células germinales). En el capítulo 9 se da una explicación más detallada de estos procesos.

■ mitosis
■ meiosis

Estructura y función celular

Las células eucariotas de animales, y por tanto nuestras células, tienen una estructura que guarda una estrecha relación con su función. En esta sección estudiaremos la célula animal. Las células de las plantas, hongos y protistas, aunque son en cierta forma diferentes a las células de los animales, tienen gran cantidad de organelos semejantes a los de la célula animal (figuras 5.3 y 5.4).

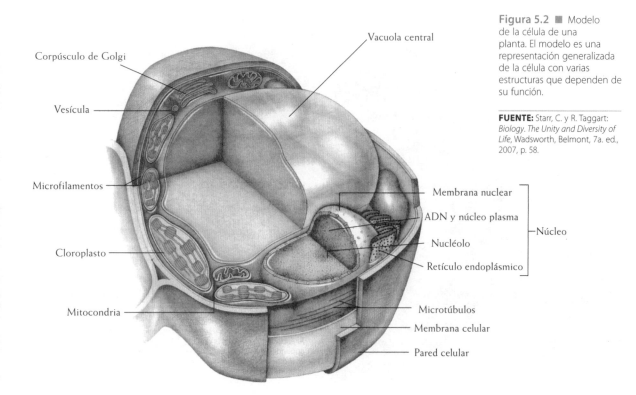

Corpúsculo de Golgi

Vesícula

Microfilamentos

Cloroplasto

Mitocondria

Vacuola central

Membrana nuclear

ADN y núcleo plasma

Nucléolo ⎱ Núcleo

Retículo endoplásmico

Microtúbulos

Membrana celular

Pared celular

Figura 5.2 ■ Modelo de la célula de una planta. El modelo es una representación generalizada de la célula con varias estructuras que dependen de su función.

FUENTE: Starr, C. y R. Taggart: *Biology. The Unity and Diversity of Life*, Wadsworth, Belmont, 7a. ed., 2007, p. 58.

Los **organelos** son estructuras internas de la célula que se ocupan de diferentes procesos metabólicos, lo que permite que se lleven a cabo simultáneamente reacciones químicas distintas. Los organelos se encuentran en el **citoplasma**, que es la matriz o parte interior de la célula y que tiene una consistencia semilíquida.

■ **organelos**

■ **citoplasma**

Membrana celular

La *membrana celular* es la parte exterior de la célula, formada por una capa doble de fosfolípidos y diferentes moléculas de proteínas. Como está constituida por fosfolípidos, que son moléculas no polares, no se disuelve en el agua. Cabe señalar que todos los organelos de la célula también están rodeados por membranas.

La membrana celular es muy importante, pues regula el movimiento de sustancias hacia el interior de la célula y viceversa, y tiene receptores especiales que determinan la identidad de las otras células. Así se reconocen bacterias y virus extraños para neutralizarlos.

Núcleo

El **núcleo** es un organelo compuesto de una membrana exterior que contiene poros. En el interior puede tener una estructura más pequeña conocida como el **nucléolo**, en donde ocurre la formación de los ribosomas. El núcleo contiene el material genético importante para la herencia y para mantener el control de las actividades de la célula.

■ **núcleo**

■ **nucléolo**

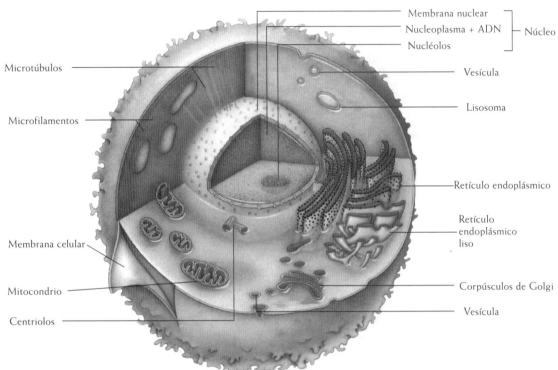

Figura 5.3 ■ Modelo de
una célula animal. El modelo
es una representación de una
célula con varias estructuras
que dependen de su función.

FUENTE: Starr, C. y R. Taggart:
*Biology. The Unity and Diversity of
Life,* Wadsworth, Belmont, 7a. ed.,
2007, p. 60.

■ **histonas**
■ **cromosomas**

Estas dos funciones las regula una molécula especial junto con el ácido desoxirribonucleico (ADN) y el ácido ribonucleico (ARN). El ADN y las proteínas llamadas **histonas**
forman los **cromosomas**. En los seres humanos el número de cromosomas es de 23
pares (capítulo 9). Estos 46 cromosomas controlan las actividades del cuerpo dirigien-
do la síntesis de proteínas en los ribosomas. Las proteínas fabricadas por los ribosomas
funcionan como enzimas que regulan la actividad celular.

Si aplicamos lo dicho, podemos entender mejor la función de organelos de la célula
y la importancia de los alimentos en nuestro cuerpo. Por ejemplo, la carne que ingerimos
está compuesta de proteínas que a su vez están constituidas de aminoácidos. Al llegar
al estómago, la carne se digiere y se rompe en sus componentes básicos, aminoácidos, que pasan al intestino delgado y luego a la sangre. En la sangre recorren todo el
cuerpo y entran en las células. En los ribosomas, los aminoácidos son colocados en un
orden establecido por el ADN del núcleo y así se sintetiza una proteína. Si esta proteína
va a suplantar parte del tejido de la piel, entonces resulta que la carne que ingerimos
se convierte, después de un largo proceso, en tejido de la piel. Toda esta actividad es
controlada desde el núcleo.

Mitocondrio

■ **mitocondrios**

Los **mitocondrios** son responsables de la respiración celular. Convierten la energía
química de la glucosa en trifosfato de adenosina ATP (por sus siglas en inglés). La célula
utiliza el ATP para llevar a cabo sus funciones; por ejemplo, en las células que forman el

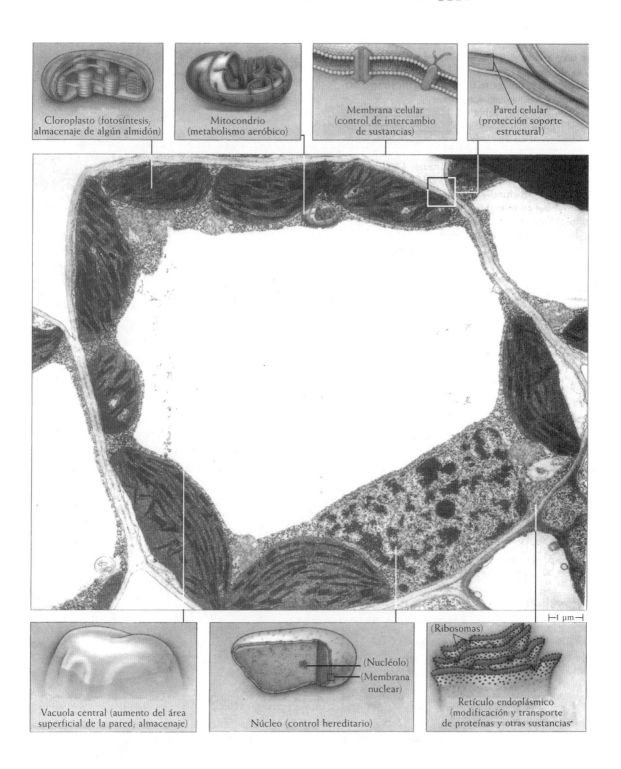

Figura 5.4 ■ Microfotografía y modelos de los diferentes organelos de la célula de una planta.

FUENTE: Starr, C. y R. Taggart: *Biology. The Unity and Diversity of Life,* Wadsworth, Belmont, 7a. ed., 2007, p. 59.

tejido muscular, el ATP sirve para llevar a cabo la contracción del músculo. El oxígeno que entra en la sangre a través de los pulmones llega a todas las células para mantener al mitocondrio produciendo ATP a partir de la glucosa. Este mecanismo es esencial, pues si se deja de llevar oxígeno a la célula sobreviene la muerte. A este proceso se le llama respiración celular, que no se lleva a cabo en los pulmones, pues ahí lo que ocurre es la ventilación o movilización de gases a la sangre y viceversa.

Los mitocondrios tienen su propio ADN y se duplican independientemente de la célula. Todos los mitocondrios que poseemos, tanto en el hombre como en la mujer, provienen de nuestras madres. En el momento de la fertilización el óvulo provee todos los organelos mientras que el espermatozoide sólo aporta el paquete nuclear que contiene los cromosomas.

Ribosomas

■ ribosomas

Los **ribosomas** son pequeños y numerosos organelos esféricos que se ocupan de la síntesis de proteínas. Están constituidos principalmente de ARN y se forman en el nucléolo. Se encuentran en el citoplasma o adheridos a membranas internas del retículo endoplásmico de la célula.

Retículo endoplásmico (RE) y corpúsculo de Golgi

■ retículo
endoplásmico

■ corpúsculo de
Golgi

El **retículo endoplásmico** (RE) es una red de canales formados por membranas. Se origina en el núcleo y termina en la membrana celular. Cerca del núcleo el RE contiene mayor cantidad de ribosomas. En el RE, las proteínas producidas por los ribosomas adquieren su forma final y pueden viajar hasta la membrana donde se encapsulan en pequeños sacos, que forman otra estructura conocida como **corpúsculo de Golgi**. Aquí se dan los toques finales a la síntesis de proteínas y se sintetizan otras sustancias como azúcares y almidones. Estos organelos, entre otras cosas, producen la leche materna. Poco antes del nacimiento del bebé comienza la producción de leche, la cual se almacena en los corpúsculos de Golgi. En el momento en el que el bebé lacta estimula la producción de una hormona en la madre que a su vez estimula unos músculos que rodean las células de las glándulas mamarias. La contracción muscular hace que se expriman los corpúsculos de Golgi que liberan la leche en los canales que la llevan hacia el pezón.

Lisosomas y peroxisomas

■ lisosomas

Los **lisosomas** son organelos que se originan en el retículo endoplásmico o en los corpúsculos de Golgi. Producen enzimas digestivas que descomponen células muertas, bacterias, grasas, carbohidratos y otros componentes de la sangre que no tengan uso. Los lisosomas pueden tener docenas de enzimas digestivas en un medio ácido. Al estar separadas por una membrana evitan el rompimiento de estructuras útiles de la célula. Las células del hígado contienen gran cantidad de lisosomas, ya que en el hígado se neutralizan las sustancias tóxicas, como el alcohol. El abuso del alcohol deteriora las actividades de los lisosomas del hígado, el cual se degenera, y en parte puede ser

■ peroxisomas

causa de cirrosis hepática. Los **peroxisomas** también tienen enzimas y llevan a cabo funciones similares a los lisosomas. Las células de plantas no tienen lisosomas, pero cuentan con peroxisomas.

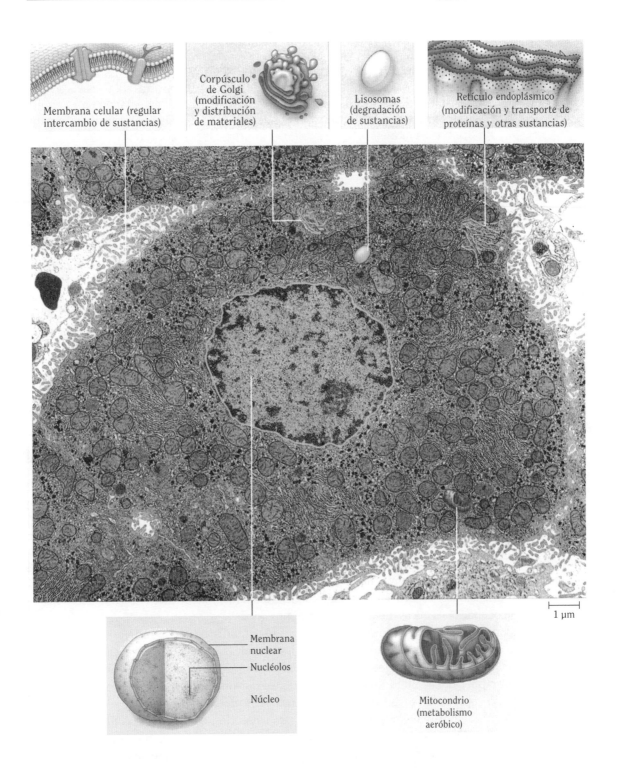

Membrana celular (regular intercambio de sustancias)

Corpúsculo de Golgi (modificación y distribución de materiales)

Lisosomas (degradación de sustancias)

Retículo endoplásmico (modificación y transporte de proteínas y otras sustancias)

1 μm

Membrana nuclear

Nucléolos

Núcleo

Mitocondrio (metabolismo aeróbico)

Figura 5.5 ■ Microfotografía y modelos de los diferentes organelos de la célula del hígado de una rata.

FUENTE: Starr, C. y R. Taggart: *Biology. The Unity and Diversity of Life*, Wadsworth, Belmont, 7a. ed., 2007, p. 61.

Cloroplastos

■ cloroplastos

Los **cloroplastos** son los organelos de la fotosíntesis. Las plantas, algas y algunos protistas son los únicos organismos que los poseen. Los cloroplastos adquieren la energía radiante del Sol y la convierten en moléculas de glucosa, sintetizando un esqueleto de carbón formado a partir de átomos de carbono que la planta obtiene del dióxido de carbono atmosférico.

Los cloroplastos, al igual que los mitocondrios, poseen ADN y se dividen independientemente de la célula. Al igual que los mitocondrios, también los cloroplastos se derivan de células de vida libre que se incorporaron a una célula mayor mediante una relación simbiótica.

Otros organelos y el citoesqueleto

■ centriolos

En la célula hay otros organelos o estructuras que llevan a cabo diferentes funciones: los **centriolos** se activan durante la división celular.

Las vacuolas son compartimentos donde se almacenan sustancias. En las plantas son mucho más grandes que en los animales y ayudan a regular el paso de sustancias a través de la membrana al cambiar de tamaño (figura 5.5). También sirven para almacenar productos de desecho metabólico.

Enlace ■ ■ ■ ■

Los clones: ¿hasta dónde podemos llegar?

En febrero de 1997 se publicó en los periódicos del mundo la sensacional noticia de la creación de un clon de una oveja en Edimburgo, Escocia. La noticia sorprendió a muchos y ha sido motivo de discusiones, especulaciones, interrogantes y preocupaciones éticas. El acontecimiento fue importante, pues era la primera vez que se hacía un clon de un mamífero adulto. La clonación fue realizada por los investigadores Ian Wilmut y H. S. Campbell del Instituto Roslin.

Un clon es una copia de un organismo. Hay clones naturales en que por diferentes métodos de reproducción asexual se originan nuevos individuos, como ocurre principalmente en las plantas. Los clones artificiales se producen de varias formas, pero básicamente se obtienen estimulando el material genético (ADN) que se encuentra en el núcleo para que produzca un nuevo individuo. La técnica se lleva a cabo desde la década de los cincuenta, mas se ha perfeccionado en los últimos años.

Los primeros clones se hicieron de plantas. En las orquídeas, la clonación sirve para mantener las características deseadas de color y tamaño de las flores. La mayoría de las plantas de orquídeas comerciales es producto de clones.

Para hacerlos, se obtienen células de tejido meristemático (tejido productor de nuevas hojas o tallos) y se coloca en un medio de agar con nutrientes y sustancias estimuladoras del desarrollo.

Figura A ■ Detalle de una orquídea blanca.

A medida que las células empiezan a reproducirse, se cambian de envases y se aplican otras sustancias que estimulan el crecimiento y desarrollo de las células para formar nuevas plántulas. Al cabo de varios meses, las plántulas crecen, se extraen de los frascos y se siembran en un material apropiado. Con esta técnica se crean cientos de copias de una planta originaria.

En los mamíferos no se puede usar esta técnica y durante muchos años se intentaron otras sin éxito alguno. Para producir los clones de ovejas en Escocia, primero se extrajo el ADN de varios óvulos. Luego se extrajo el ADN de células de la ubre de una oveja y se colocó en los óvulos sin ADN. Se estimuló con una chispa eléctrica y las células continuaron el desarrollo embrionario. En seguida se implantaron en el ovario de ovejas hasta completar el desarrollo. La oveja que nació tenía las características de la oveja de la cual se extrajo el ADN y no de la oveja en que se desarrolló. La importancia de esta clonación es que se descubrió la forma de poner en cero el reloj biológico del ADN. Todas las células tienen un reloj interno que controla las actividades del ADN. Este reloj controla la actividad del material genético para que en diferentes épocas active diversos genes. Por ejemplo, en el ser humano se estimulan durante la pubertad los genes que determinan las características sexuales secundarias.

Ya existe la tecnología para ser aplicada en humanos. No sólo la comunidad científica sino la sociedad en general ha expresado su preocupación de ¿hasta dónde podemos llegar? ¿Sería conveniente la clonación en humanos? ¿Con qué propósitos? Todas estas preguntas tienen un aspecto ético. La mayoría de los científicos no está de acuerdo en que se hagan clones humanos. Desde hace varios años y en diversos países se formularon reglamentos para controlar y evitar la producción de clones humanos. ¿Se podrán evitar? La tecnología no es muy compleja y en un laboratorio de cualquier universidad puede realizarse dicha práctica. Éste es un buen caso para comprender que la ciencia no ofrece respuestas a problemas éticos: crea una tecnología que plantea graves consideraciones éticas, pero el uso de esa tecnología debe ser controlada en beneficio de la humanidad.

Las células tienen un complejo **citoesqueleto,** que fue descubierto en los últimos 20 años del siglo xx, que da soporte y ayuda en el movimiento de sustancias en el interior de la célula. Está formado principalmente por microtúbulos y microfilamentos. Las células de las plantas y hongos tienen una **pared celular** rígida compuesta principalmente de celulosa. El soporte de una planta se debe a la rigidez de cada pared celular. En los árboles, el tallo crece hacia el exterior. La parte interna se compone de las paredes celulares de células muertas; de ahí se saca la madera. La parte viva del árbol se concentra en la superficie externa del tronco.

■ **citoesqueleto**

■ **pared celular**

■ cilios y flagelos

Algunas células, principalmente protistas, tienen **cilios y flagelos** construidos de microtúbulos. En los humanos, los espermatozoides se mueven por la acción de un flagelo y las células de la tráquea y bronquios del sistema respiratorio contienen diminutos cilios que por movimientos ondulatorios expulsan la mucosa, la cual atrapa bacterias y partículas que entran en el aire que respiramos.

CUESTIONARIO

1. ¿Qué importancia tienen los alimentos en la función celular?

2. ¿Por qué las vacuolas de las células de las plantas son de mayor tamaño que las de los animales?

3. ¿Por qué es indispensable el oxígeno para la mayoría de los organismos?

CAPÍTULO

6

Control y comunicación

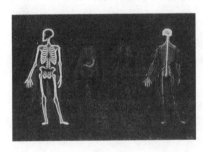

Los dos sistemas reguladores o de control que poseen la habilidad de transmitir mensajes y correlacionar funciones del cuerpo son los sistemas **endocrino y nervioso**. Ambos (tabla 6.1) controlan las actividades y funciones del cuerpo, regulando y manteniendo estable el ambiente interno mediante cambios eléctricos y químicos. Los sistemas endocrino y nervioso actúan sobre una región particular del cuerpo por medio de la liberación de mensajeros químicos (neurotransmisores en el caso de células nerviosas u hormonas en el caso de células endocrinas), que ejercen un efecto recíproco particular en receptores de las células.

- endocrino y nervioso

El sistema endocrino funciona con la secreción de mensajeros químicos llamados **hormonas**, que son liberados a la sangre para el envío de una acción a lugares distantes. Controlan principalmente actividades metabólicas que requieren duración en lugar de rapidez. El sistema nervioso coordina las actividades rápidas del cuerpo, como movimientos musculares, mediante la transmisión de impulsos eléctricos.

- hormonas

Anatómicamente ambos sistemas son diferentes en lo que respecta a su organización, transmisión de señales y conexión entre sus partes. La comunicación específica del sistema nervioso depende de que las células nerviosas tengan una relación anatómica cercana con las regiones o células en donde actuarán; por tal razón, la neurona (la célula nerviosa) tiene una zona de acción muy estrecha. En contraste,

Tabla 6.1 ■ Comparación de los sistemas nervioso y endocrino.
FUENTE: Sherwood, L.: *Human Physiology. From Cells to Systems,* West, St. Paul, 2a. ed., 2004, p. 106.

Propiedad	Sistema nervioso	Sistema endocrino
Arreglo anatómico.	Cableado: arreglo estructural específico entre neurona y la región de acción, un sistema de continuidad estructural.	No cableado: glándulas endocrinas dispersas sin relación estructural entre una y otra y la región de acción.
Tipo de mensajero químico.	Neurotransmisores liberados en las regiones sinápticas.	Hormonas liberadas a la sangre.
Distancia de acción del mensajero.	Distancia muy corta (se difunde a través del espacio sináptico).	Distancia larga (llevados por la sangre).
Medios de acción.	Depende de la cercanía anatómica entre la célula nerviosa y la región de acción.	Depende de la especificidad de la región de acción y la respuesta de una hormona en particular.
Velocidad de la respuesta.	Rápida (mil millones de segundos).	Lenta (minutos a horas).
Duración de la acción.	Corta (mil millones de segundos).	Larga (minutos a días).
Principal función.	Coordinación rápida y respuestas precisas.	Controla actividades que requieren una larga duración en vez de rapidez.
Influyen con otros sistemas de control.	Sí.	Sí.

la comunicación en el sistema endocrino no es específica ni restringida, porque las hormonas viajan por la sangre y virtualmente están disponibles para llegar a todos los tejidos aunque la acción hormonal depende de la especialización de las células receptoras.

Diferencia entre endocrino y exocrino

■ **secreción**

■ **glándulas exocrinas**

■ **glándulas endocrinas**

El cuerpo humano consta de varias glándulas derivadas del tejido epitelial y especializadas para la **secreción** de un producto específico, que ha sido sintetizado por la célula en respuesta a un estímulo. Hay dos categorías o tipos de glándulas: exocrinas y endocrinas (figura 6.1).

Las **glándulas exocrinas** secretan su producto a una superficie o un dueto. A esta categoría pertenecen las glándulas sudoríparas, sebáceas, mucosas y digestivas. Las **glándulas endocrinas** secretan su producto hacia los espacios extracelulares alrededor de las células secretoras, pero *no* a los ductos. Estas secreciones pasan a los capilares para ser transportadas por la sangre. Todas las secreciones endocrinas se llaman hormonas. El conjunto de las fuentes hormonales del cuerpo se denomina sistema endocrino.

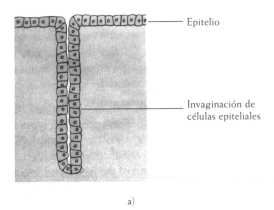

Epitelio

Invaginación de
células epiteliales

a)

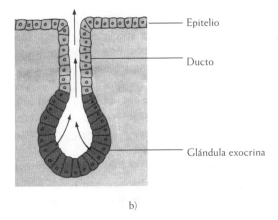

Epitelio

Ducto

Glándula exocrina

b)

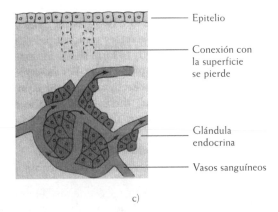

Epitelio

Conexión con
la superficie
se pierde

Glándula
endocrina

Vasos sanguíneos

c)

a) Desarrollo de una glándula por la invaginación de células
   epiteliales de la superficie.
b) Formación de una glándula exocrina en la cual su secreción
   se libera por el ducto hacia la superficie.
c) Formación de una glándula endocrina en la cual la
   conexión se ha perdido y su secreción se libera a la sangre.

Función de las hormonas

Figura 6.1 ■ Formación
de las glándulas exocrina y
endocrina.

FUENTE: Sherwood, L.: *Human
Physiology. From Cells to Systems,*
West, St. Paul, 2a. ed., 2004, p. 4.

Las hormonas ayudan a dirigir el crecimiento, desarrollo y los ciclos reproductivos de casi todos los animales, desde los gusanos invertebrados hasta los humanos. A través de sus interacciones entre sí y con el sistema nervioso, las hormonas tienen una influencia en el físico, bienestar y comportamiento de los individuos.

Las hormonas se caracterizan no sólo por su origen sino también por su acción. En términos de su origen o estructura bioquímica, se clasifican en derivadas de **aminoácidos** y derivadas de **esteroides**.

En términos de su mecanismo de acción, las primeras actúan sobre la superficie de las membranas celulares y las derivadas de esteroides ejercen su función entrando hasta el mismo núcleo de la célula.

Probablemente por esta razón las hormonas esteroides son de acción más lenta que las derivadas de aminoácidos. La mayoría de las hormonas pertenece al grupo derivado de aminoácidos y sólo las hormonas secretadas por la corteza adrenal y las gónadas pertenecen al grupo de hormonas derivadas de esteroides.

Una ligera diferencia en la estructura química de una hormona puede producir diferentes respuestas biológicas; por ejemplo, en la figura 6.2 se observa la diferencia entre la hormona testosterona, responsable del desarrollo de las características masculinas, y la hormona estradiol, forma predominante del estrógeno y hormona sexual femenina.

■ aminoácidos
■ esteroides

Figura 6.2 ■
Comparación de testosterona
y estradiol.

FUENTE: Sherwood, L.: *Human
Physiology. From Cells to Systems,*
West, St. Paul, 2a. ed., 2004,
p. 622.

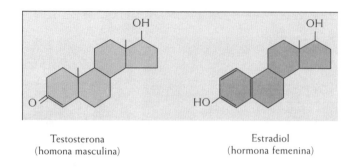

Testosterona
(homona masculina)

Estradiol
(hormona femenina)

La secreción de las células endocrinas y la concentración de cada hormona es resultado de uno o más de los tres mecanismos de acciones reguladoras que posee cada glándula (tabla 6.2). Es decir, si fuese necesario mayor cantidad de determinada hormona, el mecanismo de acción regulador envía un mensaje a la glándula para que aumente la velocidad de la secreción hormonal y se satisfaga tal necesidad. Si, por el contrario, la concentración es excesiva, se enviará el mensaje de dejar de producir y secretar la hormona, así la concentración hormonal será la adecuada. En resumen, la principal función endocrina es mantener y regular el **equilibrio osmótico** (llamado también balance osmótico), promover el crecimiento y controlar la reproducción.

Un funcionamiento inadecuado del sistema endocrino da por resultado una patología o enfermedad. Esta condición podría ser causada por **hiposecreción**, secreción deficiente de una hormona por la glándula, o **hipersecreción**, que es secreción hormonal excesiva.

■ **equilibrio
osmótico**

■ **hiposecreción**
■ **hipersecreción**

Tabla 6.2 ■ Mecanismo de acción hormonal.
FUENTE: Starr, C. y B. Mc Millan: *Human Biology,* Wadsworth, Belmont, 2a. ed., 1997, p. 270.

Tipo de acción	Efecto	Ejemplo
Interacción opuesta.	El efecto de una hormona es opuesto al efecto de la otra hormona, es decir, una es antagónica a la otra.	Insulina y glucagón. La primera disminuye el nivel de glucosa en la sangre y la segunda lo aumenta.
Interacción sinergística.	Es necesaria la suma total de la acción de dos o más hormonas para producir un efecto.	Prolactina, oxitocina y estrógeno. La producción de leche materna se da por la acción de las tres hormonas.
Interacción permisiva.	Una hormona ejerce su efecto solamente cuando el lugar o región de acción está preparado a responder intensificando la acción de la hormona. Es acompañado de una exposición previa de otra hormona.	Embarazo. Depende de la cubierta del útero antes de la secreción hormonal de estrógeno. Después se secreta la hormona progesterona.

Glándulas endocrinas y su acción

La localización de las principales glándulas y estructuras humanas que forman parte del sistema endocrino se muestra en la figura 6.3. Cada estructura o glándula tiene funciones relacionadas con las hormonas que produce y secreta.

El **hipotálamo**, una región de la parte inferior del cerebro, contiene diferentes grupos de células neurosecretoras que regulan las actividades asociadas con la regulación de temperatura, el deseo apetecedor de sed y hambre, el comportamiento sexual

■ hipotálamo

Figura 6.3 ■ Glándulas y estructuras del sistema endocrino.

FUENTE: Starr, C.: *Biology: A Human Emphasis*, Wadsworth, Belmont, 3a. ed., 1997, p. 575.

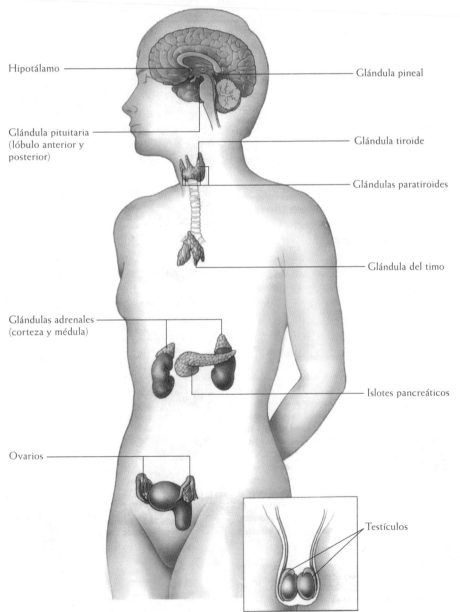

Hipotálamo

Glándula pituitaria (lóbulo anterior y posterior)

Glándulas adrenales (corteza y médula)

Ovarios

Glándula pineal

Glándula tiroide

Glándulas paratiroides

Glándula del timo

Islotes pancreáticos

Testículos

■ ADH
■ oxitocina

■ hipotálamo
■ glándula pituitaria

y produce, secreta y libera hormonas. Las hormonas que estas células neurosecretoras del hipotálamo producen son la antidiurética, mejor conocida como **ADH**, que actúa sobre los túbulos del riñón para evitar la pérdida excesiva de agua, y la **oxitocina**, que es la hormona que estimula las contracciones uterinas en el momento del parto y actúa en la producción de leche materna.

El **hipotálamo** y la **glándula pituitaria** controlan la mayor parte del sistema endocrino humano y funcionan de manera integradora. La hipófisis, también conocida como la glándula pituitaria, es considerada como la glándula maestra del cuerpo, con motivo de que produce la mayoría de las hormonas del cuerpo humano. La pituitaria se localiza en la porción media baja del cerebro y se divide en dos regiones: lóbulo anterior y lóbulo posterior (figura 6.4). El lóbulo anterior secreta seis hormonas (ACTH, TSH, FSH, LH, prolactina [PRL], GH o STH) y el lóbulo posterior almacena las dos hormonas (ADH y oxitocina) que se producen en el hipotálamo. En la tabla 6.3 se resumen las hormonas y su acción principal.

■ gigantismo
■ enanismo

La producción anormal de hormonas de la glándula pituitaria produce varias anormalidades (figura 6.5). Por ejemplo, la producción excesiva de la hormona de crecimiento durante la niñez causa **gigantismo**, mientras que la producción limitada, **enanismo**. Si la hormona de crecimiento es secretada en cantidades elevadas en la etapa adulta, cuando los huesos ya no pueden crecer, se origina la condición llamada **acromegalia**, en la que los huesos, cartílagos y tejido conectivo de las manos, pies y quijada se hacen anormalmente gruesos.

■ acromegalia
■ glándula pineal
■ melatonina

Algunas hormonas son secretadas o inhibidas en respuesta al ambiente externo, y la secreción de la **glándula pineal** es una de éstas. La glándula pineal se ubica en la parte posterior media del cerebro y su acción principal es la producción de la hormona **melatonina**, la cual está relacionada con el desarrollo de las gónadas, con el ciclo reproductivo y los ciclos de reposo y actividad. La melatonina es secretada en ausencia de luz; por tal razón, sus niveles varían del día a la noche y según las estaciones del año.

Figura 6.4 ■ Glándula pituitaria. **a)** Secreciones del lóbulo anterior y lugares de acción hormonal.
b) Secreciones del lóbulo posterior y lugares de acción hormonal.

En los humanos el nivel más alto de melatonina se observa durante la pubertad, en la época de estimulación de la madurez sexual. Por eso, su melatonina es parte de un reloj biológico, mecanismo interno de sincronización, que controla los ciclos y el comportamiento reproductivo. La melatonina también actúa sobre la temperatura

FUENTE: Starr, C.: *Biology: A Human Emphasis*, Wadsworth, Belmont, 3a. ed., 1997, p. 579.

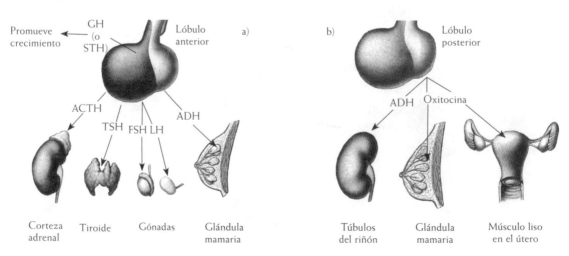

corporal. Un aumento de melatonina por la puesta del Sol, hace que la temperatura del cuerpo disminuya causando así soñolencia. Por el contrario, la cantidad de melatonina que se secreta a la salida del Sol es menor, de modo que la temperatura del cuerpo se eleva y, en respuesta, el individuo se despierta y se pone en actividad.

La **glándula tiroides** se compone de dos lóbulos y se localiza en la base del cuello, frente a la tráquea (figura 6.6). Secreta y guarda la hormona **tiroidea**, que controla la velocidad del metabolismo, el crecimiento y el desarrollo. La ausencia de yodo disminuye los niveles en la sangre de esta hormona, lo que causa **bocio**. Las anomalías por deficiencia de la tiroides se conocen como **hipotiroidismo**, que en los adultos ocasiona una disminución de la velocidad de los latidos del corazón; la persona se torna perezosa, intolerante al frío y su piel se vuelve muy reseca. **Cretinismo** es el nombre que recibe una condición grave en los niños y que, de no ser tratada, atrofia el crecimiento y produce retardo mental. El **hipertiroidismo** es la secreción excesiva de tiroidea y el trastorno más común es la llamada **enfermedad de Graves**. Los individuos con esta condición presentan un metabolismo acelerado, su corazón tiene un ritmo rápido, su tensión arterial es muy alta, pierden peso, se vuelven irritables, nerviosos y agitados y tienen problemas para dormir.

- glándula tiroides
- tiroidea
- bocio
- hipotiroidismo

- cretinismo

- hipertiroidismo
- enfermedad de Graves

Tabla 6.3 ■ Hormonas secretadas por la glándula pituitaria.

FUENTE: Starr, C.: *Biology: A Human Emphasis,* Wadsworth Publishing Company, Belmont, 3a. ed., 1997, p. 578.

Lóbulo	Secreción	Abreviatura	Región de acción	Acción principal
Posterior	Hormona antidiurética.	ADH	Riñones.	Induce la conservación del agua que se requiere para el control del volumen del fluido extracelular.
	Oxitocina.		Glándulas mamarias.	Induce la producción de leche materna en los conductos secretores.
			Útero.	Induce las contracciones uterinas.
Anterior	Corticotropina.	ACTH	Corteza adrenal.	Estimula la liberación de hormonas esteroides adrenales.
	Tirotropina.	TSH	Glándula tiroides.	Estimula la liberación de hormonas tiroidea.
	Hormona estimulante del folículo.	FSH	Ovarios y testículos.	Estimula la formación de células reproductoras (óvulos y espermatozoides).
	Hormona luteinizante.	LH	Ovarios y testículos.	Estimula ovulación y formación de cuerpo lúteo, promueve secreción de testosterona y liberación de espermatozoides.
	Prolactina.	ADH	Glándula mamaria.	Estimula la producción y sostén de la leche materna.
	Hormona de crecimiento.	GH (STH)	Mayoría de las células.	Promueve el crecimiento, induce la síntesis de proteínas, división celular. Tiene una función importante en el metabolismo de la glucosa y proteínas en adultos.

Figura 6.5 ■ Ejemplos de anormalidades asociadas a la glándula pituitaria.
a) Condición de acromegalia, debida a una producción excesiva de la hormona de crecimiento (GH) durante la etapa adulta. **b)** Efecto de la hormona de crecimiento (GH). La persona del centro posee la condición de gigantismo; la de la derecha muestra la condición de enanismo, y la de la izquierda es de tamaño promedio.

FUENTE: Starr. C.: *Biology: A Human Emphasis,* Wadsworth, Belmont, 3a. ed., 1997, p. 580.

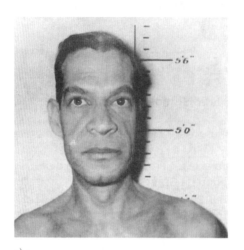

a)

b)

■ glándulas paratiroides
■ paratiroidea

Las **glándulas paratiroides** son cuatro pequeñas glándulas localizadas en la parte posterior de la tiroides (figura 6.6). Su función es secretar la hormona **paratiroidea** (PTH), cuando baja la concentración de los iones de calcio. Esta situación afecta la cantidad de calcio disponible para la activación enzimática, la contracción muscular y la coagulación sanguínea, entre otros. El PTH estimula las células óseas para que liberen iones de calcio y fósforo, y también al riñón para su conservación. Asimismo, ayuda a la activación de la vitamina D. Una deficiencia de vitamina D ocasiona una reducción en la absorción de calcio y fósforo; haciendo que el desarrollo del hueso sea inadecuado y se produzca raquitismo. El **hiperparatiroidismo** ocasiona que se libere del hueso mucho calcio, provocando así que éste se sustituya por tejido fibroso y cause debilidad y fragilidad en los huesos, deterioro del músculo y piedras en los riñones.

■ hiperparatiroidismo

■ timo

El **timo** es una estructura localizada en la caja torácica detrás del esternón, entre los pulmones. Se encuentra más desarrollado en los niños que en adultos. Mediante la influencia de la hormona llamada **timosina**, el timo madura células sanguíneas y las diferencia en linfocitos del tipo T, elementos clave en el funcionamiento del sistema inmunológico.

■ timosina

■ glándulas adrenales

Las **glándulas adrenales** se localizan en la parte superior de ambos riñones. La porción exterior de cada una de las glándulas es la corteza adrenal y la porción interior es la médula adrenal.

La corteza produce tres hormonas: cortisol, aldosterona y hormonas sexuales (testosterona en el varón y estrógenos y progesterona en la mujer). El **cortisol** promueve el rompimiento de proteínas en los músculos y estimula al hígado a sintetizar glucosa; su secreción aumenta cuando las concentraciones de glucosa en la sangre son bajas; por ejemplo, en las mañanas o cuando el cuerpo se encuentra tan estresado que el nivel de glucosa disminuye. Se produce la condición llamada **hipoglucemia**, niveles de glucosa bajos, lo cual ocurre porque el exceso de insulina estimula la entrada de una gran cantidad de azúcar a las células del cuerpo. Como resultado de la hipoglucemia el

■ cortisol

■ hipoglucemia

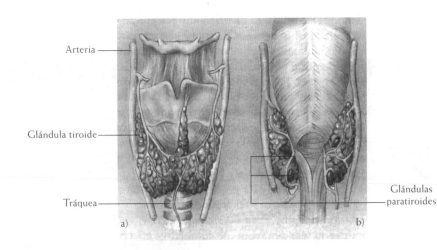

Árteria

Glándula tiroide

Tráquea

Glándulas paratiroides

a)   b)

Figura 6.6 ■ Glándula tiroides y glándulas paratiroides. **a)** Vista anterior de la glándula tiroides humana. **b)** Glándulas paratiroides en la parte posterior de la tiroides.

FUENTE: Starr, C.: *Biology: A Human Emphasis*, Wadsworth, Belmont, 3a. ed., 1997, p. 583.

individuo puede sentir ansiedad, sudor, temblor, aumento en el ritmo cardiaco, hambre y debilidad.

La **aldosterona** tiene la función de regular la concentración de sales minerales como el potasio y sodio en los fluidos extracelulares, estimulando la reabsorción y la excreción de iones de potasio en los túbulos del riñón. La condición conocida como *enfermedad de Addison* es causada por deficiencia de la función de la corteza de la glándula adrenal. La enfermedad provoca la incapacidad de reabsorber adecuadamente el sodio y el cloro en el riñón. Se caracteriza por tensión arterial baja, pérdida de peso, concentraciones bajas de glucosa y pérdida de grandes cantidades de agua (deshidratación). En el desarrollo fetal o en la pubertad, la corteza adrenal secreta hormonas sexuales, aunque su producción mayor es en los órganos reproductivos.

La médula adrenal o porción interior secreta sustancias que, cuando se liberan en la sangre son consideradas hormonas y cuando son liberadas por las neuronas o células nerviosas, neurotransmisores. Estas sustancias se llaman **adrenalina** y **noradrenalina**. Su función es regular la circulación sanguínea y el metabolismo de carbohidratos cuando el cuerpo está en tensión o pasa un "susto". Es un mecanismo que permite actuar en emergencias, pues aumenta el ritmo cardiaco, dilata las arterias y los bronquiolos para suministrar con rapidez sangre y oxígeno a las células.

El **páncreas** es un órgano localizado en la región abdominal que presenta funciones tanto endocrinas como exocrinas. La porción exocrina se asocia al sistema digestivo (capítulo 8) por la secreción de enzimas digestivas y bicarbonato de sodio. La porción endocrina se representa por el conglomerado de células que forman los **islotes pancreáticos**, que contienen tres tipos de células excretoras de hormonas (tabla 6.4).

Cuando el cuerpo no produce suficiente insulina o su respuesta no es eficiente, ocurre un desorden en el metabolismo de carbohidratos, proteínas y grasas. La deficiencia de insulina es conocida como **diabetes mellitus**. En la figura 6.7 se ilustra la regulación de los niveles de glucosa en la sangre.

La diabetes mellitus es la cuarta causa de muerte en Estados Unidos, principalmente debido al daño del sistema cardiovascular. Estudios indican que tanto factores genéticos como ambientales contribuyen a los dos tipos de diabetes mellitus — tipo 1 y tipo 2—, pero cuyos mecanismos aún no se conocen en su totalidad.

■ aldosterona

■ adrenalina
■ noradrenalina

■ páncreas

■ islotes pancreáticos

■ diabetes mellitus

Tabla 6.4 ■ Tipos principales de células de los islotes pancreáticos.
FUENTE: Starr, C.: *Biology: A Human Emphasis*, Wadsworth, 3a. ed., 1997, p. 585.

Tipo de célula	Hormona que secreta	Acción principal
Alfa	Glucagón	Glucógeno se convierte en glucosa en el hígado aumentando el nivel de glucosa en la sangre.
Beta	Insulina	Baja las concentraciones de glucosa en la sangre.
Delta	Somatostatina	Inhibe la secreción de insulina y glucagón, actuando como un sistema de control.

Figura 6.7 ■ Control del metabolismo de glucosa.

FUENTE: Starr, C.: *Bioloogy: A Human Emphasis,* Wadsworth, Belmont, 3a. ed., 1997, p. 585.

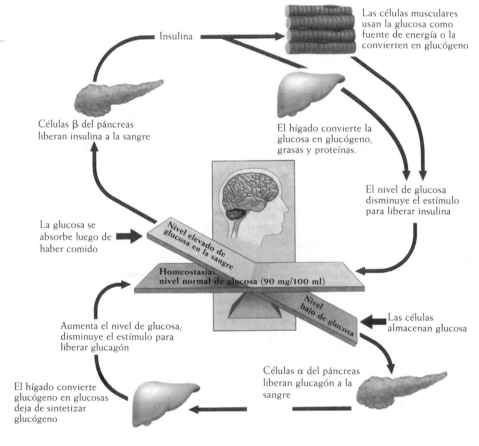

Luego de una comida, la glucosa entra en el torrente sanguíneo rápidamente para uso de las células. Los niveles de glucosa en la sangre aumentan, estimulando a las células beta β de los islotes pancreáticos a secretar insulina. Las regiones de acción de la insulina, por ejemplo el hígado, células musculares y grasas, utilizan la glucosa o almacenan su exceso en cantidades de glucógeno.

Entre las comidas, los niveles de glucosa en la sangre disminuyen. Las células alfa α de los islotes pancreáticos son estimulados para secretar glucagón. Las regiones de acción de esta hormona convierten el glucógeno en glucosa, la cual entra en el torrente sanguíneo. El hipotálamo estimula la médula adrenal para que secrete otra hormona que baja la conversión de glucosa a glucógeno en el hígado, células musculares y grasas.

En la diabetes tipo 1, los niveles de insulina son bajos porque el propio sistema inmunológico del individuo destruye las células beta del páncreas. Estas personas requieren de inyecciones de insulina continuamente para prevenir su muerte. El tipo 2 es más común, representa más de 90% de los casos de diabetes. Ocurre frecuentemente en personas obesas mayores de 35 años. Sus síntomas son moderados y los niveles altos de azúcar en la sangre pueden ser controlados con dieta, ejercicio y pérdida de peso.

Importancia del control nervioso

Imagina que conduces por una autopista y sin darte cuenta mueves el auto hacia la izquierda, de pronto un camión rebasa y toca la bocina, de manera automática mueves el volante hacia la derecha y te percatas de que habías invadido el carril contrario. Luego de varios kilómetros sales de la autopista y llegas a un cruce donde el semáforo cambia de amarillo a rojo, frenas instantáneamente antes del cruce.

Esta situación que vives a diario ejemplifica la importancia del sistema nervioso y su operación en las acciones de nuestro cuerpo. El sistema nervioso controla y comunica nuestro cuerpo por medio de acciones y reflejos que pueden ser resumidos en tres acciones: *entrada sensorial*, *integración* y *salida motora*.

La entrada sensorial del ejemplo está representada por el sonido de la bocina que recibimos por el oído y el cambio de la luz por el ojo. El cuerpo humano utiliza los receptores sensoriales para detectar los cambios internos y externos. La integración es el procesamiento e interpretación de la entrada sensorial que nos permite tomar decisiones acerca de lo que haremos en cada momento de acuerdo con la información recogida por los sentidos. Por último, la salida motora es lo que se produce al activar un músculo o glándula para ejecutar una respuesta. En el primer ejemplo está representada por el movimiento del brazo para girar el volante hacia la dirección correspondiente y mantenernos en el carril adecuado, y en el segundo por el movimiento de la pierna para detener el auto.

Mecanismo del arco reflejo

Un **reflejo** es cualquier respuesta que ocurre automáticamente sin un esfuerzo consciente. Hay dos tipos de reflejos: el **simple** o **básico**, que consiste en respuestas no aprendidas, como quitar la mano de un objeto caliente; y el **adquirido** o **condicionado**, que resulta de la práctica o aprendizaje, por ejemplo, un pianista que reconoce una clave entre notas musicales. La trayectoria nerviosa que acompaña la actividad del reflejo es conocido como el **arco reflejo** y comprende cinco componentes básicos: *receptor, trayecto aferente, centro de integración, trayecto eferente* y *efector* (figura 6.9).

En muchas ocasiones, el arco reflejo es considerado como el circuito más elemental del sistema nervioso, puesto que ocurre de forma involuntaria. Las respuestas al estímulo suceden mucho antes de que se registren en el cerebro, actuando como un verdadero mecanismo de defensa que impide, en cuestión de microsegundos, lesiones corporales. Por ejemplo, la contracción refleja de la pupila ocular cuando recibe un rayo de luz sirve para proteger la retina.

- reflejo
- simple o básico
- adquirido o condicionado

- arco reflejo

Sistema nervioso central

El sistema nervioso consta de dos partes principales: sistema nervioso central (SNC) y sistema nervioso periférico (SNP) (véase la figura 6.8)

Figura 6.8 ■
Organización del sistema nervioso.

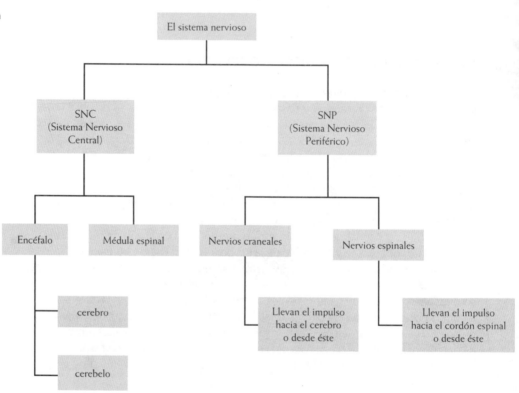

- ■ encéfalo
- ■ médula espinal

El SNC comprende el **encéfalo** (formado por el cerebro y el cerebelo) y la **médula espinal**; en tanto que el SNP consta de los nervios craneales y espinales (figura 6.10).

Cerebro

- ■ hemisferio derecho

- ■ hemisferio izquierdo

La mayor parte del encéfalo está ocupado por el cerebro y en la porción inferior-posterior se encuentra una masa pequeña llamada *cerebelo*. El cerebro se divide en dos masas o hemisferios: derecho e izquierdo (figura 6.11). El **hemisferio derecho** está dotado de capacidades especiales como la percepción espacial y el aspecto creativo del individuo. Una persona derecha dominante tiende a usar su imaginación, tiene habilidad para los deportes, gusta del arte y la música. El **hemisferio izquierdo** tiende a dominar la personalidad, se especializa en las destrezas del lenguaje, tales como el habla y la escritura. Una persona izquierda dominante presenta una conducta analítica y gusta de la precisión en todo lo que hace. A pesar de que los hemisferios realizan funciones específicas, ambos están conectados y comparten la información (figura 6.12).

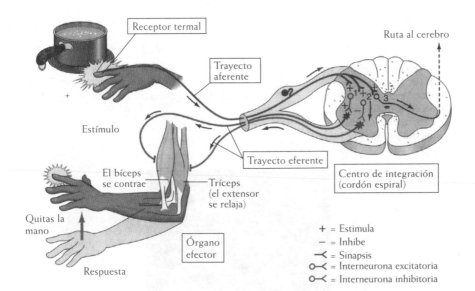

Figura 6.9 ■

FUENTE: Sherwood, L.: *Human Physiology: From Cells to Systems,* West, St. Paul, 2a. ed., 2004, p. 145.

Componentes
  del arco reflejo

Receptor
Trayecto aferente
Centro
  integración
Trayecto eferente
Órgano efector

+ = Estimula
− = Inhibe
⤙ = Sinapsis
o⤙ = Interneurona excitatoria
o⤙ = Interneurona inhibitoria

Arco reflejo: el receptor en el dedo recibe un estímulo de calor que produce dolor. El potencial de acción que se genera es enviado por el trayecto aferente al SNC mediante cambios eléctricos. La neurona aferente entra en el cordón espinal y la señal se difunde a los tres tipos de interneuronas: interneuronas excitatorias, las cuales estimulan las neuronas motoras de los músculos del brazo para que se flexione y retire la mano del estímulo doloroso; *interneuronas inhibitorias*, las cuales inhiben las neuronas eferentes motoras de los músculos del brazo para que no contraigan el músculo antagónico, e *interneuronas* que llevan la señal al cordón espinal por el trayecto ascendente al cerebro a la región de almacenaje de memoria.

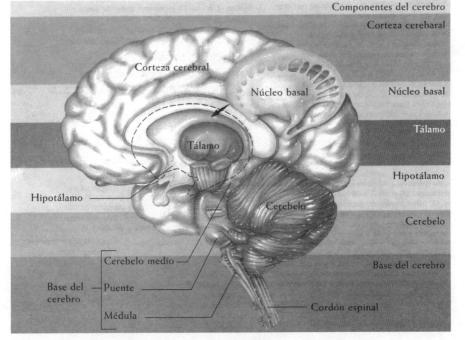

Figura 6.10 ■ Estructuras y componentes del cerebro

FUENTE: Sherwood, L.: *Human Physiology: From Cells to Systems,* West, St. Paul, 2a. ed., 2004, p. 116.

Cerebelo y médula espinal

El *cerebelo* es una masa pequeña que se relaciona con el equilibrio así como con el tono muscular. Su función principal es la coordinación de los movimientos musculares. La médula espinal es una estructura alargada y de forma cilíndrica que comienza en la base del cerebro y se extiende internamente a todo lo largo de la columna vertebral.

Figura 6.11 ■ Vista dorsal del cerebro humano. Los hemisferios del cerebro están separados por una fisura longitudinal.

FUENTE: Starr, C.: *Biology: A Human Emphasis,* Wadsworth, Belmont, 3a. ed., 1997, p. 558.

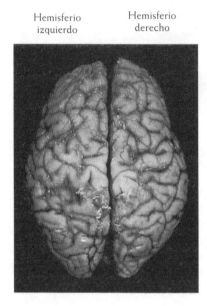

Hemisferio izquierdo   Hemisferio derecho

Cada porción del encéfalo posee una función, entre las principales están: recibir y coordinar las señales de todas las partes del cuerpo, mantener los niveles químicos del cuerpo, controlar las acciones del cuerpo a través de mensajeros químicos y eléctricos y almacenar la información acerca de acciones previas. Los mensajes del encéfalo alcanzan otras partes del cuerpo mediante las dos rutas ya mencionadas: mensajes rápidos por el sistema nervioso y mensajes químicos por el sistema endocrino.

Figura 6.12 ■ Corteza del cerebro humano. Los centros principales de integración de la región de la corteza del cerebro humano.

FUENTE: Starr, C.: *Biology: A Human Emphasis,* Wadsworth, Belmont, 3a. ed., 1997, p. 559.

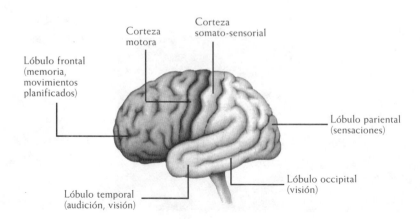

Corteza motora

Corteza somato-sensorial

Lóbulo frontal (memoria, movimientos planificados)

Lóbulo pariental (sensaciones)

Lóbulo occipital (visión)

Lóbulo temporal (audición, visión)

La *médula* está empotrada dentro de un sistema de vértebras que forman parte del sistema esquelético y protegen de lesiones. Según la región de la columna vertebral, la médula se divide en: región cervical, torácica, lumbar, sacral y coccígea (figura 6.13).

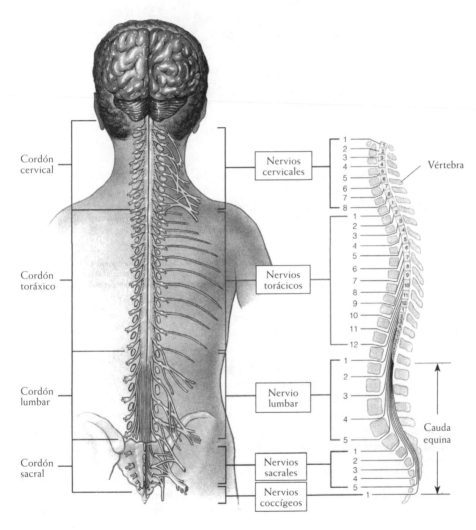

Figura 6.13 ■ Vista posterior del cerebro, médula espinal y nervios espinales. Las regiones de la columna vertebral establecen los segmentos del cordón o médula espinal y la distribución de los nervios espinales o periféricos.

FUENTE: Sherwood, L.: *Human Physiology: From Cells to Systems*, West, St. Paul, 2a. ed., 2004, p. 140.

Al observar la médula en corte transversal notamos que consta de dos porciones: **materia blanca** (porción externa) y **materia gris** (porción interna); sin embargo, a medida que nos aproximamos al cerebro ocurre lo inverso, la materia gris pasa a la periferia en tanto que la materia blanca ocupa la posición central (figura 6.14). La médula espinal presenta dos curvaturas, una en el área cervical y la otra en el área lumbar. La primera se produce una vez que el niño comienza a sostener la cabeza por sí mismo y la segunda cuando empieza a caminar. Ambas curvaturas permiten la posición erecta del individuo y ayudan en la distribución del peso corporal.

■ materia blanca
■ materia gris

Figura 6.14 ■ Porción de
materias blanca y gris en la
médula.

FUENTE: Starr, C., *Biology: A
Human Emphasis*, Wadsworth,
Belmont, 3a. ed., 1997, p. 557.

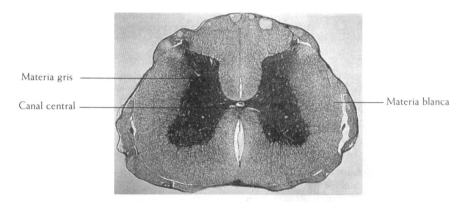

Materia gris
Canal central
Materia blanca

Sistema nervioso periférico

■ **nervios**

Los **nervios** se caracterizan por la conducción de los impulsos nerviosos que provienen del ambiente, hasta el SNC y viceversa. Los nervios craneales están localizados en la primera parte de la médula espinal, conocida como *médula oblongada;* éstos son el sendero entre el cerebro y los sentidos. Cada nervio posee una función particular y hay 12 pares de nervios craneales.

Los nervios espinales emergen de la parte lateral de la médula y a través de ellos percibimos los estímulos del medio interno y externo. Los estímulos llegan al cerebro en forma de impulsos nerviosos e inmediatamente se produce una respuesta por medio de los músculos que ejecutarán la acción pertinente. Hay 31 pares de nervios espinales o periféricos.

■ **neurona**

La **neurona** es la unidad o célula básica del sistema nervioso; su función es conducir impulsos nerviosos de una parte del cuerpo a otra mediante fenómenos eléctricos y químicos. Cuando un impulso viaja a lo largo de un axón, de un nódulo a otro, la transmisión característica es eléctrica. Cuando el impulso es transmitido de una neurona a otra, la transmisión es típicamente química (figura 6.15). Hay tres clases de neuronas.

■ **neurona sensorial**

La **neurona sensorial** está adaptada a responder un tipo específico de estímulo (luz, presión u otra forma de energía) y transmite la información del estímulo al cordón

■ **neurona de
asociación o
interneurona**

espinal o cerebro. En el cordón espinal o cerebro recibe el mensaje por la **neurona de asociación** o **interneurona**, que se encarga de integrar la información recibida con otras informaciones e influye en la actividad de la tercera clase de neurona, la **neurona**

■ **neurona motora**

motora, que transmite la información del cerebro y del cordón espinal a los músculos y glándulas, que son los efectores que llevarán a cabo la acción o respuesta.

La neurona consta de un cuerpo celular, el cual contiene el núcleo; las dendritas, que son ramificaciones más finas que surgen del cuerpo celular, y el axón, que es una extensión citoplásmica que finaliza en varias ramas terminales. Esta célula está muy especializada en la transmisión de impulsos nerviosos y, por tal razón, su capacidad reproductora es muy limitada. Las neuronas presentan una organización lineal, es decir, que va una detrás de la otra pero sin sobreponerse. Por ejemplo, un nervio consta de muchas neuronas arregladas en fila; sin embargo, no permiten que sus extremos se crucen y hay un espacio entre una y otra llamado **sinapsis**.

■ **sinapsis**

La sinapsis es la región de contacto entre las prolongaciones de dos neuronas adyacentes, en cuyo lugar es transmitido el impulso nervioso de una neurona a otra

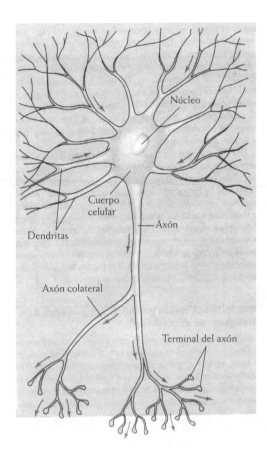

Figura 6.15 ■ Anatomía de una neurona (célula nerviosa). Las flechas indican la dirección en que se conduce la señal nerviosa.

FUENTE: Sherwood, L.: *Human Physiology: From Cells to Systems*, West, St. Paul, 2a. ed., 2004, p. 84.

mediante la secreción o liberación de ciertas sustancias que estimulan a las dendritas de la próxima neurona. A estas sustancias se les denomina **neurotransmisores**, de los cuales los más conocidos son la acetilcolina, la adrenalina y la serotonina. Los impulsos nerviosos siempre viajan en una sola dirección y las neuronas conducen un estímulo a la vez.

■ neurotransmisores

Sentidos especiales

Los receptores sensoriales transmiten impulsos que originan sensaciones de sabor, olor, calor, frío, dolor y tacto, entre otros. Se clasifican en varios tipos de receptores: quimiorreceptores, fotorreceptores, mecanorreceptores, termorreceptores y osmorreceptores. Cada uno está asociado a un sentido y una localización. Entre los órganos sensoriales más utilizados por los seres humanos están el ojo para la visión, el oído para la audición, la nariz para el olfato, la lengua para el gusto y la piel para sentidos cutáneos como la temperatura y tacto. En la tabla 6.5 se presenta un breve resumen de algunas de estas modalidades sensoriales.

Tabla 6.5 ■ Principales modalidades sensoriales.

Modalidad sensorial	Órgano o receptor y su localización	Clasificación
Visión	Retina (células especializadas; conos y bastoncillos).	Fotorreceptor.
Audición	Oído interno (cóclea).	Mecanorreceptor.
Balance (posición y movimiento de la cabeza)	Oído interno.	Mecanorreceptor.
Olfato	Epitelio nasal (membranas olfatorias).	Quimiorreceptor.
Sabor o gusto	Papilas gustativas de la lengua.	Quimiorreceptor.
Dolor	Terminaciones nerviosas en la piel.	Quimiorreceptor.
Tacto y presión	Corpúsculos de Meissner y Pacini en la piel.	Mecanorreceptor.
Calor	Órganos terminales de Ruffini en la piel.	Termorreceptor.
Frío	Bulbos terminales de Krause en la piel.	Termorreceptor.

Gusto

En el humano, los receptores del gusto llamados botones gustativos se localizan en las mucosas de la epiglotis, paladar, faringe y paredes de las papilas de la lengua. Se ha calculado que hay cerca de 10 000 botones gustativos. Muchos de estos botones gustativos se gastan y son reemplazados por otros nuevos constantemente. Los receptores se

Figura 6.16 ■ Receptores del gusto en los bulbos gustativos de la lengua humana. Las papilas filamentosas no participan en el sentido del gusto, en tanto que en las circulares se encuentran los bulbos.

FUENTE: Starr, C. y B. Mc Millan: *Human Biology,* Wadsworth, Belmont, 2a. ed., 1997, p. 252.

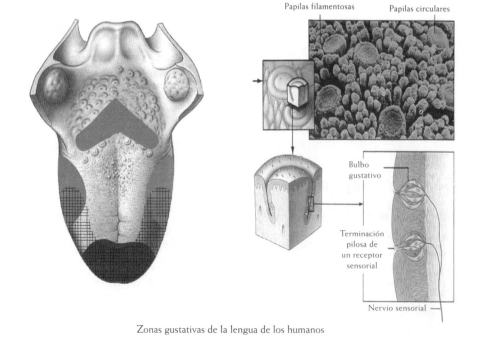

Papilas filamentosas   Papilas circulares

Bulbo gustativo

Terminación pilosa de un receptor sensorial

Nervio sensorial

Amargo
Agrio
Salado
Dulce

Zonas gustativas de la lengua de los humanos

dividen en cuatro sabores básicos: dulce, agrio, salado y amargo. Las sustancias amargas son degustadas en la parte posterior de la lengua, las agrias o ácidas a lo largo de los bordes, las dulces en la punta y las saladas en la parte dorsal anterior. En la figura 6.16 se observa la localización de los receptores en la lengua humana y las zonas del gusto.

Vista

El sentido de la visión requiere de ojos y de la percepción de imágenes en el cerebro. Los ojos son órganos sensoriales que incorporan un tipo de tejido con células fotorre-ceptoras. El ojo humano tiene tres capas (tabla 6.6). La capa externa consta de la esclera y la córnea; la capa media, del coroide, cuerpo ciliar e iris, y la interna, que es la retina. En la figura 6.17 se indican detalles del ojo y en la tabla 6.6 se anotan sus funciones. De todos los receptores sensoriales que necesita el cerebro humano para vivir independientemente en el ambiente, dos terceras partes se localizan en los ojos, por tal razón, es importante atender las enfermedades y condiciones oculares. Hoy en día existen muchos avances tecnológicos que permiten corregir muchos de los padecimientos oftálmicos; sin embargo, aún hay condiciones sin cura que causan ceguera total.

Tabla 6.6 ■ Componentes del ojo humano.
FUENTE: Starr, C. y B. Mc Millan. *Human Biology*, Wadsworth, Belmont, 2a. ed., 1997, p. 258.

Región del ojo	Funciones
Capa externa Esclera Córnea	Protege el globo ocular Concentra la luz
Capa media Coroide (tejido pigmentado) Iris Cuerpo ciliado	Evita la dispersión de la luz Controla la incidencia de la luz Colabora en el enfoque
Capa interna Retina Fóvea Nervio óptico	Absorbe y convierte la luz Aumenta la agudeza visual Transmite las señales al cerebro

Otros componentes
Lente
 	
Humor acuoso
Humor vítreo
	Enfoca con precisión la luz en los
	    fotorreceptores
	Transmite la luz y mantiene la presión
	Transmite la luz y da sostén al cristalino
	    y al ojo

Figura 6.17 ■ Estructura del ojo humano.

FUENTE: Starr, C. y B. Mc Millan: *Human Biology*, Wadsworth, Belmont, 2a. ed., 1997, p. 258.

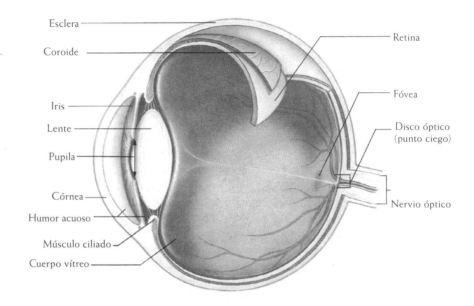

Audición

El sentido de la audición comienza con un mecanorreceptor sensible a las vibraciones que los sonidos producen. El oído humano capta, amplifica y descarta ondas sonoras. En el oído interno, las vibraciones provocan un movimiento que el cerebro interpreta como sonido. El oído se divide en externo, medio e interno (figura 6.18a). Los componentes del oído, desde el canal auditivo hasta el inicio del nervio óptico, se observan en la figura 6.18b. La exposición crónica a los sonidos intensos, como la música amplificada, el ruido de los aviones a propulsión, entre otros, dañan el nervio auditivo y los diferentes receptores acústicos y estructuras del oído.

Figura 6.18 ■ Partes del oído.

FUENTE: Starr, C. y B. Mc Millan: *Human Biology*, Wadsworth, Belmont, 2a. ed., 1997, p. 253.

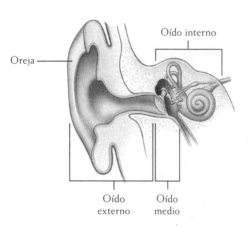

a)

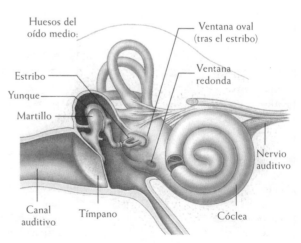

b)

Olfato

Desde el punto de vista de la evolución, el olfato es un sentido primitivo. Los receptores olfatorios detectan sustancias solubles en agua o volátiles detectando alimentos, depredadores y diversas sustancias químicas. La nariz humana posee cerca de 5 millones de receptores olfatorios que pueden detectar hasta 9000 olores distintos. Sin embargo, los bulbos olfatorios se fatigan rápidamente; por eso, la percepción de un olor se vuelve imposible después de un rato. Los receptores se gastan y son reemplazados por otros nuevos constantemente. En la figura 6.19 se muestra el trayecto de los nervios sensoriales desde los receptores olfatorios de la nariz hasta el cerebro.

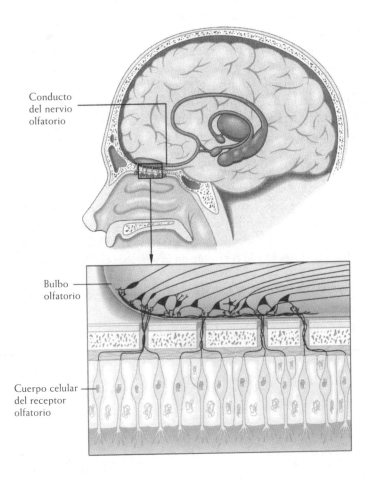

Figura 6.19 ■ Trayectoria del nervio olfatorio de los receptores de la nariz a los principales centros receptores del cerebro.

FUENTE: Starr, C. y B. Mc Millan: *Human Biology*, Wadsworth, Belmont, 3a. ed., 1999, p. 253.

Conducto del nervio olfatorio

Bulbo olfatorio

Cuerpo celular del receptor olfatorio

Enlace ▪ ▪ ▪ ▪

Electricidad: el nervio y el rayo

La **energía** se define como la capacidad para realizar un trabajo. Se manifiesta de varias maneras, según el trabajo. La energía eléctrica se mide en amperios y se caracteriza entre otras cosas por una carga (coulombos) y un flujo de esta carga (corriente eléctrica). Las propiedades eléctricas del ámbar fueron documentadas por Tales de Mileto, en la antigua Grecia, quien observó que al frotarse el ámbar (llamado "electrón" por los griegos) atraía plumas, pedazos de hojas secas y pelusa. La fuerza exhibida por el ámbar era distinta al magnetismo, pues no se limitaba a metales.

En 1600, el médico y físico británico William Gilbert encontró que muchas otras sustancias, además del ámbar, exhibían propiedades eléctricas y sugirió llamarlas a todas *electrics*.

Entre 1745 y 1746 el alemán Ewald George von Kleist y el sueco Pieter van Musschenbroek descubrieron accidentalmente el frasco de Leyden (capítulo 10). Este precursor del condensador puso en evidencia la posibilidad de generar una corriente eléctrica a través del aire, la que puede ser una sustancia aislante, pero debido a que la capacidad aislante de una sustancia nunca es perfecta, cuando la carga eléctrica de un objeto es alta pasará a través de sustancias normalmente aislantes.

Cuando una carga eléctrica se transmite por el aire, éste es calentado por la energía eléctrica hasta que se ilumina. El aire se expande y contrae rápidamente al calentarse y volverse a enfriar, generando una onda de sonido.

Algo semejante ocurre en algunas de las uniones sinápticas del sistema nervioso. Las uniones sinápticas pueden ser eléctricas o químicas. Aunque las sinapsis eléctricas conducen las señales con más rapidez que las químicas, estas últimas son más comunes en la naturaleza, lo que podría deberse a la dificultad de establecer el potencial eléctrico necesario para estimular la corriente en la sinapsis eléctrica. Sin embargo, donde haya sincronización de actividad eléctrica y velocidad de transformación, encontraremos sinapsis eléctricas.

CUESTIONARIO

1. ¿Es siempre el estrés dañino para el cuerpo?

2. Describe la enfermedad de Parkinson. ¿Por qué se considera un trastorno neurológico? ¿Cómo se distingue de la enfermedad de Huntington y de Alzheimer?

3. ¿Por qué razón un medicamento inyectado por vía intramuscular es más lento que por vía intravenosa?

4. ¿Cuáles son los efectos fisiológicos de la cocaína?

CAPÍTULO 7

Transporte

El sistema circulatorio contribuye al mantenimiento de las células, ya que funciona como un sistema de transporte que aporta nutrientes y remueve los productos de desecho. En términos generales, el sistema consta de corazón, vasos sanguíneos y sangre. Todos los tejidos del cuerpo dependen del flujo sanguíneo que circula por la contracción o latidos del corazón. El corazón se contrae cerca de 3000 millones de veces en la vida de un individuo y nunca se detiene, excepto por fracciones de segundo entre los latidos. El corazón se forma y comienza a funcionar en el embrión después de las tres semanas de la concepción, de modo que es el primer órgano funcional de la vida humana.

Desde la etapa embrionaria, el sistema circulatorio funciona como el sistema de transporte de materiales que deben ser distribuidos para el desarrollo de tejidos. Estos materiales son vitales para el desarrollo embrionario y, posteriormente, para la supervivencia y crecimiento del cuerpo humano. El sistema de transporte sanguíneo consta de dos circuitos: uno denominado *circulación pulmonar*, que es el transporte de sangre entre el corazón y pulmones, y otro *circulación sistémica*, que es el transporte entre el corazón y los demás órganos (figura 7.1). En este capítulo estudiaremos los tres componentes del sistema circulatorio y su relación con el sistema respiratorio.

Función del corazón

La función principal del corazón es servir como bomba para impulsar sangre a través de los vasos hacia todas las partes del cuerpo y de regreso. El corazón es un órgano muscular hueco con cuatro cavidades que se encuentra entre los pulmones. Aproximadamente dos terceras partes de su masa están hacia la izquierda de la línea media del cuerpo. Su tamaño es más o menos el del puño humano y se divide en dos mitades por el **septo**. Cada mitad se subdivide en dos cavidades superiores llamadas **aurículas**, que sirven como cavidades receptoras para la sangre de las diversas partes del cuerpo y bombean la sangre hacia los **ventrículos**, las dos cavidades inferiores, que transportan

- septo
- aurículas
- ventrículos

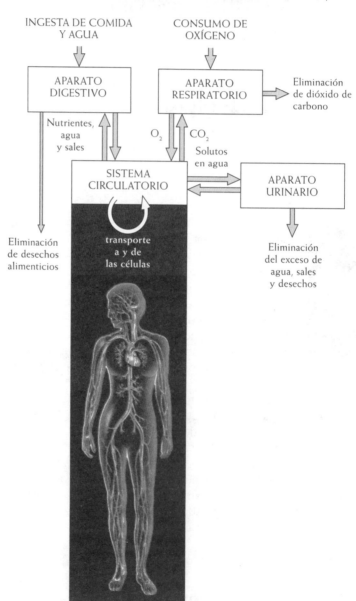

Figura 7.1 ■ El sistema circulatorio y su función de transporte de materiales en el organismo.

FUENTE: Starr, C. y B. Mc Millan, *Human Biology,* Wadsworth, Belmont, 3a. ed., 1999, p. 142.

la sangre hacia los pulmones y el resto del cuerpo (figura 7.2). Casi todo el corazón es tejido muscular cardiaco **(miocardio)**. El **pericardio** es una capa dura o saco fibroso que rodea, protege y lubrica el corazón. Las cámaras internas poseen una cubierta suave llamada **endocardio,** compuesta por tejido conectivo y células epiteliales.

- miocardio
- pericardio
- endocardio

Entre las cámaras del corazón se encuentran unas membranas que funcionan como válvulas unidireccionales y se llaman *válvulas auriculovasculares,* nombre que proviene de su localización entre aurículas y ventrículos (figura 7.3). La válvula del lado derecho se denomina **válvula tricúspide** porque consta de tres colgajos, y la del izquierdo **válvula bicúspide**. La válvula localizada entre la arteria pulmonar y el ventrículo derecho se denomina semilunar pulmonar, mientras que la que se ubica entre la aorta y el ventrículo izquierdo se conoce como semilunar aórtica.

- válvula tricúspide
- válvula bicúspide

El cierre de las válvulas cardiacas se asocia con un sonido. El primer sonido es el "lub", que se escucha cuando los ventrículos se contraen y se cierran las válvulas auriculoventriculares. El segundo sonido es el "dup", que resulta de las vibraciones originadas en las paredes de la arteria pulmonar, la aorta y paredes arteriales después del cierre de las válvulas semilunares pulmonares y aórtica por la relajación de los ventrículos. El corazón muestra un ciclo de contracción rítmica definida, es decir, cada porción se contrae en un momento específico. La fase de contracción de las cámaras se nombra **sístole** y la relajación, **diástole**. La secuencia de contracción y relajación es el ciclo cardiaco. Cuando las aurículas se relajan, se llenan de sangre y este aumento de presión provoca que las válvulas auriculoventriculares se abran y pase la sangre a los ventrículos

- sístole
- diástole

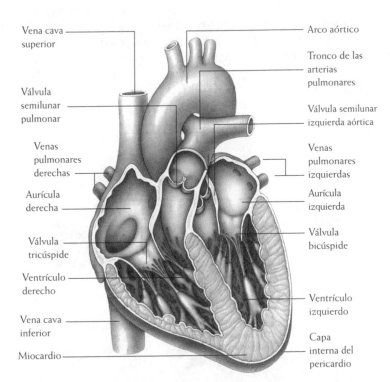

Vena cava superior

Válvula semilunar pulmonar

Venas pulmonares derechas

Aurícula derecha

Válvula tricúspide

Ventrículo derecho

Vena cava inferior

Miocardio

Arco aórtico

Tronco de las arterias pulmonares

Válvula semilunar izquierda aórtica

Venas pulmonares izquierdas

Aurícula izquierda

Válvula bicúspide

Ventrículo izquierdo

Capa interna del pericardio

Figura 7.2 ■ Vista del corazón humano en la que se ilustra su organización interna.

FUENTE: Starr, C.: *Biology: Concepts and Applications,* Wadsworth, Belmont, 3a. ed., 1997, p. 466.

Figura 7.3 ■ Válvulas del corazón.

FUENTE: Starr, C. y B. Mc Millan: *Human Biology,* Wadsworth, Belmont, 2a. ed., 1997, p. 145.

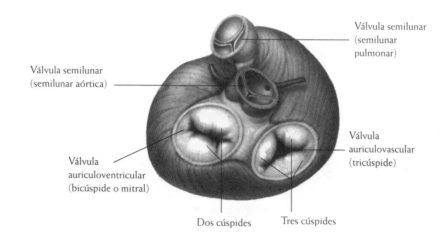

por la contracción de las aurículas y la relajación de los ventrículos. Cuando los ventrículos se llenan de sangre, comienzan a contraerse y la presión del fluido hace que las válvulas semilunares se abran, con lo que la sangre sale del corazón (figura 7.4). El ciclo se repite cuando las aurículas se relajan de nuevo. La contracción auricular permite que se llenen los ventrículos de sangre y la contracción de los ventrículos da fuerza a la circulación sanguínea.

Este ciclo cardiaco es controlado por una pequeña banda de músculo localizada en la pared posterior de la aurícula derecha llamada **nódulo sinoauricular** o **marcapaso**. Ésta se encarga de retransmitir el potencial de acción controlando la frecuencia del latido cardiaco y marcando el impulso y ritmo (figura 7.5). La frecuencia cardiaca puede ser alterada, ya sea con la aceleración o disminución de su ritmo; por ejemplo, si el individuo necesita más oxígeno porque está corriendo, la actividad física acelerará la frecuencia cardiaca. Esta frecuencia también es influenciada por los nervios, hormonas, temperatura corporal y el ejercicio.

■ **nódulo sinoauricular**
■ **marcapaso**

Figura 7.4 ■ Flujo sanguíneo durante el ciclo cardiaco. El movimiento sanguíneo y del corazón genera el sonido "lub-dup".

FUENTE: Starr, C.: *Biology: Concepts and Applications,* Wadsworth, Belmont, 3a. ed., 1997, p. 467.

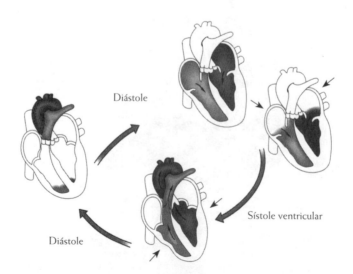

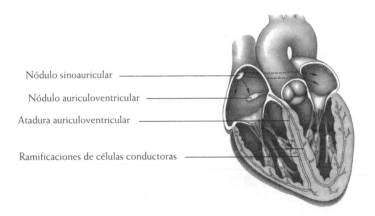

Nódulo sinoauricular

Nódulo auriculoventricular

Atadura auriculoventricular

Ramificaciones de células conductoras

Figura 7.5 ■ El marcapaso. Ilustración de nódulo sinoauricular y sus enlaces de comunicación entre las células musculares para la conducción del impulso.

FUENTE: Starr, C.: *Biology: Concepts and Applications,* Wadsworth, Belmont, 3a. ed.,1997, p. 467.

La sangre

El volumen sanguíneo depende del tamaño del cuerpo y de la concentración de agua y solutos. En un adulto, el promedio es de cuatro a cinco litros, lo cual constituye de 6 a 8% del peso total del cuerpo humano.

La sangre transporta oxígeno de los pulmones hacia los tejidos y dióxido de carbono desde los tejidos hacia los pulmones (intercambio gaseoso). También transporta otros materiales: moléculas alimenticias, desperdicios metabólicos y hormonas (transporte); distribuye el calor en el cuerpo (regulación de temperatura), y desempeña un papel importante para combatir los causantes de enfermedades infecciosas (inmunología). Estas funciones de la sangre están asociadas con sus componentes (figura 7.6).

Figura 7.6 ■ Componentes sanguíneos.

FUENTE: Starr. C. y B. Mc Millan: *Human Biology,* Wadsworth, Belmont, 2a. ed., 1997, p. 138.

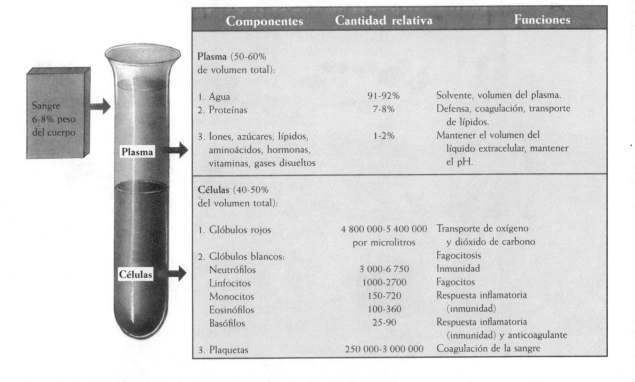

Sangre 6-8% peso del cuerpo

Plasma

Células

Componentes	Cantidad relativa	Funciones
Plasma (50-60% de volumen total):		
1. Agua	91-92%	Solvente, volumen del plasma.
2. Proteínas	7-8%	Defensa, coagulación, transporte de lípidos.
3. Iones, azúcares, lípidos, aminoácidos, hormonas, vitaminas, gases disueltos	1-2%	Mantener el volumen del líquido extracelular, mantener el pH.
Células (40-50% del volumen total):		
1. Glóbulos rojos	4 800 000-5 400 000 por microlitros	Transporte de oxígeno y dióxido de carbono
2. Glóbulos blancos:		Fagocitosis
Neutrófilos	3 000-6 750	Inmunidad
Linfocitos	1000-2700	Fagocitos
Monocitos	150-720	Respuesta inflamatoria
Eosinófilos	100-360	(inmunidad)
Basófilos	25-90	Respuesta inflamatoria (inmunidad) y anticoagulante
3. Plaquetas	250 000-3 000 000	Coagulación de la sangre

- plasma
- albúmina
- globulina
- fibrinógeno
- protombina

- eritrocitos

- leucocitos

- plaquetas

Figura 7.7 ■ Tipos
de glóbulos blancos y
componentes sanguíneos.

FUENTE: Starr, C.: *Biology:
Concepts and Applications*,
Wadsworth, Belmont, 3a. ed.,
1997, p. 461.

La sangre se compone de plasma, glóbulos rojos, glóbulos blancos y plaquetas. El **plasma** es 90% agua y sirve como solvente para iones y moléculas; en él se encuentran algunas proteínas como la **albúmina**, que es importante para mantener el equilibrio ósmotico de la sangre, y la **globulina**, componente importante del sistema inmunológico. El **fibrinógeno** y la **protombina**, proteínas importantes en el proceso de coagulación sanguínea, también se encuentran en el plasma, junto con algunas sales inorgánicas en forma de iones, esenciales para el funcionamiento normal de la célula. Entre los iones predominantes se cuentan cloro, sodio, calcio y, en menor cantidad, potasio y magnesio.

Los **eritrocitos** se conocen también como glóbulos rojos, porque poseen un pigmento rojo llamado *hemoglobina*, proteína que se compone de un pigmento que contiene hierro y cuya función es transportar oxígeno. Los glóbulos blancos o **leucocitos** se desarrollan del tallo celular de la médula ósea; funcionan en la defensa y protección inmunológica para el cuerpo. Hay diferentes tipos de leucocitos con diverso tamaño y forma del núcleo (figura 7.7), así como cantidad, pues depende de la actividad y salud del individuo. Entre los diferentes tipos de glóbulos blancos hay dos clases de linfocitos, células B y células T, que son muy específicas para la defensa o inmunidad del sistema. Las **plaquetas** son fragmentos que liberan sustancias que inician la coagulación sanguínea.

Los grupos sanguíneos se basan en la presencia o ausencia de antígenos específicos localizados en la superficie de los glóbulos rojos (tabla 7.1).

Esta información es sumamente importante en la transfusión sanguínea, ya que el donante debe tener sangre compatible, es decir, no debe aglutinar la sangre del receptor. El término *aglutinación* se da a la respuesta de defensa por parte de la célula

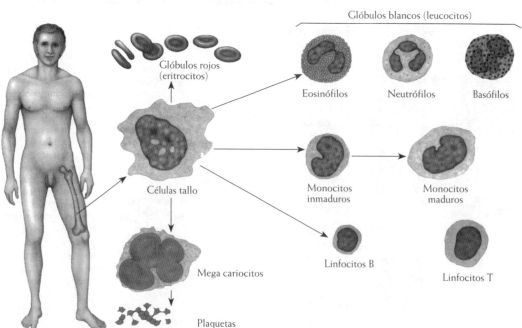

Glóbulos blancos (leucocitos)

Glóbulos rojos
(eritrocitos)

Eosinófilos   Neutrófilos   Basófilos

Células tallo

Monocitos
inmaduros

Monocitos
maduros

Mega cariocitos

Linfocitos B

Linfocitos T

Plaquetas

Tabla 7.1 ■ Grupos sanguíneos.

Tipos de sangre	Antígeno que posee en el eritrocito	Anticuerpo en el plasma
A	a	Anti b
B	b	Anti a
AB	a y b	No tiene
O	No tiene	Anti a y anti b

sanguínea (eritrocito) cuando un anticuerpo actúa sobre un antígeno. La figura 7.8 muestra lo que pasa cuando se recibe la sangre de un donante. La respuesta defensiva de aglutinación ocurre cuando el anticuerpo del plasma reacciona con el antígeno de la célula.

Además del tipo de sangre ABO, que es heredado, también encontramos el factor Rh. La persona Rh+ posee el factor, mientras que quien es Rh‾ no lo posee. Uno de los problemas más comunes con la incompatibilidad Rh se origina en el embarazo, ya que puede acarrear graves consecuencias en el feto si la madre es Rh‾ y el padre Rh+. Se aplican inyecciones a la madre para evitar problemas tanto en el bebé como en ella en futuros partos. En el ejemplo, si el bebé resulta ser Rh‾ no se presentarán problemas, pero si hereda el factor del padre, o sea, si es positivo (Rh+), puede causar la condición *eritroblastosis fetal* (figura 7.9).

Figura 7.8 ■ Aglutinación sanguínea en transfusiones. **a)** Fotografía microscópica en la que se observa ausencia de aglutinación. **b)** Fotografía microscópica en la que se observa aglutinación con sangre no compatible. **c)** Tabla que demuestra la respuesta de los tipos de sangre al mezclarse con muestras de diferentes tipos de sangre (nótese que algunos se han aglutinado y otros no).

FUENTE: Starr, C.: *Biology: Concepts and Applications*, Wadsworth, Belmont, 3a. ed., 1997, p. 461.

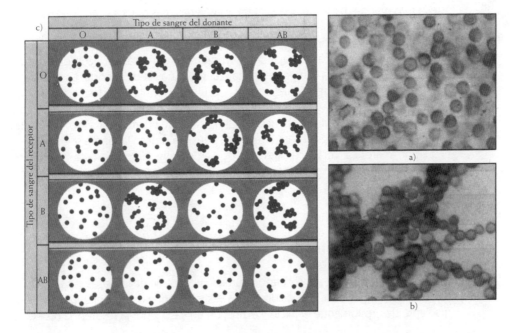

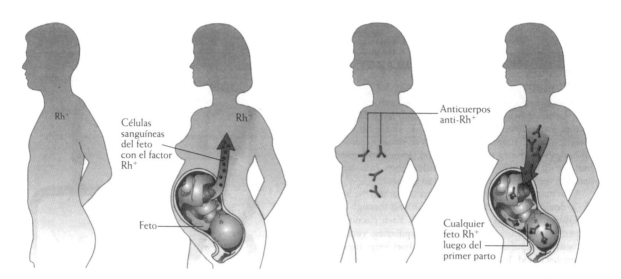

Figura 7.9 ■ Producción
de anticuerpos en respuesta
al factor Rh⁺. Un bebé
que hereda el gen para
el factor Rh⁺ del padre, su
madre posee el factor Rh⁻.
Durante la maternidad o en
el alumbramiento, algunas
células del bebé pueden
llegar al torrente sanguíneo
de la madre. Como respuesta,
el cuerpo de la madre forma
anticuerpos para el factor
positivo. En el segundo
embarazo, y subsecuentes,
los anticuerpos pasarán a la
sangre del bebé y afectarán
al feto Rh⁺.

FUENTE: Starr, C.: *Biology:
Concepts and Applications,*
Wadsworth, Belmont, 3a. ed.,
1997, p. 463.

■ **arterias**
■ **capilares**
■ **venas**

Circulación sanguínea

Los vasos sanguíneos tienen la función de transportar la sangre del corazón a los tejidos del cuerpo y regresarla nuevamente al corazón. Poseen en su interior una serie de
válvulas que sólo dejan pasar la sangre en una dirección y se cierran si refluye. Hay tres
tipos de vasos sanguíneos: las **arterias** (y arteriolas, más pequeñas que las arterias),
que se encargan de sacar sangre del corazón; los **capilares**, que son más pequeños y
facilitan el intercambio de nutrientes y desechos con las células, y las **venas** (y vénulas,
más pequeñas que las venas), que son los vasos que retornan la sangre al corazón. La
arteria más grande del sistema es la aorta, y las venas más grandes son las venas cava
superior e inferior.

La vena cava superior recoge la sangre de la cabeza, pecho y brazos. La vena cava
inferior la recoge de las partes bajas del cuerpo, ambas entran a la aurícula derecha del
corazón. Por otro lado, la sangre retorna al cuerpo a través de la aorta. Cada circuito
posee su propio grupo de arterias, arteriolas, capilares, vénulas y venas. El circuito pulmonar es el más corto y rápido, consiste del movimiento de la sangre del ventrículo
derecho por la arteria pulmonar hacia el pulmón, donde ocurre intercambio de gases.
La circulación sistémica es un circuito mayor, pues tan pronto la sangre se oxigena en
el pulmón, regresa al corazón por el lado izquierdo entrando por la vena pulmonar y
pasa hacia la aorta para ser transportada a las células de tejidos y órganos del cuerpo
(figura 7.10).

Presión sanguínea

La sangre fluye hacia y desde el corazón humano por medio de los vasos sanguíneos. La
velocidad del flujo a través de los diferentes vasos sanguíneos está influenciada por el
gradiente de presión entre el inicio y el final de un vaso y por la resistencia de éste al

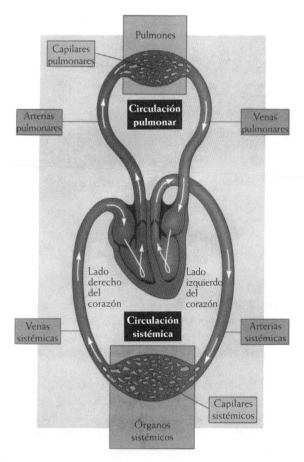

Figura 7.10 ■ Relación entre el corazón y la circulación pulmonar y sistémica. El sistema circulatorio consiste en dos circuitos separados: la circulación pulmonar, que transporta sangre entre el corazón y pulmones, y la circulación sistémica, que transporta sangre entre el corazón y los órganos del sistema humano.

■ sangre rica en oxígeno
■ sangre pobre en oxígeno

FUENTE: Sherwood. L.: *Human Physiology: From Cells to Systems,* West, St. Paul, 3a. ed., 2004, p. 266.

Circulación pulmonar

El lado derecho del corazón bombea sangre sin oxígeno a los capilares del pulmón. El oxígeno se difunde a la sangre y el dióxido de carbono a los pulmones. La sangre llena de oxígeno pasa al lado izquierdo del corazón.

Circulación sistémica

El lado izquierdo del corazón bombea sangre rica en oxígeno a los capilares del cuerpo para llevarlos a todos los tejidos, órganos y regiones del cuerpo. El oxígeno se difunde fuera de la sangre y entra el dióxido de carbono. La sangre pobre en oxígeno fluye hacia el lado derecho del corazón. En la mayoría de los casos, un volumen dado de sangre pasa por una de las redes de capilares cuando ya debe retornar al corazón. En muy pocas excepciones, el paso de sangre a través de la red de capilares de los intestinos pasa por el hígado antes de retornar al corazón.

FUENTE: Starr, C. y B. Mc Millan: *Human Biology*, Wadsworth, Belmont, 2a. ed., 1997, p. 146.

flujo sanguíneo. La **presión sanguínea** es la presión del líquido transmitida a la sangre por las contracciones del corazón. La diferencia en la presión entre dos puntos determina la velocidad del flujo sanguíneo por el vaso. Los latidos del corazón establecen una presión alta, según la sangre fluye por los vasos encuentra una resistencia en las paredes de los vasos sanguíneos, y esta fricción que se presenta dificulta el flujo o paso

■ **presión sanguínea**

de la sangre por el vaso sanguíneo. La resistencia varía por el radio del vaso. En los capilares, por ejemplo, la resistencia será mayor, ya que es el vaso más estrecho. Debido a esto, la presión es distinta a lo largo de los circuitos venosos y arteriales.

La presión sanguínea de los humanos está considerada tomando la lectura de la arteria branquial en la parte superior del brazo y consta de la presión sistólica y la diastólica. La presión sistólica es la presión máxima que los ventrículos en la contracción ejercen contra la pared arterial y la presión diastólica es la presión sanguínea arterial más baja que se alcanza cuando los ventrículos están relajados. Como promedio en un adulto sano, esta lectura de presión sanguínea deber ser: 120 / 80 mm Hg. Esta unidad indica la lectura en milímetros (mm) de mercurio (Hg) en el instrumento utilizado para determinar la presión, conocido como esfigmomanómetro.

Ventilación pulmonar

El ser humano puede sobrevivir varias semanas sin comida y días sin agua, pero sin aire sobrevive apenas unos cuantos minutos. La mayor parte del oxígeno libre que se encuentra en la atmósfera es producto del proceso de fotosíntesis (capítulo 12). En los humanos se distinguen dos tipos de ventilación pulmonar: la diafragmática o abdominal, caracterizada por el movimiento abdominal producido por descenso y ascenso del diafragma; y la costal, que se caracteriza por el movimiento hacia arriba y hacia abajo del tórax.

■ diafragma

El **diafragma** es un músculo que separa las cavidades torácica y abdominal. Su acción y la de los músculos intercostales produce las fases de inspiración o inhalación y espiración o exhalación. En la inspiración, el aire entra a los pulmones mediante las contracciones del diafragma y músculos intercostales externos. En la fase de espiración, el aire es eliminado o evacuado de los pulmones hacia el exterior; se hace en forma pasiva, por el rebote elástico del tórax y los pulmones al relajarse los músculos (figura 7.11).

El sistema respiratorio humano se encarga de transportar el aire a los pulmones por medio de varias estructuras y órganos (figura 7.12).

Figura 7.11 ■ Cambios en la cavidad torácica, **a)** Fase de inspiración: la caja torácica se expande, el diafragma desciende, entra el aire, **b)** Fase de espiración: la caja torácica retorna a su posición, el diafragma asciende y el aire sale.

FUENTE: Starr, C.: *Biology: Concepts and Applications*, Wadsworth, Belmont, 3a. ed., 1997, p. 503.

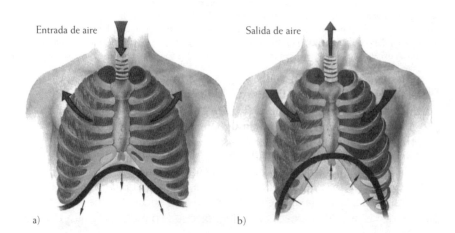

Entrada de aire   Salida de aire

a)   b)

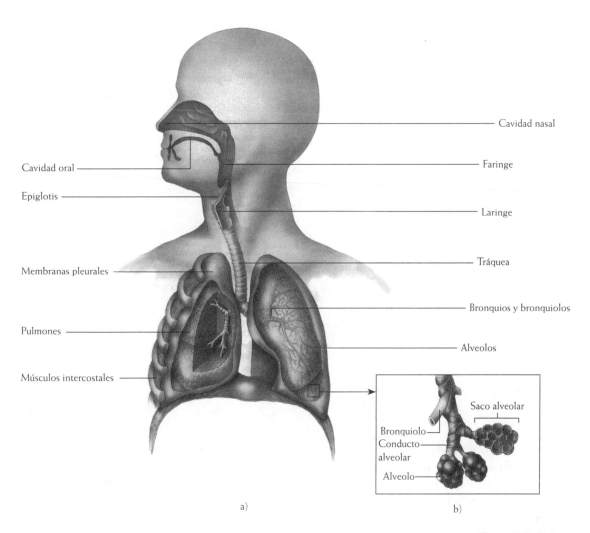

Cavidad nasal

Cavidad oral

Faringe

Epiglotis

Laringe

Tráquea

Membranas pleurales

Bronquios y bronquiolos

Pulmones

Alveolos

Músculos intercostales

Saco alveolar

Bronquiolo
Conducto
alveolar

Alveolo

a)   b)

Figura 7.12 ■ Sistema respiratorio. **a)** Componentes del sistema respiratorio humano. **b)** Localización de los alveolos.

FUENTE: Starr. C.: *Biology: Concepts and Applications,* Wadsworth, Belmont, 3a. ed., 1997, p. 502.

El aire entra por la cavidad nasal, o nariz, que se encarga de calentar, humedecer y filtrar el aire antes de llegar al pulmón. En el trayecto del aire hacia el pulmón pasa por la faringe, conducto que se encuentra inmediatamente después de la cavidad nasal y es común tanto al sistema respiratorio como al alimentario. Pasada la faringe, la tráquea es un tubo formado por 16 a 20 anillos de cartílago, por donde pasa el aire hacia los pulmones. En la primera porción de la tráquea se encuentra la epiglotis, estructura cartilaginosa que abre y cierra para permitir el paso del aire. La epiglotis se cierra para que el alimento se dirija hacia el esófago y no a la tráquea, en cuyo caso produciría asfixia. La primera porción de la tráquea se denomina *laringe* y ahí se encuentran las cuerdas vocales. El aire espirado provoca la vibración de estas cuerdas al pasar por la laringe. La parte final de la tráquea se ramifica en dos conductos denominados bronquios. Cada uno se dirige a un pulmón (izquierdo o derecho). Al llegar al pulmón estos conductos se ramifican en bronquiolos, los cuales terminan en porciones dilatadas conocidas como alveolos. Cada pulmón tiene cerca de 300 millones de estos alveolos.

Los alveolos son sacos de aire ubicados en la terminación de los bronquiolos y es el lugar donde ocurre el intercambio de gases. Los mecanismos del sistema nervioso controlan y ajustan las tasas de respiración de manera que el flujo y reflujo del aire en los alveolos esté a la par con las necesidades metabólicas para el intercambio de gases. En los alveolos se produce el intercambio de oxígeno y dióxido de carbono a través de los capilares sanguíneos. El oxígeno se difunde de los espacios alveolares hacia los capilares del pulmón y el dióxido de carbono en la dirección opuesta. El sistema respiratorio humano tiene otras funciones además del intercambio gaseoso tales como permitir el habla, ayudar a eliminar el agua y el calor en exceso y permitir el balance ácido-básico del cuerpo.

Enlace

Antibióticos y resistencia

Los antibióticos son sustancias que destruyen o inhiben el crecimiento de bacterias y otros microorganismos. Son efectivos contra algunos de ellos, pero no contra los virus. El mecanismo de acción varía dependiendo del tipo de antibiótico, pero por lo general se lleva a cabo interfiriendo con funciones metabólicas de los organismos, tales como la síntesis de la pared celular.

En los últimos años, muchas bacterias y microorganismos han desarrollado resistencia a los antibióticos causando así un serio problema de salud. Una posible explicación para este fenómeno es que en las décadas de los cincuenta y sesenta se generalizó en muchos países el uso indiscriminado de antibióticos sin receta médica y las personas se automedicaban. En la actualidad, hay una lista de microbios que se han hecho resistentes a diferentes antibióticos, entre los cuales encontramos cepas responsables de enfermedades como la tuberculosis, gonorrea, malaria, infecciones del tracto urinario, disentería bacteriana, pulmonías y otras infecciones.

Algunos especialistas en enfermedades infecciosas han propuesto un sistema de vigilancia en todo el mundo para identificar nuevas cepas resistentes antes de que se establezcan en una población o comunidad. Todo organismo posee mecanismos y estrategias para destruir microorganismos invasores, y aunque no son 100% eficaces, debemos permitirles actuar antes de recurrir al uso de antibióticos. En ocasiones la administración oral de antibióticos puede combatir una infección, pero también puede inducir otra en el tracto intestinal o vaginal al eliminar la flora bacteriana normal. Esto permite el desarrollo de una especie de patógeno resistente al antibiótico.

CUESTIONARIO

1. ¿Cuál es la relación entre el colesterol y las enfermedades cardiovasculares?

2. ¿Qué factores podrían originar un aumento en la presión sanguínea?

3. ¿Cómo se afecta la respiración al ascender montañas con elevaciones de más de 10 000 pies?

4. ¿Qué efecto se observa en el cuerpo al bucear a grandes profundidades?

5. ¿Por qué en una infección viral o bacteriana hay fiebre?

6. ¿Por qué a algunas personas les da fiebre luego de recibir una vacuna?

CAPÍTULO

8

Digestión y nutrición

El cuerpo humano necesita de alimentos para la obtención de energía, tal como explicamos en capítulos anteriores; a diferencia de las plantas, no puede producir su propio alimento. Compuestos nutritivos como carbohidratos, lípidos, proteínas, agua, minerales y vitaminas (capítulo 3) suplen la energía y materias primas que necesitamos para realizar las actividades cotidianas. En este capítulo estudiaremos los órganos que participan en la transformación de las partículas de alimentos a moléculas para que sean absorbidas por las células, así como la eliminación de desechos.

Estructuras y órganos asociados

El sistema digestivo humano es muy complejo y está formado por una variedad de órganos. En la figura 8.1 observamos que el sistema digestivo o canal alimenticio consiste en un tubo muscular continuo, que va desde la boca hasta el ano, y un conjunto de órganos y estructuras accesorios que secretan sustancias en diferentes partes del tubo digestivo.

El proceso de digestión comprende una fase mecánica y otra química. La fase mecánica es el proceso en el que la comida en la boca es manipulada por los labios, la lengua y los músculos mandibulares. Durante este proceso, los dientes trituran

Figura 8.1 ■ Componentes del sistema digestivo humano.

FUENTE: Starr, C.: *Biology: A Human Emphasis*, Wadsworth, Belmont, 3a. ed., 1997, p. 514.

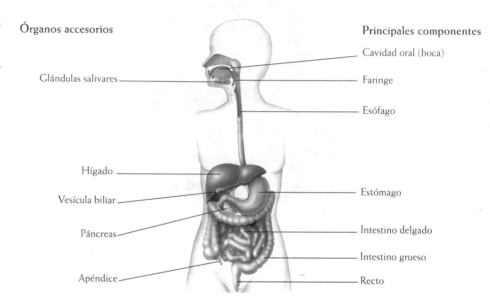

Órganos accesorios

Glándulas salivares

Hígado

Vesícula biliar

Páncreas

Apéndice

Principales componentes

Cavidad oral (boca)

Faringe

Esófago

Estómago

Intestino delgado

Intestino grueso

Recto

el alimento a masas menores. Cada tipo de diente está adaptado para una función distinta; en los seres humanos los dientes incisivos son para cortar, los caninos para apresar y los molares para moler (figura 8.2). La lengua (capítulo 6) mezcla la saliva con el alimento y mantiene la masa alimenticia entre los dientes antes de la **deglución**.

La fase química se inicia en la boca con el rompimiento de las moléculas grandes de alimento en moléculas pequeñas por la acción de la saliva. La masticación mezcla los alimentos con la saliva.

La saliva es un líquido secretado por las glándulas salivares que se encuentran debajo y en la parte posterior de la lengua. La saliva lubrica el alimento y contiene una enzima (amilasa salival) que inicia el rompimiento químico de los carbohidratos. Una **enzima** es un compuesto orgánico que se produce para cambiar la velocidad de las reacciones químicas (capítulo 3).

Luego de tragar, las contracciones de los músculos de la lengua fuerzan al bolo alimenticio a que pase de la cavidad oral a la faringe, porción tubular que sirve como vía de paso al **esófago** y la **tráquea** (por donde pasa el aire a los pulmones). De la faringe, el alimento se mueve al esófago mediante el cierre de la **epiglotis** (estructura similar a una válvula) para que no pase a la tráquea y ocurra asfixia. Las cuerdas vocales cierran la tráquea. Las contracciones musculares de la pared del esófago hacen que el alimento se impulse hacia el estómago. Una vez en el estómago (figura 8.3a), este bolo alimenticio

■ **deglución**

■ **enzima**

■ **esófago**
■ **tráquea**
■ **epiglotis**

Figura 8.2 ■ Arreglo de los dientes en el adulto humano. **a)** Mandíbula inferior y **b)** Mandíbula superior.

FUENTE: Starr, C.: *Biology: A Human Emphasis*, Wadsworth, Belmont, 3a. ed., 1997, p. 515.

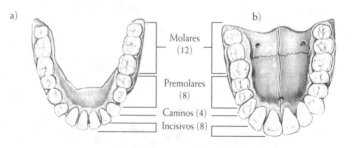

a)   b)

Molares (12)

Premolares (8)

Caninos (4)

Incisivos (8)

se almacena temporalmente mientras es digerido por la acción del jugo gástrico; así continúa la digestión de los carbohidratos y se inicia la de las proteínas. El jugo gástrico secretado por las células glandulares del estómago contiene ácido clorhídrico, la enzima gástrica pepsinógeno y otras sustancias. El estómago es un saco muscular expansible que tiene tres funciones: 1) mezclar y almacenar el bolo alimenticio, 2) secretar enzimas en su jugo gástrico que disuelven y degradan el bolo, principalmente las proteínas, 3) controlar el paso del quimo hacia el intestino delgado.

El desplazamiento que ocurre en virtud de la peristalsis o movimientos musculares (figura 8.3b) impulsa el **quimo** (nombre que recibe el bolo alimenticio al mezclarse y disolverse con el jugo gástrico) por todas las regiones del estómago hasta la porción final que conecta con el intestino delgado. Este último mide aproximadamente de 5.4 a 6.4 metros de longitud y se divide en tres porciones: duodeno, yeyuno e ileón. Se conoce como duodeno la primera porción de 10 pulgadas de longitud, que recibe las secreciones del hígado, de la vesícula biliar y del páncreas. El yeyuno, la segunda porción de 3 pies de longitud, es donde la mayoría de los nutrientes son digeridos y absorbidos. En el ileón, la tercera porción de 6 a 7 pies de longitud, se absorben algunos nutrientes y se transporta el resto del material al intestino grueso. Las enzimas del jugo pancreático que llegan al duodeno, la bilis procedente del hígado y las producidas por la pared intestinal inician y completan el proceso digestivo de los lípidos y culminan el de los carbohidratos y proteínas. La bilis se almacena en la **vesícula biliar** (bolsa color verde pegada al hígado) y es conducida hasta el intestino delgado a través del conducto biliar; no contiene enzimas, pero desempeña la función vital de romper las moléculas de lípidos en pequeñas partículas para acelerar su digestión.

La digestión se completa en el intestino delgado, sede principal de la absorción de carbohidratos, proteínas y lípidos. El intestino grueso, de aproximadamente 5 pies de longitud, se divide en tres porciones: ascendente, transverso y descendente. Es el lugar donde se reabsorbe agua y algunos minerales en forma de iones y se almacenan temporalmente las heces fecales, las cuales son transportadas al recto para su eliminación. El sistema nervioso controla la expulsión a través de estímulos de relajación o contracción de los músculos en forma de anillo alrededor del orificio anal, conocido como **esfínter anal**. La acción de vaciar la parte baja del colon y el recto se conoce como defecación. En la tabla 8.1 se resumen los hechos o etapas más importantes de la digestión de los alimentos y en la tabla 8.2 se anotan las principales enzimas digestivas que participan en el proceso.

- quimo

- vesícula biliar

- esfínter anal

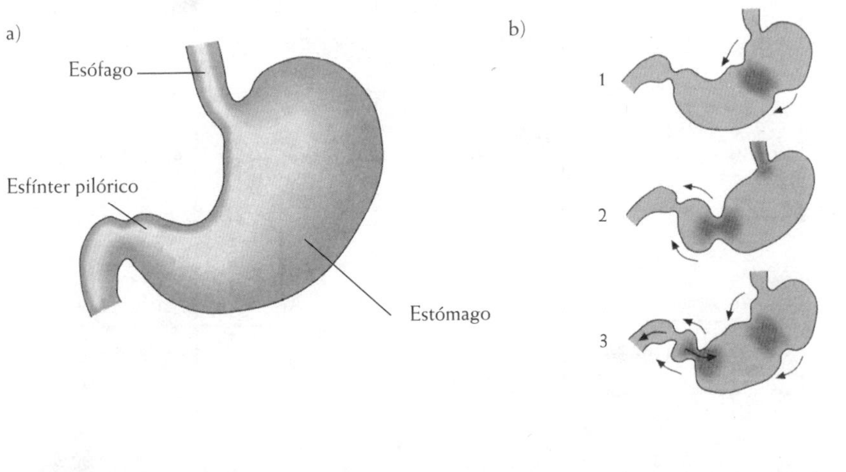

a)

b)

Esófago

Esfínter pilórico

Estómago

1

2

3

Figura 8.3 ■ **a)** Estructura del estómago. **b)** Movimiento de las ondas peristálticas por el estómago.

FUENTE: Starr, C.: *Biology: A Human Emphasis*, Wadsworth, Belmont, 3a. ed., 1997, p. 517.

Tabla 8.1 ■ Resumen de la digestión humana.

FUENTE: Starr, C. y R. Taggart: *Biology: The Unity and Diversity of Life.* Wadsworth, Belmont, 2007, p. 720.

Región	Suceso principal
Boca	Secreción de saliva, rompimiento inicial de carbohidratos.
Estómago	Secreción de jugo gástrico, activación de enzimas con el ácido clorhídrico, rompimiento de proteínas.
Intestino delgado	La bilis neutraliza el ácido del estómago y rompe las grasas, las enzimas del jugo pancreático, el almidón, grasa y proteína y, por último, el alimento digerido se absorbe por el torrente sanguíneo.
Intestino grueso	Absorción de agua y minerales.
Recto	Expulsión de heces fecales fuera del cuerpo.

Tabla 8.2 ■ Principales enzimas digestivas y sus productos.

FUENTE: Starr. C.: *Biology: A Human Emphasis,* Wadsworth. Belmont, 3a. ed., 1997. p. 517.

Enzimas	Fuente	Lugar de acción	Sustrato	Productos principales
Digestión de los carbohidratos:				
Amilasa salivar	Glándulas salivares	Boca	Polisacáridos	Disacáridos
Amilasa pancreática	Páncreas	Intestino delgado	Polisacáridos	Disacáridos
Disacaridasas	Cubierta intestinal	Intestino delgado	Disacáridos	Monosacáridos
Digestión de las proteínas:				
Pepsina	Cubierta del estómago	Estómago	Proteínas	Fragmentos de proteínas
Tripsina	Páncreas	Intestino delgado	Proteínas	Fragmentos de proteínas
Carboxipeptidasa	Páncreas	Intestino delgado	Fragmentos de proteínas	Aminoácidos
Aminopeptidasa	Cubierta intestinal	Intestino delgado	Fragmentos de proteínas	Aminoácidos
Digestión de los lípidos:				
Lipasa	Páncreas	Intestino delgado	Triglicéridos	Ácidos grasos y monogliceraldeídos
Digestión de los ácidos nucleicos:				
Nucleasa pancreática	Páncreas	Intestino delgado	ADN, ARN	Nucleótidos
Nucleasa intestinal	Cubierta intestinal	Intestino delgado	Nucleótidos	Bases nitrogenadas y monosacáridos

Absorción de nutrientes

La **absorción** es el paso de nutrientes, agua, sales y vitaminas hacia el ambiente interno. Esta absorción se efectúa en la superficie de las paredes del intestino delgado, las cuales tienen millones de pequeñas proyecciones en forma de dedos, aproximadamente de 1 mm de longitud, conocidas como vellosidades. Estas vellosidades aumentan el área de superficie del intestino delgado para mejorar el proceso de absorción. En la superficie de las vellosidades hay epitelio y en su interior vasos sanguíneos y capilares linfáticos en los cuales son absorbidas las sustancias nutritivas producto de la digestión (figura 8.4). Los productos finales de la digestión de los lípidos, a diferencia de los carbohidratos y proteínas, se absorben en los vasos linfáticos por lo que no llegan de inmediato a la sangre. La sangre y la linfa llevan los compuestos nutritivos de los alimentos a todas las partes del cuerpo. Casi todas las secreciones que entran en el intestino delgado son absorbidas por las vellosidades de su mucosa antes de llegar al intestino grueso.

La función principal de todo el proceso de la digestión es proporcionar energía para efectuar las diversas funciones corporales. Las células no utilizan directamente todos los nutrientes absorbidos como fuente de energía, sino que los aprovechan para sintetizar una sustancia química llamada **trifosfato de adenosina** (**ATP**), por sus siglas en inglés (capítulo 3). En un conjunto de reacciones químicas se transforman las moléculas de glucosa, aminoácidos y glicerol o ácidos grasos en ATP, y la energía almacenada en sus enlaces es empleada para las actividades celulares (figura 8.5).

- absorción

- trifosfato de adenosina (ATP)

Nutrición

La **nutrición** es el proceso de suministrar las sustancias alimenticias necesarias para mantener a un individuo vivo y sano. A tales efectos, la nutrición abarca todos los procesos mediante los cuales el cuerpo toma alimentos, los digiere, absorbe y utiliza en su metabolismo. El régimen alimentario del ser humano presenta variaciones geográficas, y la proporción de energía derivada de los diferentes tipos de alimentos es muy diversa. En la tabla 8.3 se muestra la composición de algunos alimentos. Un individuo puede mantenerse en buena salud alimentándose con cantidades adecuadas de carbohidratos, lípidos, proteínas, vitaminas, minerales y agua.

- nutrición

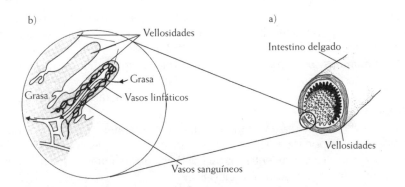

Figura 8.4 ■ **a)** Sección de intestino delgado para exponer pliegues. **b)** Aspecto ampliado de varias vellosidades.

FUENTE: Michell *et al.*: *Integrated Science, Book 1*, Thomas Nelson, Scarborough, 1992, p. 89.

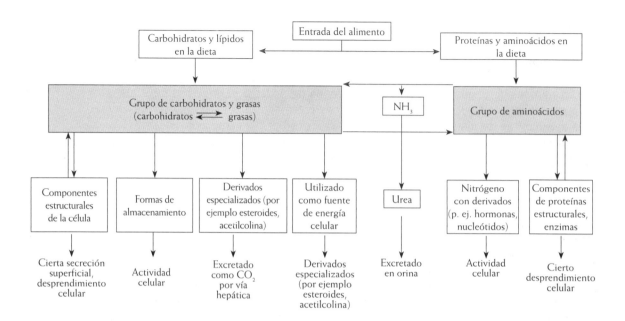

Figura 8.5 ■ Resumen
de las principales rutas del
metabolismo orgánico.
Las células continúan
sintetizando y degradando
los carbohidratos, lípidos y
proteínas. La urea se sintetiza
principalmente en el hígado.

FUENTE: Starr, C.: *Biology: A
Human Emphasis,* Wadsworth,
Belmont, 3a. ed., 1997, p. 520.

■ **calorías**

■ **vitaminas**

■ **minerales**

La energía que contienen los alimentos se mide en términos de la cantidad de calor liberado por el rompimiento de la molécula de glucosa, que resulta en la producción de CO_2 y H_2O y se expresa en **calorías**. Una caloría es la cantidad de calor necesaria para elevar la temperatura de un kilogramo de agua en un grado centígrado. El contenido energético de los alimentos varía mucho; por ejemplo, un gramo de carbohidratos o de proteínas produce 4.1 calorías o su equivalente de 17 jules; un gramo de grasa proporciona 9.3 calorías o 38 jules. Investigaciones recientes han obligado a los especialistas en nutrición a revisar los valores de sus tablas.

La organización mundial de la salud (OMS) ha desarrollado una campaña para promover que los individuos coman sanamente y se pongan en forma para "revertir la epidemia de obesidad". A tales efectos, la pirámide de alimentos ha sido modificada con nuevas proporciones diarias de los alimentos (figura 8.6). En una dieta de 2000 calorías, necesita consumir las siguientes cantidades diarias de cada grupo de alimentos: cereales y farináceos, 6 onzas; hortalizas y granos, 2 ½ tazas; frutas, 2 tazas; carnes, 5 onzas; grupo lácteo, 24 onzas; grasas, 5 cucharaditas. La OMS recomienda la reducción de sal, azúcar y grasa añadida a los alimentos.

Las **vitaminas** son compuestos químicos que el organismo necesita en ciertas cantidades para efectuar funciones especiales; la deficiencia de vitaminas produce enfermedades. Las células humanas requieren de las 13 vitaminas enumeradas en la tabla 8.4.

Hay ciertas sustancias inorgánicas llamadas **minerales** que, al igual que las vitaminas, son importantes en pequeñas cantidades para el control de algunos procesos metabólicos; son entre otros calcio, hierro, magnesio, sodio y potasio. Algunos minerales se incluyen en la tabla 8.5.

Tabla 8.3 ■ Valor nutritivo de algunos alimentos.

FUENTE: Michell et al.: *Integrated Science, Book 2*, Thomas Nelson, Scarborough, 1992, p. 229.

Diez gramos de:	Energía (kilo-jules)	Carbuhidratos (gramos)	Grasas (gramos)	Proteínas (gramos)	Vitamina A (micro-gramos)	Vitamina B (micro-gramos)	Vitamina C (micro-gramos)	Vitamina D (micro-gramos)	Calcio (mili-gramos)	Hierro (mili-gramos)
Leche	28	0.5	0.4	0.3	0.8	0.4	21	0	12.0	0
Mantequilla	334	0	8.5	0.04	29	0	0	0.01	1.4	0
Carne de res	134	0	2.8	1.5	0	0.7	0	0	1.1	0.4
Queso	177	0	3.5	2.5	8.4	0.4	0	0	81	0.07
Hígado	61	0	8.5	1.7	120	3	315	0.01	0.7	1.4
Huevo	67	0	1.2	1.2	6.0	1.5	0	0	5.6	0.2
Pan de trigo	97	4.7	0.2	0.8	0	2.1	0	0	2.5	0.28
Arroz	150	8.6	0.1	0.6	0	0.7	0	0	0.4	0.04
Papa	37	2.1	0	0.2	0	1.0	210	0	0.7	0.07
Naranja	15	0.8	0	0.07	0.4	1.0	492	0	4.2	0.04
Azúcar blanca	165	10.0	0	0	0	0	0	0	0	0

1 gramo = 1000 miligramos   1 miligramo = 1000 microgramos

En una dieta de 2,000 calorías, necesita consumir las siguientes cantidades de cada grupo de alimentos. Para consultar las cantidades correctas para usted, visite MyPyramid.gov.

Coma 6 onzas cada día	Coma 2 ½ tazas cada día	Coma 2 tazas cada día	Coma 3 tazas cada día; para niños de edades de 2-8, 2 tazas	Coma 5 ½ onzas cada día

Encuentre el equilibrio entre lo que come y su actividad física	**Conozca los límites de las grasas, los azúcares y la sal (sodio)**
▪ Asegúrese de mantenerse dentro de sus necesidades calóricas diarias.	▪ Trate de que la mayor parte de su fuente de grasas provenga del pescado, las nueces y los aceites vegetales.
▪ Manténgase físicamente activo por lo menos 30 minutos la mayoría de los días de la semana	▪ Limite las grasas sólidas como la mantequilla, la margarina, la manteca vegetal y la manteca de cerdo, así como los alimentos que lo contengan.
▪ Es posible que necesite alrededor de 60 minutos diarios de actividad física para evitar subir de peso.	▪ Verifique las etiquetas de Datos Nutricionales para mantener bajo el nivel de grasas saturadas, grasas *trans* y sodio.
▪ Para mantener la pérdida de peso, se necesitan al menos entre 60 y 90 minutos diarios de actividad física.	▪ Elija alimentos y bebidas con un nivel bajo de azúcares agregados. Los azúcares agregados aportan calorías con pocos o ningún nutriente.
▪ Los niños y adolescentes deberían estar físicamente activos durante 60 minutos todos los días o la mayoría de los días.	

Figura 8.6 ■ Diagrama de la pirámide de alimentos divulgada por el Centro de Políticas y Promoción de la Nutrición del Departamento de Agricultura de Estados Unidos (MyPyramid.gov).

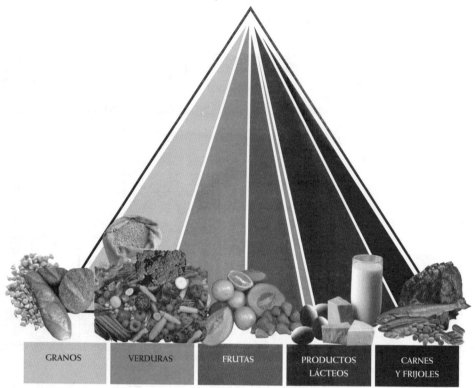

GRANOS	VERDURAS	FRUTAS	PRODUCTOS LÁCTEOS	CARNES Y FRIJOLES
Consuma al menos 3 onzas de cereales, panes, galletas, arroz o pasta provenientes de granos integrales todos los días. Una onza es, aproximadamente, 1 rebanada de pan, 1 taza de cereales para el desayuno o ½ taza de arroz, cereal o pasta cocidos.	Consuma mayor cantidad de verduras de color verde oscuro como el brócoli y la espinaca. Consuma mayor cantidad de verduras de color naranja como zanahorias y batatas. Consuma mayor cantidad de frijoles y guisantes secos como frijoles pintos, colorados y lentejas.	Consuma una variedad de frutas. Elija frutas frescas, congeladas, enlatadas o secas. No tome grandes cantidades de jugo de frutas.	Elija leche, yogur y otros productos lácteos descremados o bajos en contenido graso. En caso de que no pueda consumir leche, elija productos sin lactosa u otra fuente de calcio como alimentos y bebidas fortalecidos.	Elija carnes y aves de bajo contenido graso o magras. Cocínelas al horno, a la parrilla o a la plancha. Varíe la rutina de proteínas que consume – consuma mayor cantidad de pescado, frijoles, guisantes, nueces y semillas.

Tabla 8.4 ■ Vitaminas.

FUENTE: Starr, C. y R. Taggart: *Biology: The Unity and Diversity of Life*, Wadsworth, Belmont, 2007.

Vitaminas	Función en el cuerpo	Efecto por deficincia	Fuentes de alimento
Vitaminas solubles en grasa:			
A (retinol)	Esencial para la visión nocturna. Protege la superficie del ojo.	Ceguera nocturna. Lesiones severas (xeropthalmia). Ceguera completa (keratomalacia)	Aceite de hígado de bacalao, mantequilla, zanahorías y vegetales verdes.
D (calciferol)	Esencial para el uso de calcio y fósforo en el crecimiento de huesos y dientes.	En los niños deformación de los huesos conocida como raquitismo.	Aceite de hígado de bacalao y productos láteos. (Se sintetiza en la piel por la acción de la luz solar.
K	Coagulación normal de la sangre	Deficiencia es improbable	Espinaca, col, coliflor, guisantes, cereales. (Es sintetizador por bacterias intestinales.)
E	Ayuda a mantener las membranas celulares.	Coagulación sanguínea anormal (hemorragia).	Granos enteros, vegetales verdes y aceites vegetales.
Vitaminas solubles en agua:			
B_1 (tiamina)	Esencial para la liberación de energía de los carbohidratos.	Beri beri(parálisis nerviosa y debilidad muscular).	Carne, hígado, leche, huevos y harina de trigo.
B_2 (riboflavina)	Esencial para la liberación de energía.	Crecimiento lento y piel pobre.	Leche, carne, hígado y huevos.(La riboflavina se destruye por la luz ultravioleta.)
B_6	Necesaria para el metabolismo de aminoácidos	Daño a la piel, músculos y nervios; anemia	Espinacas, tomates, papas y carnes rojas.
B_{12}	Ayuda en el metabolismo de ácidos nucleicos.	Anemia y daño en el sistema nervioso.	Aves, pescados, carnes rojas y productos lácteos.
Niacina	Esencial para la utilización de energía	Pelagra (la piel se torna oscura y escamosa)	Carnes, cereles, leche y vegetales
Biotina	Permite la formación de glucógeno y grasas.	Dermatitis, depresión y anemia.	Legumbres y yema de huevo.
C (acido ascórbico)	Ayuda a mantener la salud de la piel	Escorbuto (cicatrices y sangrado de las encías.	Frutas frescas y vegetales, especialmente la papa, vegetales verdes y frutas cítricas.
Ácido pantoténico	Necesario para el metabolismo de la glucosa, ácidos grasos y formación de esteroides.	Fatiga, hormigueo en las manos, dolores de cabeza.	Carnes rojas, yema de huevo.
Ácido fólico	Necesario para el metabolismo de ácidos nucleicos y aminoácidos.	Anemia, diarrea y problemas de crecimiento.	Vegetales verde oscuro, granos y carnes.

Una dieta balanceada incluye todos los tipos de comida y en cantidades adecuadas. Hay muchos factores que deben ser considerados para preparar una dieta, entre éstos la edad, tamaño, sexo, ocupación y tipo de vida (sedentaria o activa). Es importante que la dieta balanceada provea energía, proteínas para crecimiento y reparación de células, algo de grasas, una variedad de alimentos que suplan vitaminas y minerales y, por último, alimentos con fibra. Una dieta no balanceada puede ocasionar enfermedades (figura 8.7), problemas de obesidad, **anorexia** y **bulimia,** entre otros. Un peso apropiado depende de que se mantenga el consumo de calorías en la misma proporción a la cantidad que utiliza el cuerpo.

■ anorexia
■ bulimia

Eliminación de desechos

El agua, los nutrientes y otras sustancias absorbidas y transportadas por la sangre pasan al líquido conocido como *fluido intersticial* que se encuentra en los espacios entre las células. Como resultado del metabolismo surgen algunos productos de desecho que alteran la composición de este fluido, que el aparato urinario elimina del cuerpo. El

Tabla 8.5 ■ Minerales.

FUENTE: Michell *et al., Integrated Science, Book 1*, Thomas Nelson, Scarborough, 1992, p. 232.

Minerales	Requerimiento diario en gramos	Contenido total en gramos	Función en el cuerpo	Fuentes de alimentos
Calcio	1.1	1000	Huesos y dientes, su ausencia causa raquitismo.	Leche, queso y vegetales verdes.
Fósforo	1.4	780	Huesos y dientes, esencial para la liberación de energía en las células.	Presente en casi todos los alimentos.
Azufre	0.85	140	Encontrado en los músculos y piel, se usa para la producción de proteínas.	Presente en las proteínas de los alimentos.
Potasio	3.3	140	Esencial en todas las células y fluidos, actúa en la transmisión del impulso nervioso.	Vegetales, carnes, leche y frutas.
Sodio	4.4	100	Esencial en todas las células y fluidos, actúa en la transmisión del impulso nervioso.	Sal, pan, cereales, algunos productos de carnes (tocino, jamón) y leche.
Cloro	5.2	95	Esencial en todas las células y fluidos.	Sal, pan, cereales, tocino, jamón y leche.
Magnesio	0.34	19	Huesos y todas las células.	Vegetales verdes.
Hierro	0.016	4.2	Células sanguíneas (rojas), su ausencia causa anemia.	Carnes y algunos vegetales.
Flúor	0.0018	2.6	Huesos y dientes, su ausencia causa caries.	Té, peces óseos (sardinas) y agua embotellada.
Iodo	0.0002	0.013	Glándulas tiroides usada para la formación de la hormona tiroxina.	Mariscos y sal de mesa.

a)

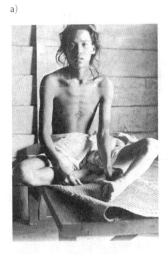

b)

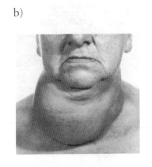

c)

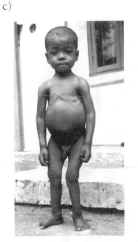

Figura 8.7 ■ Enfermedades: **a)** Beri-beri, causado por deficiencia de vitamina B₁; **b)** bocio, causado por deficiencia de iodo; **c)** raquitismo, deficiencia de vitamina D.

FUENTE: Michell *et al.: Integrated Science, Book* 2, Thomas Nelson, Scarborough, 1992, p. 233.

cuerpo humano funciona con varios mecanismos excretores: intestino grueso, piel y pulmones. Sin embargo, el principal órgano de excreción es el riñón; nuestro cuerpo cuenta con dos en forma (pero no tamaño) de habichuela, localizados en la cavidad abdominal baja. El riñón derecho generalmente se encuentra un poco más bajo que el izquierdo. Las estructuras principales del aparato excretor urinario son, pues, los dos riñones que filtran y eliminan aquellas sustancias tóxicas del cuerpo, la vejiga, que funciona como recipiente para la orina; los uréteres y la uretra, que transportan la orina (figura 8.8). El proceso de excreción se divide en tres fases: *filtración,* en la que

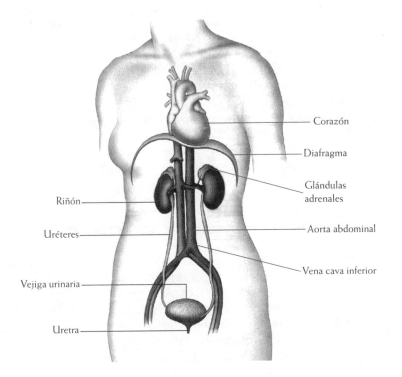

Corazón

Diafragma

Glándulas adrenales

Riñón

Uréteres

Aorta abdominal

Vejiga urinaria

Vena cava inferior

Uretra

Figura 8.8 ■ Aparato urinario.

FUENTE: Starr, C.: *Biology: A Human Emphasis,* Wadsworth, Belmont, 3a. ed., 1997, p. 532.

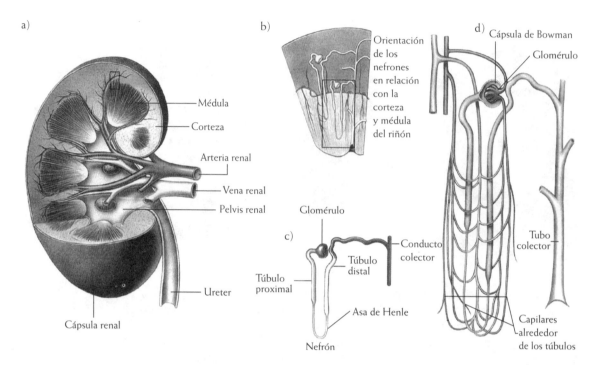

a)

Médula
Corteza
Arteria renal
Vena renal
Pelvis renal
Ureter
Cápsula renal

b)

Orientación de los nefrones en relación con la corteza y médula del riñón

c)

Glomérulo
Túbulo distal
Conducto colector
Túbulo proximal
Asa de Henle
Nefrón

d)   Cápsula de Bowman

Glomérulo
Tubo colector
Capilares alrededor de los túbulos

Figura 8.9 ■ **a)** Estructura interna del riñón, **b)** sección del riñón, **c)** nefrón y **d)** vasos sanguíneos asociados al nefrón.

FUENTE: Starr, C.: *Biology: A Human Emphasis,* Wadsworth, Belmont, 3a. ed., 1997, p. 533.

■ **nefrones**

se remueven ciertas sustancias de la sangre; *reabsorción,* en la que se recuperan las sustancias útiles, como agua, glucosa y aminoácidos; y *secreción,* en la que se eliminan las sustancias que no son aprovechables, por ejemplo, amonia, urea y ácido úrico. Por medio de estas fases, las células funcionales del riñón llamadas **nefrones** controlan la pérdida excesiva de agua y sustancias del cuerpo. En cada riñón humano hay más de un millón de nefrones que se extienden desde la corteza hasta la médula (figura 8.9a). Cada nefrón (figuras 8.9b, c, d) comienza con la cápsula de Bowman, la cual consiste en una copa y una red de capilares conocido como glomérulo. De la cápsula sale el túbulo proximal seguido del asa de Henle y el túbulo distal. La cápsula finaliza en el tubo colector que desemboca en la pelvis renal y la entrada a los uréteres. La cápsula de Bowman recoge el filtrado. La filtración ocurre por diferencia de presión entre el glomérulo y la copa. Tanto en el asa de Henle como en las porciones distal y proximal del túbulo ocurre la reabsorción. La secreción ocurre en el tubo colector.

Mecanismo de formación y excreción de orina

■ **glomerular**
■ **tubular**

En la formación de la orina hay dos fases principales: la **glomerular** y la **tubular.** El glomérulo actúa como una membrana semipermeable que permite que el filtrado de plasma, libre de proteína, pase a través de la cápsula de Bowman. El filtrado glomerular posee un pH aproximado de 7.4; sus componentes son glucosa, sodio, cloruro, potasio, bicarbonato y nitrógeno, principalmente en forma de urea. Por el riñón pasan 1200 ml de sangre por minuto, filtrándose aproximadamente 180 litros cada 24 horas, lo que resulta en la producción de alrededor de 1 ml de orina por minuto. La reabsorción comprende un proceso de transporte activo o pasivo. El **transporte activo** se refiere al movimiento a través de la membrana contra un gradiente de concentración o eléctrico que da por resultado en un gasto de energía del organismo. El **transporte pasivo** tiene lugar cuando la sustancia es reabsorbida por difusión simple y no se necesita energía.

■ transporte activo

■ transporte pasivo

De 90 a 96% del total de la orina es agua, pero se desechan diariamente 60 g de solutos. De éstos 35 g son **desechos orgánicos** y 25 g son **sales inorgánicas**. En condiciones normales, las sustancias inorgánicas de mayor proporción son cloruro y sodio y las orgánicas, urea y amoniaco.

■ desechos orgánicos
■ sales inorgánicas

Enlace ■ ■ ■ ■

Los riñones y la diálisis

Los riñones humanos purifican la sangre removiendo sustancias como la urea y la transportan fuera del cuerpo con el exceso de agua en una solución llamada orina.

¿Qué sucede cuando el riñón no funciona adecuadamente?

Supongamos que la excreción de sodio se ve afectada, lo que hará que el nivel de sodio aumente. En consecuencia, el volumen de fluido extracelular se incrementará como medio de alcanzar un equilibro y se producirá la hinchazón de extremidades. Con este aumento de sodio también se elevará la presión sanguínea. Si, por el contrario, en vez de sodio ocurre lo mismo con el ácido úrico, las sales de calcio u otros desechos, se formarán piedras en los riñones o en el aparato urinario. Los depósitos de estas sales se acumularán y se solidificarán, lo que obstaculizará el flujo o paso normal de la orina por la uretra o los uréteres y obligará a la extirpación quirúrgica de estas piedras.

Estos dos ejemplos ilustran lo que ocurre cuando el riñón no funciona en forma adecuada y no puede mantener la composición normal del líquido extracelular.

¿Qué es un riñón artificial o máquina de diálisis? Así como el riñón mantiene en equilibrio el fluido extracelular removiendo los solutos mediante una membrana artificial para recuperar el

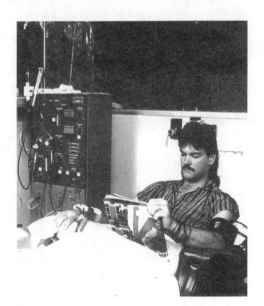

Figura A ■ Máquina de diálisis.

FUENTE: Starr, C.. *Biology: A Human Emphasis*. Wadsworth, *Belmont*, 3a. ed., 1997, p. 215.

equilibrio osmolar de la sangre, en la hemodiálisis se conecta el equipo en la arteria radial del paciente, y se bombea a través de tubos a un lado de una membrana de celofán semiporosa. Al otro lado de la membrana, la sangre está en continuo lavado con una solución dializadora (figura A).

Con excepción de las proteínas y los glóbulos, todas las sustancias se difunden en ambas direcciones a través de la membrana. Sustancias como la urea se desplazan por el gradiente de concentración hacia la solución dializadora, de esta manera se eliminan los desechos. El procedimiento toma cerca de cuatro horas. Y, dependiendo de la condición del paciente, se realiza dos o tres veces por semana. Con tratamiento y dietas especiales muchos individuos pueden realizar sus actividades en forma normal.

CUESTIONARIO

1. ¿Por qué en condiciones normales el jugo gástrico no digiere la pared del estómago?

2. ¿Por qué cuando hace frío orinamos con más frecuencia?

3. La definición biológica de obesidad dice: peso mayor de 120% del ideal establecido según el sexo, la edad y la estatura para una persona. Otro indicador de obesidad es el valor de Índice de Masa Corporal (IMC). Si el valor es de 27 o mayor, significa que la persona está en sobrepeso y se ha elevado dramáticamente el riesgo a su salud. El IMC se determina de la siguiente manera:

$$IMC = peso\ (libras) \times 700\ /\ estatura\ (pulgadas)^2$$

Con esta definición, responde:

- ¿Qué significa ideal?

- ¿Quién establece estos parámetros?

- ¿Deben ser consideradas las diferencias culturales?

- ¿Cómo se relaciona la definición cultural o social de "ideal" con la definición biológica?

- ¿Qué opinas de que se le haya solicitado a la Señorita Universo 1996 que bajara de peso cuando llegó a estar obesa durante su reinado?

CAPÍTULO

9

Herencia y reproducción

La mayoría de las células del cuerpo humano posee la capacidad de reproducirse por sí misma. Es un proceso sumamente importante para el crecimiento, reemplazo y reparación de tejidos. Las células se reproducen a diferentes ritmos y en diferentes momentos; por ejemplo, las células del epitelio intestinal se dividen continuamente, de modo que cada tres días se reemplaza la capa intestinal (sin embargo, no todas las células se dividen con tanta frecuencia). En biología, el término **reproducción** se define como un proceso en el cual se produce una nueva generación de células o individuos.

La reproducción, tanto en las plantas como en los animales, puede ser asexual o sexual (tabla 9.1). La **reproducción sexual** es aquella que requiere de la intervención de dos padres: uno femenino y otro masculino. Las células sexuales llamadas **gametos** son producidas por los órganos sexuales de ambos padres. En los humanos, los gametos femeninos producidos en los **ovarios** de la mujer se denominan huevos u óvulos y los gametos masculinos producidos en los **testículos** del hombre, espermatozoides. Todos los gametos se forman por un proceso de división celular llamado **meiosis,** el cual se describirá en este capítulo. Un gameto masculino y uno femenino se fusionan en la **fecundación** y forman una célula nueva conocida como **cigoto.** Este cigoto, que posee información **genética** de ambos padres, crecerá y se desarrollará para dar origen a un nuevo individuo.

- reproducción

- reproducción sexual
- gametos
- ovarios
- testículos
- meiosis
- fecundación
- cigoto
- genética

Tabla 9.1 ■ Resumen de los dos tipos de reproducción.

FUENTE: Michel, *et al.: Integrated Science, Book 2* Thomas Nelson, Scarbourough, 1992, p.95

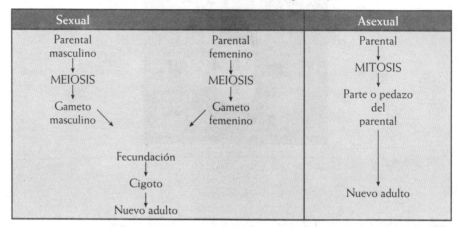

- reproducción asexual
- progenie

- mitosis
- herencia

En la **reproducción asexual** solamente hay un progenitor, y su **progenie** es idéntica a él: el resultado es siempre igual a la célula u organismo que le dio origen. En los humanos y en la mayoría de los animales, todas las células del cuerpo, a excepción de las sexuales, poseen este tipo de reproducción en la cual el proceso de división celular se denomina **mitosis.** En este capítulo estudiaremos los dos tipos de división celular, la transmisión de características o **herencia** y los órganos que participan en el proceso de reproducción humana.

Reproducción celular

Todo organismo vivo tiene la capacidad de crear una nueva vida a través de la reproducción; es decir, todo nuevo organismo, sea planta o animal, comenzó como una nueva célula, un cigoto (figura 9.1). En los seres humanos esta célula es un huevo fecundado que contiene toda la información genética necesaria para dirigir su desarrollo. El tipo de división celular que ocurre en el cigoto y en el embrión se conoce como *mitosis.* Cada vez que una célula se divide, se producen dos células hijas idénticas, las cuales poseen la misma información genética. Las células del cigoto se siguen dividiendo hasta formar un **embrión** con células diferenciadas según su función y localización. En los humanos, algunas células pasan a ser, entre otras, células óseas, musculares o sanguíneas.

- embrión

- cromosoma

La función principal de la mitosis es formar una copia de cada **cromosoma** y distribuir un juego a las dos células hijas. En el capítulo 5 estudiamos la estructura de las células; recordemos que la mayoría de ellas posee un núcleo, donde se localizan los cromosomas, que pueden ser observados con ayuda de microscopios electrónicos y de luz (figuras 9.2 y 9.3).

- células somáticas

Cada especie tiene un número característico de cromosomas. Éste representa la suma total de cromosomas en las células. Por ejemplo, el ratón posee en sus **células somáticas** (las células del cuerpo, con excepción de las sexuales) 40 cromosomas; la

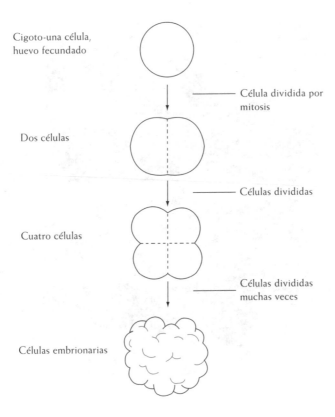

Cigoto-una célula, huevo fecundado

Célula dividida por mitosis

Dos células

Células divididas

Cuatro células

Células divididas muchas veces

Células embrionarias

Figura 9.1 ■ Formación de un embrión a partir de un cigoto.

FUENTE: Michell *et al.: Integrated Science, Book 2*, Thomas Nelson, Scarbourough, 1992, p. 147.

res 60, la gallina 36, el tabaco 48, el ser humano 46 (tabla 9.2). Todos los organismos con reproducción sexual poseen un juego de cromosomas heredado de su progenitor masculino y el otro de su progenitor femenino. Cada juego es comparable con el otro, de manera que los cromosomas vienen en pares similares, llamados **cromosomas homólogos.** El concepto de igual u homólogo no indica que la expresión de una característica sea la misma, sino que los cromosomas poseen los mismos genes para una o varias características hereditarias. En cada cromosoma homólogo, los genes ocupan un **locus** o posición específica en un cromosoma para cada característica. El término *característica* se refiere a aquellos aspectos del individuo que son heredados, tales como estatura, color de ojos, forma de la nariz y textura del cabello. Las unidades hereditarias que se transmiten de una generación a otra reciben el nombre de **genes**. Son unidades de información sobre rasgos específicos y se transmiten de los progenitores a todos los descendientes. Se localizan en la molécula del ácido desoxirribonucleico (mejor conocido por sus siglas como **ADN**) el cual, en asociación con una matriz proteínica, forma nucleoproteínas que se organizan en el cromosoma.

El número de cromosomas que poseen las células somáticas de los seres humanos es de 46; es decir, contiene dos cromosomas de cada tipo y se conoce como **número diploide** *(2n)*. Las células sexuales son aquellas que contienen la mitad, o sea un **número haploide** *(n)* de cromosomas, o lo que es lo mismo, poseen 23 cromosomas. El arreglo de los cromosomas se denomina **cariotipo** (figura 9.4) y éste, por lo general, se realiza tomando fotos de los cromosomas obtenidos de células durante la metafase

- cromosomas homólogos

- locus

- genes

- ADN

- número diploide
- número haploide
- cariotipo

Figura 9.2 ■ Fotografía de un cromosoma humano tomada con un microscopio electrónico.

FUENTE: Starr, C.: *Biology: A Human Emphasis*, Wadsworth, Belmont, 3a. ed., 1997, p. 116.

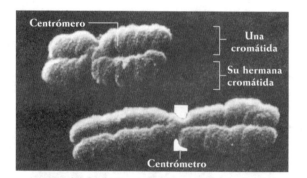

Figura 9.3 ■ Fotografía de los cromosomas de una célula vegetal tomada con un microscopio óptico.

FUENTE: Michell *et al.: Integrated Science, Book* 2, Thomas Nelson Scarbourough, 1992, p. 147.

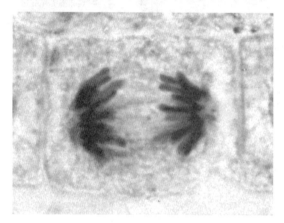

de la mitosis. Dichas fotos se disponen por tamaño, forma y largo de los brazos de los cromosomas de mayor a menor y se enumeran quedando por último el par de cromosomas que determinan el sexo: si es XX, el sexo es femenino; si es XY, masculino (véase más adelante "Determinación del sexo").

Mitosis y meiosis

Cuando la célula se divide, es sumamente importante que ambas células hijas posean la misma información genética que la célula parental; de esto se encarga la división por mitosis.

Tabla 9.2 ■ Número de cromosomas en algunas especies.

Especie	Cromosomas	Nombre científico
Mosca frutera	8	*Drosophila melanogaster*
Guisante verde	14	*Pisum sativum*
Maíz	20	*Zea mays*
Sapo	26	*Rana pipiens*
Lombriz de tierra	36	*Lumbricus terrestris*
Humano	46	*Homo sapiens*
Chimpancé	48	*Pan troglodytes*
Amiba	50	*Amoeba sp.*
Cola de caballo	216	*Equisetum sp.*

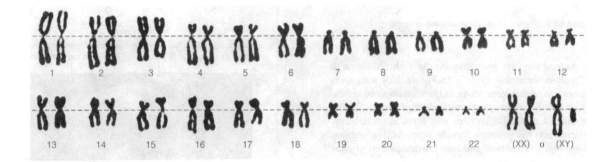

La mitosis constituye la base del crecimiento, reparación tisular y reproducción asexual en los eucariotas. Es el mecanismo de división nuclear por medio del cual divide el número requerido de cromosomas para cada célula hija en todas las células de un organismo (las células somáticas). Es importante señalar que antes de la mitosis cada cromosoma del núcleo de la célula se duplica y produce dos cromátidas hermanas. Un cromosoma duplicado tiene dos moléculas de ADN unidas por el centrómero. Cuando están conectadas entre sí, se llaman **cromátidas hermanas.** En la figura 9.5 se advierte que en cada división celular el número de cromosomas se mantiene constante. De modo que si la célula "madre" es diploide, las células hijas también lo serán.

La **meiosis** es la división celular que reduce el número de cromosomas a la mitad, produciendo así células haploides. La meiosis comprende dos divisiones. En la primera se producen dos células diploides, mientras que en la segunda ocurre una división y reducción que separa las cromátidas hermanas para formar cuatro células haploides. Las células haploides producidas en los ovarios y testículos humanos poseen un total de 23 cromosomas, número que es el resultado de estas dos divisiones. El objetivo de la reducción cromosómica es que el cigoto o célula resultante de la fecundación (unión del óvulo con el espermatozoide) posea el número diploide para la especie. En los humanos, el cigoto tiene 46 cromosomas, 23 de la madre y 23 del padre, arreglados en pares (figura 9.6). En las **gónadas** masculinas la **gametogénesis** (formación de gametos) se conoce como **espermatogénesis** (formación de espermatozoides) y en las gónadas femeninas se conoce como **ovogénesis** (formación de óvulos o huevos), según se observa en la figura 9.7.

Figura 9.4 ■ Cariotipo humano.

FUENTE: Michell *et al.: Integrated Science, Book* 2, Thomas Nelson Scarbourough, 1992, p. 147.

■ **cromátidas hermanas**

■ **meiosis**

■ **gónadas**
■ **gametogénesis**
■ **espermatogénesis**
■ **ovogénesis**

Figura 9.5 ■ Mitosis.

FUENTE: Michell *et al.: Integrated Science, Book* 2, Thomas Nelson Scarbourough, 1992, p. 148.

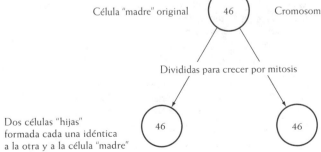

Célula "madre" original — 46 — Cromosomas

Divididas para crecer por mitosis

Dos células "hijas" formada cada una idéntica a la otra y a la célula "madre" — 46 — 46

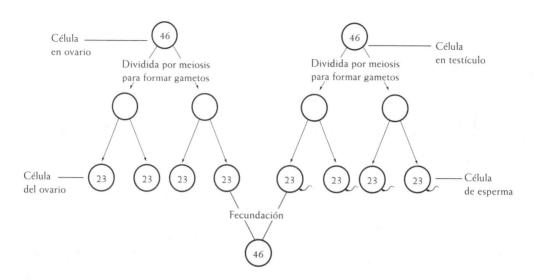

Figura 9.6 ■ Meiosis y fecundación.

FUENTE: Michell *et al.*: *Integrated Science, Book* 2, Thomas Nelson Scarbourough, 1992, p. 148.

Tanto la reproducción celular mitótica como la meiosis son procesos complicados de varias etapas. En la tabla 9.3 se señalan algunas diferencias entre ambos procesos y en la figura 9.8 se comparan las etapas de mitosis y meiosis en una célula con dos pares de cromosomas.

Herencia

■ genética

La **genética** es la rama de la biología que se ocupa de la herencia de las características de padres a hijos y de su variación. Como dijimos, en los genes se encuentra la información para definir las características del sujeto. Al acervo genético (conjunto de alelos) de un individuo se le llama **genotipo**, que es la constitución genética de una especie, mientras que el **fenotipo** es la manifestación física, bioquímica o fisiológica del genotipo, es decir los rasgos observables del individuo. El fenotipo está constituido

■ genotipo
■ fenotipo

Tabla 9.3 ■ Características diferenciales entre los tipos de reproducción celular.

Mitosis	Meiosis
Se inicia en el cigoto y continúa a través de toda la vida del organismo.	Se inicia una vez que el organismo ha alcanzado la madurez sexual.
Ocurre en las células somáticas.	Ocurre en las células sexuales.
Los productos tienen el mismo número de cromosomas de la célula madre ($2n$).	Los productos tienen la mitad de los cromosomas de la célula madre (n).
Cada ciclo da lugar a dos productos.	Cada ciclo da lugar a cuatro productos.
Hay una división por ciclo.	Hay dos divisiones por ciclo.
Las células producidas son iguales o idénticas a la célula madre.	Las células producidas son diferentes de la célula madre.
El propósito es el crecimiento, reparación o reemplazo de células: reproducción asexual.	El propósito es la reproducción de la especie: reproducción sexual.

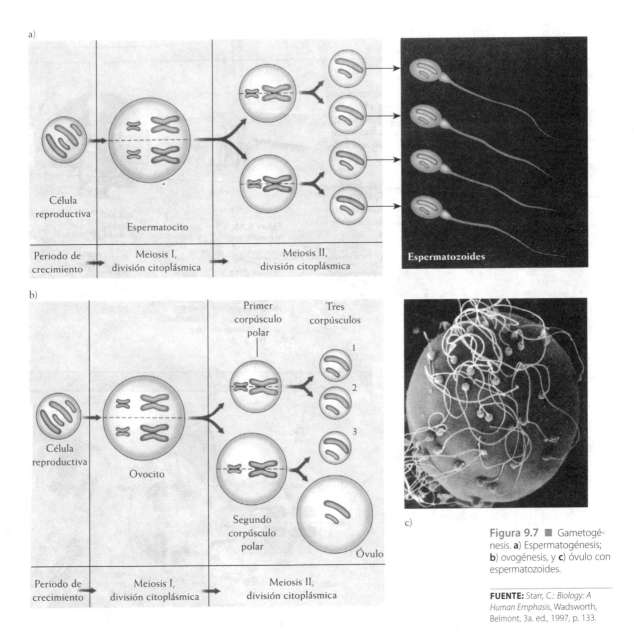

a)

Célula reproductiva

Espermatocito

| Periodo de crecimiento | Meiosis I, división citoplásmica | Meiosis II, división citoplásmica |

Espermatozoides

b)

Primer corpúsculo polar

Tres corpúsculos

1

2

3

Célula reproductiva

Ovocito

Segundo corpúsculo polar

Óvulo

| Periodo de crecimiento | Meiosis I, división citoplásmica | Meiosis II, división citoplásmica |

c)

Figura 9.7 ■ Gametogénesis. **a**) Espermatogénesis; **b**) ovogénesis, y **c**) óvulo con espermatozoides.

FUENTE: Starr, C.: *Biology: A Human Emphasis*, Wadsworth, Belmont, 3a. ed., 1997, p. 133.

tanto por rasgos distintivos como por características medibles. Las distintas formas moleculares de un mismo gen se llaman **alelos**. Se hereda un par de alelos para cada rasgo. Uno proveniente del padre y el otro de la madre. Cuando ambos alelos son iguales para un determinado rasgo, se denominan **homocigóticos**; si son distintos, **heterocigóticos**. Un alelo es **dominante** cuando su efecto sobre un rasgo enmascara el del otro alelo apareado con él en el mismo locus; se representa con letra mayúscula (A). La condición dominante puede expresarse tanto en el individuo homocigótico (AA) como en el heterocigótico (Aa). El alelo opacado se conoce como **alelo recesivo** y sólo puede expresarse en la condición homocigótica (aa); se representa con letra

■ alelos

■ homocigóticos
■ heterocigóticos
■ dominante

■ alelo recesivo

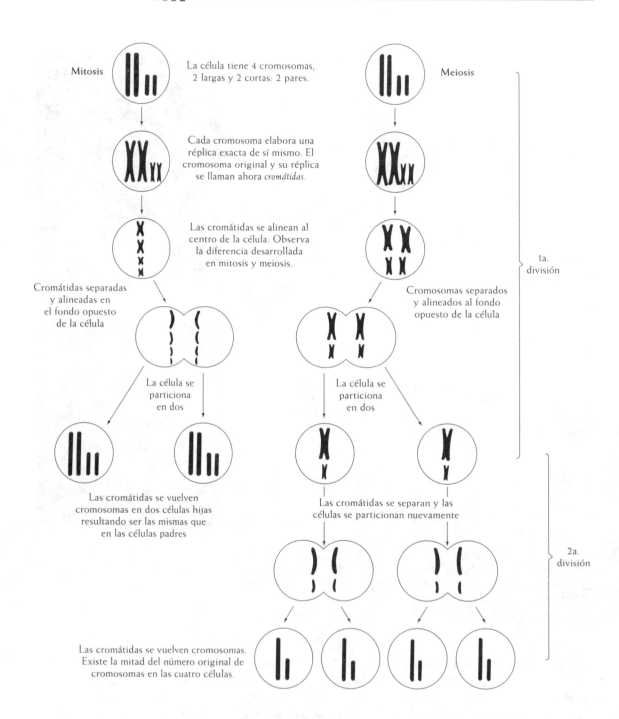

Figura 9.8 ■ Mitosis y meiosis.

FUENTE: Michell *et al., Integrated Science, Book 2,* Thomas Nelson, Scarbourough, 1992, p. 149.

minúscula. En la figura 9.9 se ilustran algunas de las características en los humanos que se expresan en formas diferentes si son dominantes o recesivas.

Cuando se conocen los genotipos de los progenitores, una forma de predecir los de la progenie o descendencia es dibujar un cuadrado conocido como el **cuadrado de Punnett**, en honor al genetista Reginald Crundall Punnett. Para construirlo, los genes presentes en los gametos de un progenitor se escriben en la parte superior y los provenientes del otro, en el lado izquierdo del cuadrado. La combinación producida al llenar todos los encasillados, a manera de una matriz, mostrará los posibles genotipos de la primera generación (figura 9.10). Debe recordarse que cada resultado tiene probabilidades independientes.

A través de la historia, el ser humano ha acumulado conocimientos de que algunas características o rasgos, ya sean morfológicos, fisiológicos o aun de comportamiento, pueden ser heredados. Por siglos, estos conocimientos se han empleado en el cruzamiento para mejorar granos, vegetales, frutas, flores y animales domésticos. La primera persona en investigar este fenómeno en forma empírica fue el monje austriaco Gregor

■ cuadrado de Punnett

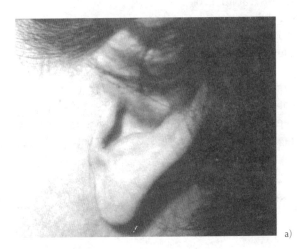

a)

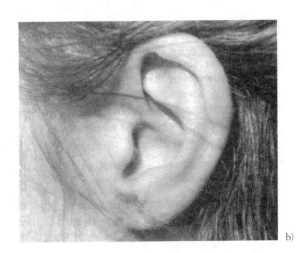

b)

c)

Figura 9.9 ■ Características humanas con formas dominantes y recesivas. **a**) Lóbulos de las orejas sueltos; **b**) lóbulos pegados, y **c**) enroscamiento de la lengua.

FUENTE: Michell *et al.: Integrated Science, Book* 2, Thomas Nelson, Scarbourough, 1992, p. 154.

♀ \ ♂	B	B
b	Bb	Bb
b	Bb	Bb

Johann Mendel (1822-1884), quien es considerado el padre de la genética moderna. Desafortunadamente en la época en que Mendel vivió se desconocía la función del núcleo de la célula en la herencia, los procesos de fecundación en plantas y animales, los procesos de mitosis y meiosis y las funciones hereditarias de éstos. Los trabajos de Mendel permanecieron olvidados hasta 1900, cuando los botánicos Hugo de Vries en Holanda, Carl Correns en Alemania y Eric van Tschermak-Seysenegg en Austria redescubrieron su trabajo.

Las ideas de Mendel fueron aceptadas gracias a los esfuerzos de promoción del biólogo británico William Bateson y posteriormente se combinaron con los trabajos de Darwin para producir la nueva síntesis (capítulo 10).

En la figura 9.11, observamos el diagrama de la herencia del color de ojos en un niño cuya madre posee ojos de color azul y cuyo padre es homocigótico para el color de ojos marrón. Si ambos padres fueran de ojos azules, todos los hijos tendrían ojos de color azul (figura 9.12).

Si por el contrario, ambos padres poseyeran ojos de color marrón, podrían poseer genotipo BB o Bb, lo que presentaría diferentes alternativas, como se observa en la tabla 9.4. Nótese que esta tabla presenta tres alternativas referentes al genotipo de los progenitores. Esto no significa que si una pareja heterocigótica tiene cuatro hijos, tres

Figura 9.11 ■
Cruzamiento de progenitores
para el color de ojos (azul bb
contra marrón BB).

FUENTE: Michell *et al.: Integrated Science, Book 2*, Thomas Nelson, Scarbourough, 1992, p. 155.

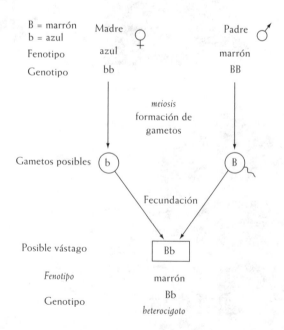

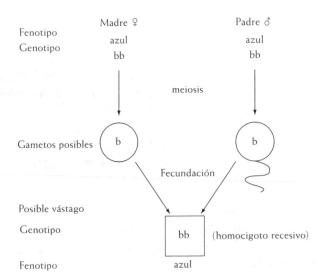

Figura 9.12 ■ Cruzamiento de padres con el color de ojos (azul bb).

FUENTE: Michell *et al.*: *Integrated Science*, *Book* 2, Thomas Nelson, Scarbourough, 1992, p. 155.

de ellos tendrán ojos de color marrón y uno de color azul, sino que en cada fecunda-ción hay una probabilidad de 3:1 de expresión de la característica de ojos de color ma-rrón contra ojos de color azul. Existe la posibilidad, aunque remota, de que los cuatro hijos de esta familia tengan los ojos de color azul, como resultado de que cada óvulo que contiene el gen *b* sea fecundado con un espermatozoide que contiene el gen *b*; sólo así se lograría esa característica.

De los trabajos de Mendel se deduce la **teoría de segregación,** la cual señala que en células diploides (par de cromosomas homólogos) que posean dos tipos dife-rentes de genes, éstos se segregan durante la meiosis en diferentes gametos. En otras palabras, Mendel encontró que de cada progenitor, sólo una de las formas alélicas del gen se transmitía a cada progenie a través de los gametos. Por ejemplo, un hombre que posea el alelo para el color de cabello negro y también el alelo para el color de cabello rubio, podrá transmitir un solo alelo a cada descendiente o vástago.

■ **teoría de segregación**

Tabla 9.4 ■ Cruzamiento de padres con el color de ojos marrón utilizando el cuadrado de Punnett.

a)			b)			c)		
	B	B		B	b		B	b
B	B	B	B	BB	Bb	B	BB	Bb
B	B	B	B	BB	Bb	b	Bb	bb

a) El cruzamiento sería BB × BB: toda la progenie tendría ojos marrón con el mismo genotipo; en b) el cruzamiento sería BB × Bb: también toda la progenie tendría ojos marrón, pero el genotipo sería BB o Bb; en c) el cruce sería Bb × bb: la progenie tendría dos diferentes genotipos para los ojos marrón y algunos hijos tendrían ojos de color azul, en una proporción de 3:1 de ojos marrón a ojos azules.

Determinación del sexo

¿Cómo se determina el sexo de un bebé? La mayoría de los organismos poseen dos tipos de cromosomas: los autosómicos y los sexuales. Los **cromosomas autosómicos** determinan la mayoría de las características corporales y los **cromosomas sexuales** determinan el sexo del organismo. La especie humana posee 22 pares (es decir, 44) de cromosomas autosómicos y un par de cromosomas sexuales. El par de cromosomas 23 o sexuales tiene dos tipos: uno con ambos brazos largos denominado **cromosoma X** y el otro con uno de los brazos corto llamado **cromosoma Y**. El genotipo de las mujeres es XX, es decir, ambos cromosomas son del tipo X; en los varones, el genotipo es XY, porque poseen un cromosoma de tipo X y otro del tipo Y. El cromosoma Y humano lleva el gen maestro para la determinación del sexo masculino y su expresión conduce a la formación de los testículos, los órganos reproductivos masculinos primarios. En ausencia de ese gen (que se encuentra en el cromosoma Y), se forman los ovarios, que son los órganos reproductivos femeninos.

El sexo se determina al momento de la fecundación por el tipo de espermatozoide que fecunda al óvulo, es decir, que durante la meiosis en la mujer se producirán siempre óvulos que contienen el cromosoma X, pero en los hombres la mitad de los espermatozoides producidos llevarán el cromosoma X y la otra mitad el cromosoma Y. Cuando se fecunda un óvulo X con un espermatozoide X, se produce una célula XX lo que indica que será niña; por el contrario, cuando el óvulo X es fecundado con un espermatozoide Y, se produce una célula XY, indicativo de que será un niño. Dado que la mitad de los espermatozoides contienen el cromosoma X y la otra mitad el Y, la probabilidad es la misma de que un óvulo sea fecundado por un espermatozoide X o Y. En la figura 9.13 se ilustra cómo se hereda el sexo por la combinación XY o XX.

Herencia ligada al sexo

Algunas características se encuentran ligadas al sexo (tabla 9.5), esto es, que los genes para estas características se localizan en un cromosoma sexual: algunas en el cromosoma X y otras en el cromosoma Y. A los genes que codifican estas características se les llama genes ligados a X o a Y.

Un ejemplo de herencia ligada al sexo es la **hemofilia**, un trastorno recesivo ligado al cromosoma X que afecta la coagulación de la sangre. Se caracteriza por la falta de uno de los factores de la coagulación, de modo que una herida puede producir una hemorragia grave. Esta condición se localiza en el cromosoma X y, por consiguiente, los varones sólo la heredan de la madre. El gen para la condición es recesivo (h), por tanto puede ser opacado por un alelo dominante (H) del otro cromosoma X. Es por esta razón que la mujer con dos cromosornas X puede portar o llevar el gen sin padecer la condición. Los varones, por otro lado, no tienen en su cromosoma Y un alelo que pueda opacar al gen recesivo en el cromosoma X, por lo que presentaría la condición con mayor frecuencia. La incidencia de hemofílicos es de un varón por cada 10000 nacimientos.

- cromosomas autosómicos
- cromosomas sexuales
- cromosoma X
- cromosoma Y

- hemofilia

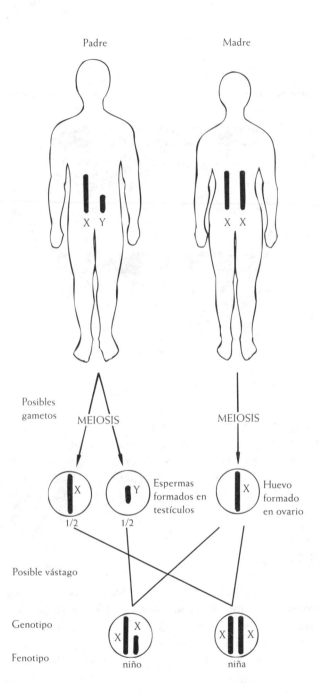

Padre   Madre

Posibles gametos   MEIOSIS   MEIOSIS

Espermas formados en testículos   Huevo formado en ovario

Posible vástago

Genotipo

Fenotipo   niño   niña

Figura 9.13 ■ Determinación del sexo.

FUENTE: Michell *et al.: Integrated Science, Book* 2, Thomas Nelson, Scarbourough, 1992, p. 160.

Dominancia incompleta

Cuando dos individuos homocigóticos se cruzan y el fenotipo que aparece en la progenie es diferente del de los progenitores, se dice que ocurre una **dominancia incompleta**. En este caso, ninguna de las dos expresiones domina o se presenta, es decir, los fenotipos esperados no se manifiestan, lo que da por resultado una expresión intermedia entre los padres.

■ **dominancia incompleta**

Tabla 9.5 ■ Cruzamiento de herencia ligada al sexo.

Veamos el siguiente cruzamiento: $XY \times XX_h$. En este caso tenemos un varón normal que se ha casado con una mujer portadora de la condición. Al hacer el cuadrado de Punnett para el cruce notamos que podrían resultar varones normales, varones enfermos, mujeres normales y mujeres portadoras de la condición de hemofilia.

♂ ╲ ♀	X	X_h
X	XX	XX_h
Y	XY	X_hY

¿De qué manera podría resultar una mujer con la condición de hemofilia? Al ser una característica recesiva, una mujer portadora de la enfermedad tendría que casarse con un hombre hemofílico. Observemos el siguiente cruce: $X_hY \times XX_h$.

♂ ╲ ♀	X	X_h
X_h	XX_h	X_hX_h
Y	XY	X_hY

Al hacer el cuadrado de Punnett notamos que podrían procrearse varones normales, varones enfermos, mujeres portadoras y mujeres con la condición de hemofilia.

Por ejemplo, un cruce de plantas homocigóticas para el color de flores rojas con plantas cuyas flores son de color blanco produce en la primera generación todas las plantas con flores rosadas. Al cruzar plantas de color rosado entre sí (el resultado del cruce parental, es decir, de los progenitores) se observa una progenie o segunda generación con un fenotipo de 1:2:1 (rojo: rosa: blanco), para los colores de las flores (figura 9.14).

Codominancia

■ codominantes
■ codominancia

Cuando dos alelos contribuyen en igual forma al fenotipo de un heterocigótico, se llaman **codominantes**. La **codominancia** significa que ninguno de los dos alelos domina total o parcialmente al otro. Los alelos codominantes se expresan con letras supraíndices junto a los símbolos del gen. Por ejemplo, $I^A I^A$; $I^A I^B$; $I^O I^O$.

El grupo sanguíneo humano constituye un ejemplo de alelos codominantes. Los tipos sanguíneos humanos A, B, AB y O se heredan a través de múltiples alelos que representan un solo locus.

Cuando el antígeno A está presente en la célula sanguínea, el tipo de sangre es A; cuando el antígeno B está presente, el tipo de sangre es B. Si los dos antígenos están presentes, el tipo es AB, y cuando ambos faltan es O.

El gen responsable de la producción de los antígenos A y B está formado por tres alelos: I^A, I^B y I^O. En la tabla 9.6 se indican los genotipos y alelos posibles, además del antígeno presente para cada grupo sanguíneo.

Genealogía

En muchos organismos es fácil hacer un análisis genético, ya que crecen y se reproducen rápidamente y en condiciones controladas.

Padre homocigótico color de flores rojas   X   Padre homocigótico color de flores blancas

RR × rr
(rojas) ↓ (blancas)
Rr
(rosadas)

Rr × Rr
(rosadas)
↓
RR, Rr, Rr, rr

Todos los vástagos F_1 son heterocigóticos color de flores rosadas

Figura 9.14 ■ Dominancia incompleta.

FUENTE: Starr, C.: *Biology: A Human Emphasis*, Wadsworth, Belmont, 3a. ed., 1997, p. 146.

No ocurre así en el caso de los seres humanos. Para el estudio de la trayectoria de un rasgo o característica a través de varias generaciones en los seres humanos se requiere de mucho tiempo por parte del genetista o consejero genetista y como herramienta un **diagrama genealógico**, también conocido como árbol genealógico. El análisis de éste puede revelar patrones hereditarios mendelianos simples para muchos genes, lo cual permite realizar inferencias sobre la probabilidad de transmisión de un gen a los descendientes. Tal diagrama es un esquema de símbolos uniformes para demostrar las conexiones y relaciones genéticas entre los miembros de una familia.

■ **diagrama genealógico**

Tabla 9.6 ■ Genotipos y alelos.

Grupo	Genotipo	Alelos	Antígeno A	Antígeno B
A	AA o AO	$I^A\,I^A$ o $I^A\,I^B$	✔	
B	BB o BO	$I^B\,I^B$ o $I^B\,I^O$		✔
AB	AB	$I^A\,I^B$	✔	✔
O	OO	$I^O\,I^O$		

✔ Simboliza la presencia del antígeno

Algunos de los símbolos más usados son ○ para femenino y □ para masculino. Para una característica o rasgo estudiado en un individuo se usa □ o ○ dependiendo del género, para indicar un matrimonio se usa □ – ○ , en las generaciones se usan números romanos (I; II; III; IV) y la progenie se coloca de izquierda a derecha con números arábigos (○$_1$ □$_2$ ○$_3$ □$_4$ □$_5$). En la mayoría de las ocasiones, el diagrama genealógico sirve para identificar la herencia de características dominantes y recesivas en familias y como ayuda para determinar la probabilidad de que un individuo herede cierta característica. En la figura 9.15 se muestra parte del diagrama genealógico de los descendientes de la reina Victoria y la condición de hemofilia.

Mutaciones

Las mutaciones son alteraciones o cambios que ocurren en la estructura de los genes o de los cromosomas. Cuando una mutación ocurre en los genes se conoce como *génica,* en tanto que si ocurre en los cromosomas se denomina *cromosómica*.

Las mutaciones génicas se dividen en *espontáneas,* las que ocurren como parte de situaciones naturales, e *inducidas,* las que se producen artificialmente por la intervención del ser humano. Los individuos de la mayoría de las poblaciones o especies presentan variación compleja de muchos rasgos. La variación se debe no sólo a las mutaciones génicas sino también surge en respuesta a las condiciones del ambiente. Discutiremos sólo algunos de los trastornos y anormalidades genéticas en los seres humanos. Una anormalidad genética constituye una versión rara o poco común de un rasgo hereditario. El trastorno genético constituye una condición hereditaria que da lugar a problemas médicos que pueden ser desde leves hasta severos. En la tabla 9.7 se incluyen algunos ejemplos.

El *albinismo* (figura 9.16) es una condición autosómica recesiva cuyo fenotipo manifiesta la falta del pigmento melanina en la piel, ojos y pelo. Para que esta condición se manifieste, ambos padres deben portar el alelo recesivo o bien uno de los padres debe ser albino y el otro portar el alelo recesivo.

La *enfermedad de Huntington* es autosómica dominante, localizada en un gen del cromosoma 4. Es un trastorno progresivo del sistema nervioso que hace que el individuo pierda la coordinación de los movimientos, se deterioren las funciones mentales y sobrevenga la muerte después de 10 a 15 años de haber aparecido los primeros síntomas.

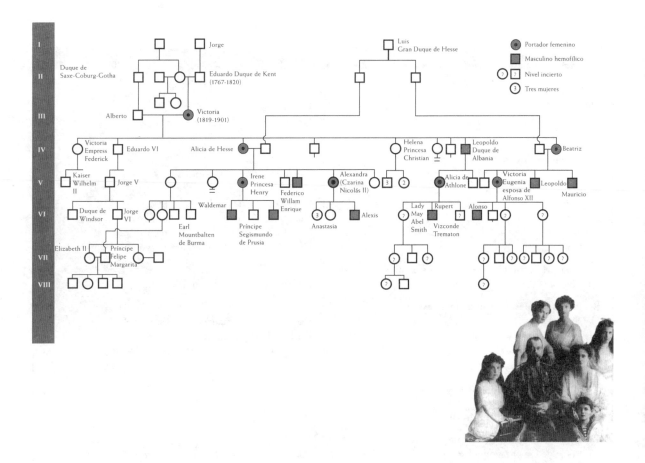

No hay cura y el alivio es poco una vez que la condición inicia su curso. Los síntomas no se expresan antes de los 40 años, cuando la mayoría de las personas ya han tenido descendencia.

La *distrofia muscular de Duchenne* es una condición recesiva ligada al sexo, al cromosoma X. Es una enfermedad neuromuscular progresiva y fatal cuyos síntomas comienzan a la edad de seis años. A los 12 ya se está destinado a una silla de ruedas y frecuentemente a los 20 años se muere de un fallo respiratorio o cardiaco. Ocurre sólo en varones porque es un mal recesivo ligado a X, y como la muerte es precoz difícilmente logran transmitir el alelo defectuoso.

Cri-du-chat es una condición causada por una pérdida visible de la mitad del brazo corto del cromosoma 5. Su nombre en francés significa "maullido de gato". Individuos heterocigóticos para esta condición poseen un cariotipo 46(5p-) en el que el término entre paréntesis indica que parte del brazo corto del cromosoma 5 se ha perdido. La condición perjudica de gravedad tanto física como mentalmente a los afectados. En la figura 9.17 se observa el cariotipo y la foto de un niño con esta condición.

Condiciones de aneuploidía. **Aneuploidía** es un cambio numérico en parte del genoma, por lo regular un cambio por exceso o defecto de un cromosoma; es decir, individuos que poseen un cromosoma de más, les falta un cromosoma o tienen una

Figura 9.15 ■ Ejemplo de un diagrama genealógico.

FUENTE: Starr, C.: *Biology: A Human Emphasis*, Wadsworth, Belmont, 3a. ed., 1997, p. 167.

■ Aneuploidía

Tabla 9.7 ■ Ejemplos de trastornos y anormalidades genéticas humanas.

Trastorno o anormalidad	Consecuencias principales
Autosómicas recesivas	
Albinismo	Ausencia de pigmentación.
Anemia falciforme	Daño grave en el tejido y en órganos.
Fenilcetonuria	Retardo mental.
Autosómicas dominantes	
Acondroplasia	Uno de los tipos de enanismo.
Síndrome de Achoo	Estornudo crónico.
Campodactilio	El dedo meñique doblado y rígido.
Enfermedad de Huntington	Degeneración del sistema nervioso progresivo e irreversible.
Polidactilio	Dedos adicionales en manos y/o pies.
Progeria	Envejecimiento prematuro drástico.
Dominantes ligadas al cromosoma sexual X	
Falta de esmalte	Problemas con la dentadura.
Recesivas ligadas al cromosoma sexual X	
Hemofilia A	Deficiencia de coagulación sanguínea.
Distrofia muscular de Duchenne	Pérdida de acción muscular.
Síndrome de feminización testicular	Individuo XY con características femeninas y estéril.
Ceguera de colores rojos y verdes	Los colores rojos y verdes no se pueden diferenciar (se ven iguales).
Cambio en la estructura cromosomal	
Cri-du-chat	Retardo y problemas de la laringe.
Síndrome de cromosoma X frágil	Retardo mental.
Cambio en el número de cromosomas	
Síndrome de Down (mongolismo)	Retardo mental y defectos del corazón.
Síndrome de Turner	Esterilidad, anormalidad en los ovarios.
Síndrome de Klinefelter	Retardo y esterilidad.
Condición XYY	Retardo ligero en algunos casos.

Figura 9.16 ■ Foto de un varón con la condición de albinismo.

FUENTE: Starr, C.: *Biology: A Human Emphasis*, Wadsworth, Belmont, 3a. ed., 1997, p. 155.

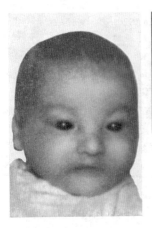 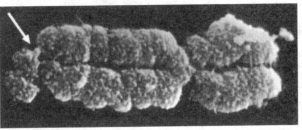

Figura 9.17 ■ Foto de un niño con el síndrome *Cri-du-chat.*

FUENTE: Starr, C.: *Biology: A Human Emphasis*, Wadsworth, Belmont, 3a. ed., 1997, p. 170.

combinación de estas anormalidades, incluyendo aquellas condiciones en que le falta o tiene de más un pedazo o partes de un cromosoma. Entre los más comunes se encuentran los síndromes de Turner, Klinefelter y Down. En la figura 9.18 se presentan algunas de estas aneuploidías, producidas en una de las células durante la división meiótica por no disyunción o durante la fecundación de las células.

Las niñas con el *síndrome de Turner* exhiben un cariotipo 45, X y ocurre en una frecuencia de 1/2500 nacimientos femeninos. La falta de un cromosoma sexual puede originarse del óvulo, espermatozoide o en la mitosis luego de la fecundación. Fenotípicamente, tienen ovarios inmaduros, son estériles, de talla baja, con piel membranosa en el cuello, deficiencia de audición y anormalidades cardiovasculares significativas.

El *síndrome de Klinefelter* se caracteriza por un cariotipo 47, XXY y ocurre en una frecuencia de 1/500 nacimientos masculinos. Estos individuos poseen tres cromosomas sexuales (dos femeninos y uno masculino) y cerca de 67% resulta a causa de la madre y 33% del padre. Fenotípicamente tienden a ser más altos que el promedio, son estériles (porque sus testículos son pequeños), desarrollan senos, poseen voz femenina, extre-

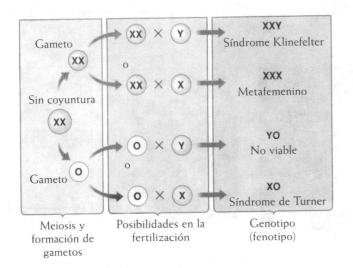

Figura 9.18 ■ Tipos de aneuploidía.

FUENTE: Starr, C.: *Biology: A Human Emphasis*, Wadsworth, Belmont, 3a. ed., 1997, p. 172.

midades largas (brazos) y meten o doblan las rodillas *(knock knees);* no desarrollan vello en su cuerpo y poseen cierto grado de retardo mental.

Los individuos con *el síndrome de Down* o mongolismo exhiben un cariotipo 47, +21 y ocurre en una frecuencia de 1/700 nacimientos. Es la trisonomía cromosómica más conocida en los humanos y está asociada con un cromosoma en el par 21. Los síntomas varían significativamente, pero la mayoría de los individuos demuestran un retardo mental que puede fluctuar entre moderado y grave. El 40% de los casos padece defectos del corazón, formación esquelética anormal, pérdida de coyunturas y un desarrollo motor y del lenguaje muy tardío y lento. Otras características fenotípicas son lengua larga, cara ancha, pelo lacio, orificios nasales anchos, baja estatura. Hay una relación y alto grado de riesgo en mujeres embarazadas después de los 35 años. En la figura 9.19 se observa un cariotipo, la foto de niños con la condición y la relación gráfica del síndrome con la edad de la mujer.

Reproducción humana

Un individuo puede sobrevivir sin el aparato reproductor, pero para la supervivencia de las especies este aparato es imprescindible. Aunque en primera instancia tiene la función de perpetuación de la especie, incide también en la organización social, en el comportamiento de los individuos y en el trato entre las personas. El crecimiento, el desarrollo, la reproducción y el comportamiento de un individuo comienzan con los genes y las hormonas. En esta sección nos ocuparemos del proceso biológico básico de la reproducción sexual y en su control hormonal, sin menospreciar el aspecto social.

El sistema reproductor incluye las gónadas y el tracto reproductivo. La reproducción humana depende de la unión de gametos o células sexuales (femenina con masculina) en la que la mitad de los cromosomas de cada una forma un nuevo individuo con el número normal de cromosomas. El principal órgano reproductor es un par de testículos en el varón y un par de ovarios en la mujer. Ambos poseen la función principal de producir los gametos, pero también secretan hormonas sexuales.

Figura 9.19 ■ **a)** Cariotipo del síndrome de Down; **b)** y **c)** fotos de niños con esta condición y **d)** gráfica que muestra la relación del aumento en la incidencia por la edad de la madre.

FUENTE: Starr, C.: *Biology: A Human Emphasis*, Wadsworth, Belmont, 3a. ed., 1997, p. 169.

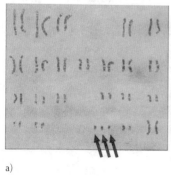

a)

b)

c)

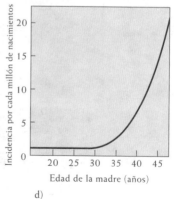

d)

Sistema masculino

En el embrión humano, la activación genética y hormonal define la formación de testículos u ovarios pasada la séptima semana. Cuando la diferenciación es masculina, antes del nacimiento, los testículos descienden al **escroto**, que es la piel que los cubre y protege. Para que los gametos sean producidos y desarrollados adecuadamente en los testículos, es importante que la temperatura se mantenga constante. Algunos investigadores atribuyen al escroto la función de mantener los espermatozoides unos grados más abajo que la temperatura corporal, si bien recientemente varios científicos han puesto en tela de juicio esta explicación. El modelo que explica el mecanismo del control de temperatura señala que opera mediante estímulos o inhibidores de contracción de los músculos del escroto, asegurándose de que internamente la temperatura no aumente de 95°F.

Cuando el ambiente externo es frío, las contracciones permiten que el calor del cuerpo mantenga cálidos los espermatozoides y, por el contrario, cuando hace calor, los músculos se relajan y alejan al escroto y testículos del cuerpo.

Dentro del escroto están los **testículos** (figura 9.20), los cuales constan de un conglomerado de tubos conocidos como **tubos seminíferos**. Ahí se producen los espermatozoides, que se mueven de los tubos hacia el **epidídimo**, donde son almacenados. La **glándula bulbouretral**, la **próstata** y la **vesícula seminal** producen una sustancia alcalina que provee nutrientes y ayudan al movimiento de los espermatozoides; el conjunto de todos estos fluidos se conoce como **semen**. El **conducto deferente** es un tubo que sale de la porción inferior de cada epidídimo y transporta los

- escroto
- testículos
- tubos seminíferos
- epidídimo
- glándula bulbouretral
- próstata
- vesícula seminal
- semen
- conducto deferente

Figura 9.20 ■
a) Formación del espermatozoide partiendo de una célula germinal. La división mitótica y luego las divisiones meióticas producen un conglomerado de células haploides que se diferencian en espermatozoides.
b) Estructura de un espermatozoide maduro.

FUENTE: Starr, C.: *Biology: A Human Emphasis*, Wadsworth, Belmont, 3a. ed., 1999, p. 291.

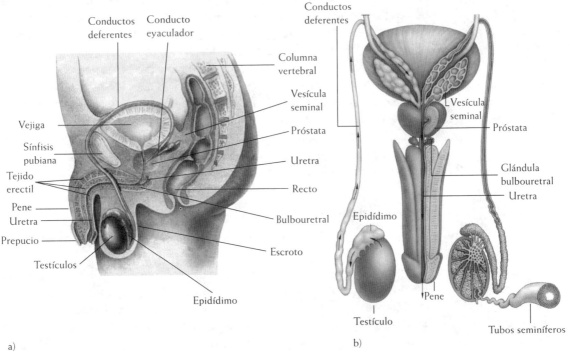

a)

Conductos deferentes
Conducto eyaculador
Columna vertebral
Vesícula seminal
Próstata
Uretra
Recto
Bulbouretral
Escroto
Vejiga
Sínfisis pubiana
Tejido erectil
Pene
Uretra
Prepucio
Testículos
Epidídimo

b)

Conductos deferentes
Vesícula seminal
Próstata
Glándula bulbouretral
Uretra
Epidídimo
Pene
Testículo
Tubos seminíferos

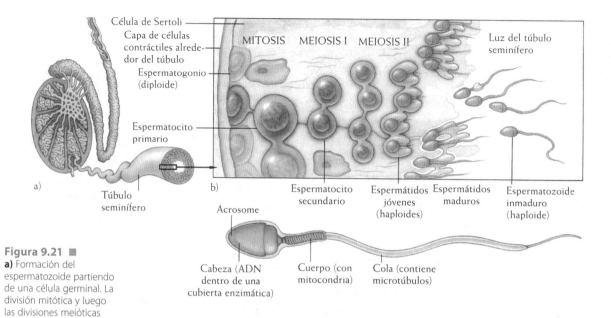

FUENTE: Starr, C. y McMillan, B., *Human Biology*, Wadsworth, Belmont, 3a. ed., 1999, p. 291.

Figura 9.21 ∎
a) Formación del espermatozoide partiendo de una célula germinal. La división mitótica y luego las divisiones meióticas producen un conglomerado de células haploides que se diferencian en esperamatozoides.
b) Estructura de un espermatozoide maduro.

∎ **conducto eyaculador**
∎ **uretra**

espermatozoides hacia el **conducto eyaculador**. El esperma es expulsado del cuerpo por el pene, pasando desde el conducto eyaculador hacia la **uretra**. Como la uretra funciona como conducto excretor de la orina, nunca pasan al mismo tiempo orina y semen. Es difícil para el hombre orinar cuando el pene está erecto o eyacular o vaciar el semen cuando no lo está (figura 9.20 b). En la tabla 9.7 se presenta un resumen de los órganos y glándulas del tracto reproductor masculino con sus respectivas funciones.

El control hormonal del sistema reproductor está coordinado por las secreciones de las hormonas LH, FSH y testosterona. Estas hormonas actúan en el crecimiento, formación y funcionamiento del tracto reproductivo además de la producción de espermatozoides. El comportamiento sexual, el desarrollo de características sexuales secundarias tales como cambio de voz y crecimiento de vello en la cara durante la pubertad son otras funciones de estas hormonas. El hipotálamo (región del cerebro) y la glándula pituitaria (localizada en el tallo cerebral) (capítulo 6) controlan la secreción de estas hormonas y la formación de los espermatozoides.

Sistema femenino

El sistema reproductor femenino se ilustra en la figura 9.22 y en la tabla 9.8 se hace un resumen.

El principal órgano reproductivo en la mujer son los ovarios, que se encargan de la reproducción de óvulos y hormonas sexuales. Durante la maduración de un óvulo o huevo, éste se desprende del ovario, proceso denominado **ovulación**, y entra en las trompas de Falopio u oviductos. Las **trompas de Falopio** funcionan como canales de transporte de los óvulos hacia el **útero**, órgano que consta de tres capas: la externa

∎ **ovulación**
∎ **trompas de Falopio**
∎ **útero**

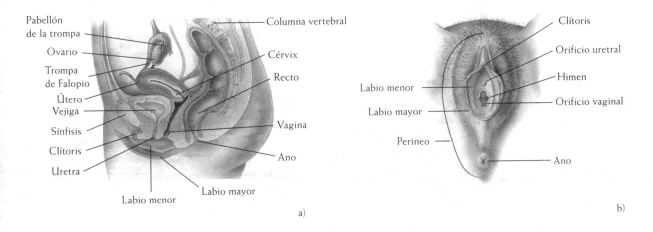

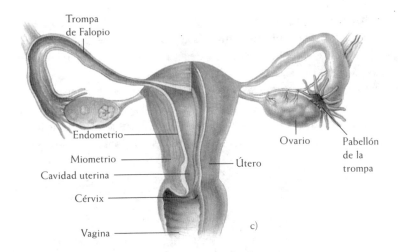

Figura 9.22 ■ Sistema reproductor femenino. **a)** Sección sagital de la pelvis; **b)** vista de la genitalia externa y **c)** vista posterior de los órganos reproductivos.

FUENTE: Sherwood. L.: *Human Physiology*, West Publishing Company, St. Paul, 2a. ed., 2004, p. 697.

Tabla 9.8 ■ Resumen del tracto reproductor masculino.
FUENTE: Starr, C.: *Biology: A Human Emphasis*, Wadsworth, Belmont, 3a. ed., 1997, p. 600.

Órganos	
Testículos (2)	Producción de hormonas y células sexuales.
Epidídimo (2)	Lugar de maduración y almacenaje de espermatozoides.
Conducto deferente (2)	Transporte rápido de espermatozoides.
Conducto eyaculatorio (2)	Conducción de espermatozoides.
Pene	Órgano de copulación.
Glándulas accesorias	
Vesícula seminal (2)	Secreción de la mayor parte del semen.
Próstata	Secreción de parte del semen.
Glándula bulbouretral (2)	Producción de lubricantes.

- miometrio
- endometrio

- esfacelación
- menstruación
- vulva
- labios mayores
- labios menores

- clítoris

- himen
- monte de Venus

- glándulas mamarias
- lactancia

es un revestimiento, la capa media (**miometrio**) es una estructura muscular gruesa compuesta de fibras y la capa interna de la pared es la mucosa o **endometrio**. El endometrio consta de un revestimiento epitelial y tejido conectivo unido a arterias que son importantes en el ciclo menstrual. Cuando el óvulo no es fecundado, la acción hormonal provoca que la porción superficial o revestimiento del endometrio uterino sufra **esfacelación** y ocurre hemorragia en la cavidad uterina, proceso conocido como **menstruación**.

A los genitales externos femeninos se les conoce en conjunto como **vulva** e incluye los órganos de la estimulación sexual. Los **labios mayores** son un par de pliegues de tejido adiposo recubiertos de vellos. Los **labios menores** son un par de pliegues que rodean las aberturas vaginal y uretral. Estos últimos se funden para formar el prepucio del **clítoris**, una estructura de tejido eréctil del tamaño de una nuez que se hincha al llenarse de sangre durante la excitación sexual. El clítoris, por sus abundantes terminaciones nerviosas funciona como un centro de sensación sexual análoga al pene (figura 9.22c). El **himen** es un pliegue delgado de tejido que a veces bloquea parcialmente la entrada de la vagina. El **monte de Venus** es la prominencia de tejido adiposo como un cojincillo que se encuentra en la unión de las piernas y el torso. En la pubertad se cubre de vello púbico.

Las dos **glándulas mamarias** son órganos accesorios de la reproducción. Durante el embarazo comienza la secreción de leche para la nutrición del recién nacido. La **lactancia** y la producción de las dos hormonas ováricas principales (estrógenos y progesterona) es controlado por factores hormonales y nerviosos que se analizarán en el próximo capítulo.

Tabla 9.9 ■ Resumen del tracto reproductor femenino.

Estructuras externas	
Labios mayores (2)	Tejido adiposo con piel que cubre y protege los genitales.
Labios menores (2)	Pliegues de piel internos a los labios mayores que cubren los genitales.
Clítoris	Órgano pequeño sensible a estímulos sexuales.
Estructuras internas	
Ovarios (2)	Producción de hormonas y células sexuales.
Trompas de Falopio (2)	Transporte de óvulo hacia el útero.
Útero	Cámara de desarrollo del embrión.
Endometrio	Capa interna del útero, lugar de implantación del cigoto.
Vagina	Órgano de copulación y canal del parto.
Cuello del útero	Secretar mucosidad (ayuda al movimiento de espermatozoides y sirve de barrera a bacterias).

Ciclo menstrual

Las células precursoras de los óvulos están localizadas en los ovarios desde el nacimiento de la niña. Durante la adolescencia o pubertad, se inicia la maduración y liberación de óvulos, es decir, la ovulación, y continúa hasta la **menopausia**, aproximadamente 35 años después. En forma cíclica cada 28 a 30 días el óvulo es liberado al oviducto, o trompas de Falopio, por el ovario. Si el óvulo es fecundado se formará un cigoto que crecerá en el útero; en el caso contrario, ocurre la menstruación, lo que significa que no hay embrión formado y se inicia un nuevo ciclo. El día que comienza el flujo menstrual es considerado como el primer día del ciclo, el cual termina un día antes del siguiente flujo menstrual. Normalmente un ciclo dura 28 días, pero puede variar de 22 a 35 días, y se distinguen tres fases (tabla 9.10).

En la figura 9.23 se resume la relación de los cambios en el ovario y útero por la acción hormonal durante el ciclo menstrual.

■ menopausia

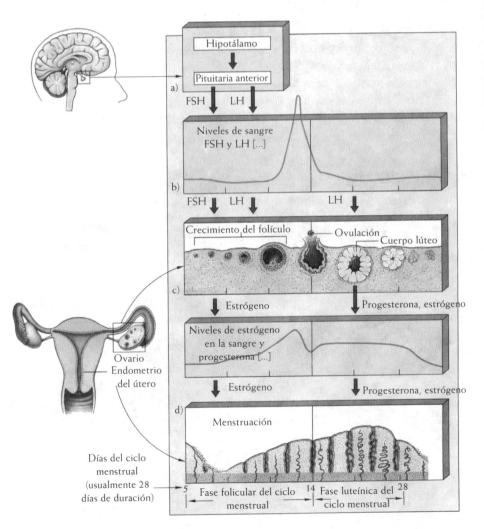

Figura 9.23 ■ Resumen del ciclo menstrual. Las flechas indican las hormonas en el ciclo; **a)**, **b)** secreción de FSH y LH, estructura y función del ovario; **c)**, **d)** la secreción de estrógeno y progesterona causa cambios en el endometrio.

FUENTE: Starr, C.: *Biology: A Human Emphasis,* Wadsworth, Belmont, 3a. ed., 1997, p. 608.

Tabla 9.10 ■ Secuencia del ciclo menstrual.
FUENTE: Starr, C.: *Biology: A Human Emphasis*, Wadsworth, Belmont, 3a. ed., 1997, p. 605.

Fase	Etapa	Días en el ciclo
Folicular	Menstruación; se elimina el revestimiento endometrial.	1-5
	Maduración de un folículo en el ovario y reconstrucción del revestimiento endometrial.	6-13
Ovulación	El óvulo se libera del ovario.	14
Lútea	Formación del cuerpo lúteo, secreción de progesterona e inicio del cambio en el endometrio (aumento en espesor de la mucosa).	15-28

Gestación y parto

La fecundación se realiza con la fusión del núcleo de un espermatozoide con el núcleo de un óvulo y se lleva a cabo en la primera porción de las trompas de Falopio. En cuanto se da la unión del núcleo del espermatozoide con el óvulo, se produce un cigoto diploide que comienza a sufrir una división celular mitótica.

Primero se forman dos células, luego cuatro, después ocho y así sucesivamente, hasta que se forma un embrión (figura 9.24). Los **gemelos idénticos** son resultado de

■ **gemelos idénticos**

Figura 9.24 ■ Etapas del desarrollo: desde la fecundación hasta la implantación.

FUENTE: Sherwood. L.: *Human Physiology*, West Publishing Company, St. Paul, 2a. ed., 2004, p. 730.

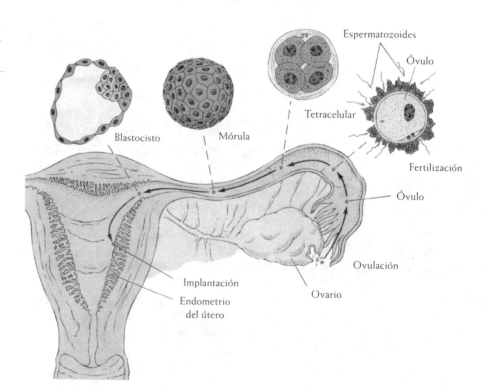

la división de un solo óvulo fecundado en dos masas, cada una de las cuales se convierte en un embrión. Cada embrión tiene la misma composición genética y comparte con el otro una placenta en común. En contraste, los **gemelos fraternos** se forman de dos óvulos fecundados durante el mismo ciclo menstrual. Cada uno es alimentado en su propia placenta (figura 9.25).

■ gemelos fraternos

De seis a ocho días después de la fecundación y luego de su descenso por las trompas de Falopio, el cigoto, en etapa de blastocisto, llega al útero y se enclava en el endometrio; a este proceso se le conoce como **implantación**. En seguida comienza la formación de la **placenta**, órgano repleto de sangre, formado por el endometrio y las membranas extraembrionarias. Permite el intercambio gaseoso y nutritivo entre el feto y la madre, sin entremezclar sus fluidos sanguíneos. La placenta está formada por dos capas: el **amnios** y el **corión** (figura 9.26). El amnios cubre el embrión, protegiéndolo contra lesiones y mantiene la temperatura. El corión proporciona nutrientes y también

■ implantación
■ placenta

■ amnios
■ corión

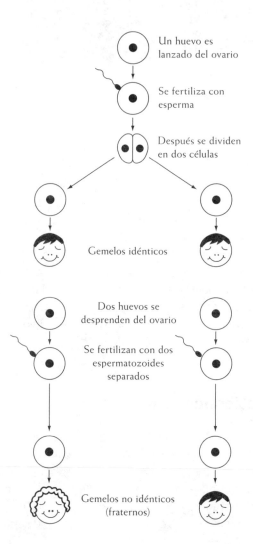

Figura 9.25 ■ Gemelos: idénticos y fraternos.

FUENTE: Michell *et al.: Integrated Science, Book 2*, Thomas Nelson, Scarbourough, 1992, p. 155.

Un huevo es lanzado del ovario

Se fertiliza con esperma

Después se dividen en dos células

Gemelos idénticos

Dos huevos se desprenden del ovario

Se fertilizan con dos espermatozoides separados

Gemelos no idénticos (fraternos)

Figura 9.26 ■ Feto humano en saco amniótico.

FUENTE: Sherwood, L., *Human Physiology*, West Publishing Company, St. Paul, *2a.* ed., 1993, p. 731.

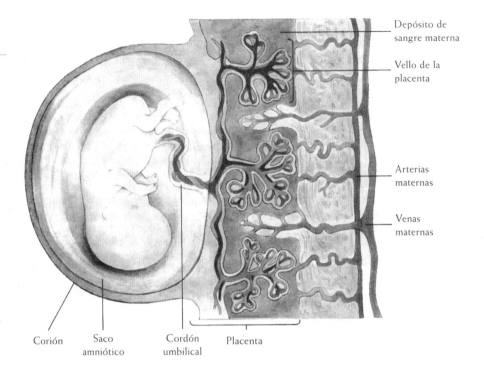

Depósito de sangre materna

Vello de la placenta

Arterias maternas

Venas maternas

Corión   Saco amniótico   Cordón umbilical   Placenta

■ cordón umbilical

■ secundina
■ feto

protege al embrión. La capa del corión es la que establece la comunicación mediante el **cordón umbilical**, el cual se forma al finalizar la cuarta semana del periodo embrionario. La mucosa del útero forma la placenta que también sirve como barrera contra enfermedades. Durante el parto, una vez que nace el bebé, la placenta se desprende del útero y recibe el nombre de **secundina**. La duración de la gestación es aproximadamente de 280 días. Después del segundo mes, el embrión se denomina **feto**. La figura 9.27 muestra algunas etapas del desarrollo en el útero.

El inicio del parto es propiciado por los muchos cambios que ocurren durante la gestación; por la acción de varias hormonas, la maduración del conducto cervical y la relajación de ligamentos púbicos. Las etapas del trabajo de parto se describen en tres fases: periodo de dilatación, dilatación cervical completa para la expulsión del bebé y salida de las secundinas (figura 9.28).

Métodos anticonceptivos

Hay muchos métodos para la prevención del embarazo. Los medios mecánicos incluyen el condón, el diafragma y el dispositivo intrauterino (DIU). Los medios fisiológicos y químicos comprenden el método natural del ritmo, lavados vaginales, supositorios, esponjas y contraceptivos orales o inyectables. La eficacia de cada método varía, entre otros factores, por su uso adecuado o inadecuado. En la tabla 9.11 y en el capítulo 12 (figura 12.19), se presentan algunos datos referentes al éxito de estos métodos.

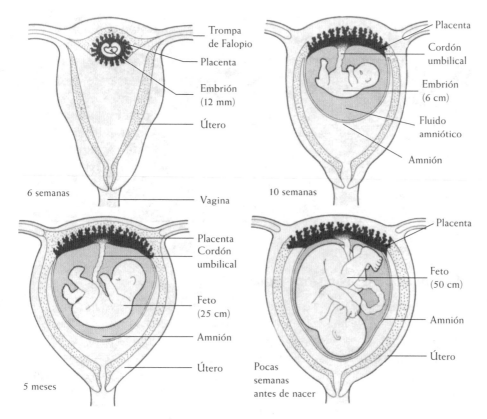

Trompa
de Falopio

Placenta

Embrión
(12 mm)

Útero

6 semanas

Vagina

Placenta

Cordón
umbilical

Embrión
(6 cm)

Fluido
amniótico

Amnión

10 semanas

Placenta
Cordón
umbilical

Feto
(25 cm)

Amnión

Útero

5 meses

Placenta

Feto
(50 cm)

Amnión

Útero

Pocas
semanas
antes de nacer

Figura 9.27 ■ Etapas de
desarrollo en el ser humano.

FUENTE: Michell *et al.: Integrated
Science, Book 2*, Thomas Nelson,
Scarbourough, 1992, p. 114.

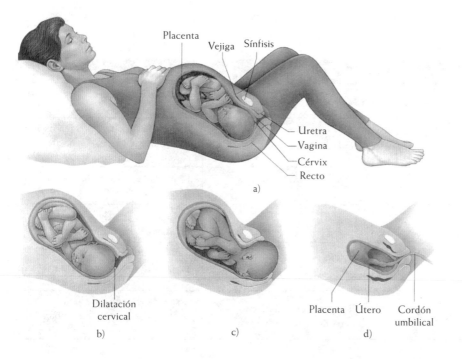

Placenta   Vejiga   Sínfisis

Uretra

Vagina

Cérvix

Recto

a)

Dilatación
cervical

b)

c)

Placenta   Útero   Cordón
umbilical

d)

Figura 9.28 ■ Etapas del
trabajo de parto. **a)** Posición
fetal finalizado el emba-
razo, **b)** primera etapa del
trabajo de parto: periodo de
dilatación, **c)** segunda etapa:
finalización de la dilatación
cervical y expulsión del bebé,
d) tercera etapa: salida de las
secundinas.

FUENTE: Sherwood, L.: *Human
Physiology,* West Publishing
Company, St. Paul, 2a. ed., 2004,
p. 737.

Tabla 9.11 ■ Proporción promedio de error de algunos métodos contraceptivos.
FUENTE: Sherwood. L: *Human Physiology,* West Publishing Company, St. Paul, 2a. ed., 2004, p. 740.

Método contraceptivo	Proporción promedio de error (embarazos anuales/100 mujeres)
Ninguno	90
Natural (método del ritmo)	20-30
Coito interrumpido	23
Contraceptivos químicos	20
Métodos de barrera	10-15
Contraceptivos orales	2-2.5
Contraceptivos implantados	1
DIU	4

Infecciones de transmisión sexual

Según la Organización Mundial de la Salud (OMS), entre los más graves problemas de salud pública en todo el mundo, se encuentra la infección por el virus de inmunodeficiencia humana (VIH) y el síndrome de inmunodeficiencia adquirida (SIDA). Debido al comportamiento sexual de los adolescentes, el contagio de infecciones de transmisión sexual (ITS) y VIH se ha incrementado en la última década. En Estados Unidos, se calculó que el costo anual para el tratamiento de algunas de estas infecciones sobrepasó las siguientes cifras: herpes, $759 millones; gonorrea, $1000 millones; infecciones por cla-

Tabla 9.12 ■ Infecciones de transmisión sexual (ITS).

Infección	Agente que la causa	Algunos efectos
Gonorrea	*Neisseria gonorrhoeae*	Puede causar dolores, fiebres y hasta esterilidad.
Sífilis	*Treponema pallidum*	Puede causar abortos, recién nacidos con sífilis o muertos. Puede afectar el cerebro y médula espinal.
Herpes genital	*Herpes simples* **tipo II**	Provoca ampollas dolorosas en los genitales.
Infección por clamidias	*Chlamydia trachomatis*	Inflamación en pelvis, la uretra, próstata, útero y trompas.
Verrugas genitales	Hay cerca de 60 tipos del virus *papiloma humano* (**VPH**)	Tumores benignos, úlceras precancerosas y cáncer cervical, vaginal, vulvar, peneano y anal.
Enfermedad pélvica inflamatoria	Complicaciones de la gonorrea, infecciones de clamidias y otras	Se afecta el útero, las trompas y los ovarios. Puede provocar embarazos anormales y esterilidad.

midias, $2000 millones; y la infección pélvica inflamatoria $4200 millones, sólo por mencionar las más comunes. Estas cifras no incluyen el SIDA. Existen diversas infecciones de transmisión sexual, en la tabla 9.12, se desglosan algunas de estas infecciones con el nombre del agente que causa la enfermedad y algunas de los efectos principales.

Enlace ■ ■ ■ ■

El ADN y las huellas digitales

La biología molecular es una de las ramas de la ciencia que cambia con mayor rapidez. En la década de 1950 James Watson y Francis Crick descifraron la estructura de la mólecula de ADN, y hoy, apenas 60 años más tarde, hacemos, aún con ciertas limitaciones, clones (capítulo 5) y recombinaciones genéticas mediante las cuales podemos producir organismos con las características que deseamos. En estos momentos, varios laboratorios del mundo trabajan para trazar mapas del genoma humano y de otros organismos que nos den la clave para tratar innumerables enfermedades. Asimismo, en Estados Unidos de América, Suecia y Holanda se usa con regularidad la molécula de ADN como prueba en las cortes.

La técnica de huellas digitales de ADN (DNA *fingerprinting*) tiene una amplia aceptación en las cortes de Estados Unidos. El caso más notorio ha sido el de O. J. Simpson, acusado de asesinar a su ex esposa y al amigo de ella. En términos generales, la técnica se basa en el hecho de que cada individuo, excepto los gemelos idénticos, tiene un patrón de ADN único. La prueba busca comparar trazas de ADN encontradas en la escena del crimen con el ADN del sospechoso para establecer o descartar un vínculo.

A menudo, en la escena de un crimen sólo se encuentran fragmentos minúsculos de ADN parcialmente degradados. Aquí entra en juego otra técnica, la reacción de la cadena de polimerasa, o PCR. La PCR permite amplificar cantidades insignificantes de ADN degradado, y ha sido aprovechada en el análisis de al menos 2000 pruebas desde que se usó por primera vez en 1986.

Otra técnica relacionada que ha comenzado a usarse recientemente es la de análisis filogenéticos. Este método compara secuencias de ADN y, tomando en cuenta la razón de mutación del organismo, se determina la probabilidad de que las secuencias pertenezcan a la misma cepa. Por ejemplo, el Centro para el Control de Enfermedades en Atlanta utilizó el análisis filogenético para identificar a un dentista de la Florida como causante de infección con VIH en seis pacientes. Se determinó que la cepa del VIH en los pacientes correspondía con la del dentista. La misma técnica se utilizó para condenar a un violador en Suecia y a un ex novio despechado en Holanda, ambos por infectar a mujeres con VIH.

Estas técnicas tienen muchas otras aplicaciones y, por supuesto, limitaciones, por lo que deben ser usadas como otra prueba dentro del contexto de toda la información disponible.

CUESTIONARIO

1. ¿Por qué razón los hombres presentan con mayor frecuencia trastornos ligados al cromosoma X que las mujeres?

2. ¿Por qué razón la mayoría de los métodos de contracepción y las medidas de control de natalidad comprenden la acción médica en la mujer en vez del hombre?

3. Si hay diferencias en la resistencia de las personas a temperaturas extremas (frío contra calor), ¿significaría esto que existen diferencias genéticas? ¿Qué necesitarías saber para contestar esta pregunta? ¿Cómo realizarías una investigación para probar esto?

4. ¿Por qué es más lógico que la meiosis dé lugar a diferencias genéticas entre la célula madre y las células hijas que la mitosis?

CAPÍTULO 10

El desarrollo del pensamiento científico y la evolución orgánica

Uno de los temas científicos que más controversia ha generado en la sociedad moderna es el origen de la vida y del universo. Durante su papado, Juan Pablo II reivindicó a Galileo Galilei, físico y astrónomo italiano quien fuera encarcelado en el siglo XVII por sus escritos sobre el orden del universo. Unos años después, la Iglesia católica reconoció el concepto de evolución orgánica como un hecho científico. Sin embargo, tanto las ideas de Galileo como las de Charles Darwin han sido fundamentales en el desarrollo científico y tecnológico durante más de 100 años; asimismo, estos dos acontecimientos hacen patente la resistencia al cambio que caracteriza al ser humano, característica a menudo positiva, pues asegura que sólo a la luz de pruebas contundentes se cambien los paradigmas vigentes. A estos cambios, el filósofo y científico Thomas Kuhn los llamó **revoluciones científicas**.

■ revoluciones científicas

Historia de la ciencia

Como cualquier otra actividad cultural, el desarrollo de la ciencia está sujeto a condicio-nes sociales y económicas favorables. Las corrientes de pensamiento que prevalecen son de gran importancia para el progreso de la ciencia; pero hay otros elementos que también contribuyen, como los adelantos tecnológicos. No obstante, aun estos avan-ces están asociados a las corrientes de pensamiento; por lo que en esta sección nos ocuparemos, de forma somera, de la evolución del pensamiento científico más que de descubrimientos. Como parte integrante de la naturaleza humana, los principios de la actividad científica se remontan hasta la revolución neolítica (figura 10.1). Sin embargo, es posiblemente en la antigua Grecia donde apareció la semilla de la ciencia moderna. La situación histórica y ambiental de Grecia le permitió a sus habitantes liberarse de las restricciones místicas trascendentales que agobian a la mayoría de los pueblos. Así, los griegos fueron los primeros en reemplazar la visión mística del universo con interpreta-ciones racionales basadas en la observación de la naturaleza. Ya en el siglo VI a. C. Tales de Mileto propuso que la Tierra y el universo habían sido formados por procesos natura-les. Anaximandro, en una sorprendente aproximación a la teoría actual de la Gran Explo-sión (capítulo 11), propuso que el universo se encontraba en un proceso de evolución constante y que se había originado como resultado de una serie de explosiones. Pero es posiblemente Pitágoras el mayor exponente del pensamiento científico de la antigua Grecia, ya que introdujo el concepto de leyes naturales para explicar el universo.

Tabla 10.1 ■ Algunos científicos destacados y sus principales contribuciones al conocimiento.

Científico	Siglo	Contribución
Pitágoras	VI a.C.	Matemática-geometría, fundamentos matemáticos de la música.
Al-Khwarizmi	IX	Desarrolló el álgebra.
Tycho Brahe	XVI	Descubrió el nacimiento de una estrella, con lo que contribuyó a debilitar la idea de la inmutabilidad del universo.
Galileo Galilei	XVI	Uno de los primeros científicos modernos. Usa la experimentación y la deducción.
Anton Van Leewenhoek	XVII-XVIII	Construyó el microscopio y describió microorganismos.
Isaac Newton	XVII-XVIII	Ley de gravedad, cálculo, naturaleza de la luz.
Antoine Lavoisier	XVIII	Ley de conservación de masa.
Carl Linnaeus	XVIII	Estableció el sistema binominal de nomenclatura utilizado actual-mente para clasificar organismos.
John Dalton	XVIII-XIX	Teoría atómica.
Joseph Lister	XIX	Usó desinfectante en cirugía (antiséptico).
Alfred Nobel	XIX	Inventó la dinamita y estableció el Premio Nobel
Charles Lyell	XIX	Principios de geología. Estableció el uniformitarianismo.
Louis Pasteur	XIX	Descartó la idea de la generación espontánea.
Charles Darwin	XIX	Propuso la teoría de selección natural.
Dimitri Mendeleev	XIX-XX	Tabla periódica de los elementos.
Niels Bohr	XIX-XX	Modelo de niveles de energía del átomo.
Marie Curie	XIX-XX	Investigación fundamental de radiactividad.
Alexander Fleming	XIX-XX	Descubrió la penicilina.
Albert Einstein	XIX-XX	Efecto fotoeléctrico y teoría de la relatividad.

Además, la escuela de Pitágoras llegó a proponer una hipótesis heliocéntrica del sistema solar siglos antes que Copérnico. Es importante entender que en Grecia la ciencia era una faceta del pensamiento filosófico. En este sentido, Platón, quien asimiló la visión del universo de Pitágoras, hizo algunas de las aportaciones metafísicas más profundas de este periodo (figura 10.2). Aristóteles y Ptolomeo sintetizaron la visión cosmológica de Pitágoras en una estructura racional sólida (figura 10.3).

Todos estos logros de la antigua Grecia fueron adoptados y en algunos aspectos ampliados por los romanos. El colapso de la civilización romana como resultado de las invasiones de tribus germánicas bárbaras del norte, dejó un rimero de pueblos confundidos, que sólo lograron mantener alguna cohesión gracias al cristianismo. Lo que quedó de la actividad científica no fue sino una versión empobrecida de las trabadas elaboraciones de los griegos. La Edad Media u oscurantismo se cernió sobre Europa, con pocas aportaciones originales al conocimiento científico.

La filosofía de la civilización medieval se expresó en uno de sus máximos expositores, San Agustín, quien dijo: "Es suficiente para el cristiano el creer que la única causa de todas las cosas creadas, sean éstas celestiales o terrenales, lo es la bondad del Creador, el único Dios verdadero". Evidentemente, San Agustín no dejó espacio alguno para explicaciones científicas del universo.

Mas no todas las mentes medievales se alinearon con San Agustín. En el siglo XII, la escuela de Chartres, en Francia, comenzó a pavimentar el terreno que permitiría el resurgimiento de los fundamentos de la ciencia moderna. En Chartres se estableció el estudio de la naturaleza como una disciplina por derecho propio. Se dio especial énfasis al estudio de la aritmética, la música como una disciplina matemática, la astronomía y la geometría.

Como ya se dijo, la situación sociopolítica es determinante en el desarrollo de la ciencia. Chartres sentó las bases para la explosión que se acercaba con el Renacimiento, pero justo cuando la escuela de Chartres se levantaba, al otro lado de los Pirineos, Castilla expulsaba a los moros de la Península Ibérica. El legado de los moros a la ciencia fue monumental; además de sus aportaciones originales, dejaron bibliotecas repletas de antiguos trabajos que Europa había perdido, gracias a lo cual se redescubrieron muchas de las obras de la antigua Grecia. Por primera vez, los europeos vieron hospitales con salas de maternidad, cirugía y hasta bibliotecas médicas.

Los **apotecarios**, antepasados de las farmacias, ya existían en el mundo islámico y sus practicantes tenían que tomar el equivalente a las actuales revalidas para poder practicar la profesión. Los alquimistas, antepasados de los químicos, también represen-

Figura 10.1 ■ Stonehenge, monumento neolítico de Inglaterra. La orientación de las rocas sugieren una función festiva y astronómica.

Figura 10.2 ■ Platón y Aristóteles en una pintura de Rafael. Platón, a la derecha, que pensaba que el universo era perfecto e inmutable, influyó de manera significativa sobre filósofos posteriores. Aristóteles, discípulo de Platón, redefinió las ideas de su maestro y estableció el concepto de leyes físicas universales.

FUENTE: Snow, T. P. y Brownsberger, K. R.: *Universe Origins and Evolution*, Wadsworth, Belmont, 1997, p. 47.

■ **apotecarios**

Figura 10.3 ■ Ptolomeo resumió todos los conocimientos astronómicos griegos e hizo importantes contribuciones personales.

FUENTE: Snow, T. P. y Brownsberger, K. R.: *Universe Origins and Evolution*, Wadsworth, Belmont, 1997, p. 47.

■ teoría heliocéntrica
■ paradigmas

taban una clase establecida. La reconquista de la Península Ibérica propició un salto cuántico en el desarrollo del conocimiento científico. A esta convergencia de acontecimientos se puede añadir la mejoría en la situación económica que resultó de una creciente actividad mercantil, producto, a su vez, del aumento de la producción agrícola que permitió los avances tecnológicos de la Edad Media. Los primeros poblados capitalistas comenzaban a florecer y el misticismo que aún caracterizaba al siglo XIII comenzó a ser socavado. La mentalidad de vulnerabilidad que se apoderó de Europa luego de la caída del Imperio romano comenzó a dar paso a una idiosincrasia de dominio de la naturaleza. El movimiento renacentista, especialmente en Italia, dio impulso a una revolución científica. No obstante, la tradición de misticismo, cultivada por más de siete siglos, no moriría con facilidad.

La visión de inmutabilidad y perfección del universo representada por San Agustín fue poco a poco suplantada por el interés de entender la naturaleza. En el siglo XVI, Copérnico (figura 10.4) presentaba su obra *Revoluciones de las esferas celestes* y la **teoría heliocéntrica** que desplazaba al ser humano del centro del universo. Inicialmente, estas ideas no fueron aceptadas por la mayoría, pero el respaldo de Galileo, quien descubrió imperfecciones en el Sol y la Luna (figura 10.5), le dio más peso al trabajo de Copérnico y continuó desgastando el antiguo misticismo.

Toda esta "era de la razón" se caracterizó por una intrincada mezcla de pensamiento científico y místico. A fines del siglo XVII, Isaac Newton (figura 10.6) publicó su *Philosophiae Naturalis Principia Mathematica,* en la que planteó un concepto revolucionario del universo basado en el pensamiento matemático más avanzado de la época. Un siglo más tarde vemos representada la filosofía prevaleciente en el libro de David Hume *Diálogos sobre la religión natural,* en el que se refiere a la religión respaldada por las ciencias naturales; aquí vemos nuevamente la mezcla del pensamiento místico y científico. Muchos otros científicos (tabla 10.1) hicieron aportaciones que contribuyeron a desmitificar el estudio de la naturaleza, pero probablemente la aportación mayor la hizo Charles Darwin (figura 10.7) en 1859 con su obra *El origen de las especies por medio de la selección natural* o *la preservación de las razas favorecidas en la lucha por la vida.* Esta obra abrió un nuevo horizonte en la manera en que el ser humano observa la naturaleza, al proponer un mecanismo que sin premeditación pudiera dar lugar a toda la diversidad biótica del planeta (capítulo 11). Es obvio que una idea como ésta no habría de ganar muchos adeptos de inmediato. En efecto, fue hasta el siglo XX, con la síntesis de las ideas de Darwin y las del genetista Gregor Mendel (contemporáneo de Darwin), que el concepto de selección natural comienza a ganar terreno firme. Este diametral cambio de **paradigmas** tiene un impacto gigantesco en la sociedad del siglo XX, el cual aún sentimos.

Figura 10.4 ■ El clima de cambio y revolución cultural que cubría Europa contribuyó a que Nicolás Copérnico presentara su teoría heliocéntrica.

FUENTE: Snow, T. P. y Brownsberger, K. R.: *Universe Origins and Evolution*, Wadsworth, Belmont, 1997, p. 62.

Evolución orgánica

Durante el Fanerozoico se dio un aumento en la diversidad de especies en el planeta. La idea de que en la Tierra había ocurrido una evolución no fue original de Charles Darwin; sin embargo, con la publicación de *El origen de las especies* Darwin dio pie a la revolución científica y filosófica más importante de los últimos siglos. Claro está que como todo en la ciencia, la revolución darwiniana no surgió de la nada. Copérnico, en 1543, y Galileo, en 1632, habían comenzado a preparar el camino, al insistir en que la Tierra no era el centro del universo. Estas ideas, conocidas hoy hasta por niños de edad preescolar, fueron catalogadas en ese entonces como revolucionarias y polémicas.

Lo que hizo Darwin fue proponer un mecanismo que sin premeditación pudiera dar como resultado toda la gama de organismos vivos y extintos. De acuerdo con la teoría de selección natural, la evolución ocurre por medio de una reproducción diferencial de las poblaciones; es decir, toda población muestra mayor o menor grado

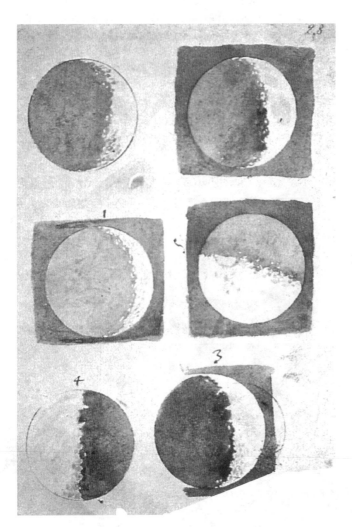

Figura 10.5 ■ Bocetos de la Luna hechos por Galileo. Las observaciones de la Luna hechas por Galileo revelaron unas imperfecciones que lo llevaron a pensar que el universo no era el lugar perfecto e inmutable propuesto por los griegos.

FUENTE: Snow, T. P. y Brownsberger, K. R.: *Universe Origins and Evolution,* Wadsworth, Belmont, 1997, p. 72.

Figura 10.6 ■ Isaac Newton, quien vivió de 1642 a 1727, fue uno de los más grandes científicos.

FUENTE: Lygre, D.G.: *General, Organic and Biological Chemistry,* Brooks/Cole, California,1995, p. 6.

de variabilidad entre los organismos que la componen. Si una característica que varía dentro de cierta población le confiere una ventaja al individuo que la posea, entonces el individuo aventajado la podría traducir en una progenie más numerosa. Aquellos individuos que tengan una progenie más numerosa pasarán más genes a la próxima generación y, por tanto, las características típicas de la población irán cambiando (figura 10.8), favoreciéndose unas características sobre otras. Las mutaciones, que a menudo son la materia prima con la que trabaja la selección natural, generalmente no ocurren en respuesta a presiones del ambiente. Lo que es importante recordar es que este proceso es indeliberado, o sea, que la selección natural no tiene intenciones ni propósitos.

Sin embargo, el mecanismo es semejante al de la **selección artificial** que ha utilizado el ser humano en la agricultura y en el desarrollo de mascotas. Por ejemplo, al seleccionar para criar las vacas que producen más leche, se logran vacas con una producción cada vez mayor. Del mismo modo, a partir de los primeros perros domésticos se han creado variedades tan diversas como el bóxer y el gran danés.

Observaciones como éstas, en especial con palomas, inspiraron a Darwin a descifrar un mecanismo paralelo que opera en la naturaleza.

Figura 10.7 ■ Al proponer y defender el concepto de selección natural, Charles Darwin hizo una de las aportaciones científicas más influyentes del mundo moderno.

FUENTE: Snow, T. P. y Brownsberger, K. R.: *Universe Origins and Evolution*, Wadsworth, Belmont, 1997, p. 524.

■ **selección artificial**

Figura 10.8 ■ Algunas variedades de palomas domésticas producidas mediante selección artificial a partir de la paloma común.

FUENTE: Starr, C. y Taggart, R.: *Biology: The Unity and Diversity of Life*, Wadsworth, Belmont, 2007, p. 10.

Pitágoras y el condensador

Los condensadores (figura A) son circuitos eléctricos que almacenan energía potencial amortiguando fluctuaciones en voltaje. Mucho de lo que conocemos del mundo moderno no sería igual sin los condensadores. Por ejemplo, muchos teclados de computadoras están conectados a un condensador que desencadena un movimiento de carga cuando se presiona una tecla; los bancos de memoria de las computadoras están formados por condensadores microscópicos, y el flash de una cámara funciona con dos condensadores que son cargados por una pila eléctrica.

El defibrilador (o desfibrilador) que se usa para atender personas con un infarto funciona en gran medida con un condensador de capacidad elevada. Cuando una persona sufre un infarto, se le colocan en el pecho los dos terminales conductores de electricidad del defibrilador. Entonces, se cierra el interruptor y el condensador envía la energía almacenada desde un terminal hasta el otro a través del cuerpo del paciente. La potencia del pulso eléctrico es mayor que la batería que alimenta al defibrilador. Por ejemplo, según explican Halliday, Resnick y Walker, cuando un condensador de 70 mF en un defibrilador es cargado con 5000 voltios, la energía almacenada en el condensador es igual a:

$$E = (1/2)(70 \times 10^{-6}F)(5000\,V)^2 = 875\ J$$

Unos 200 joules de esta energía son enviados a través del cuerpo del paciente en un pulso que dura unos 2 milisegundos. La potencia de este pulso es igual a:

$$P = 200\ J/2.0 \times 10^{-3}\ s = 100\ kW$$

lo que representa una potencia mayor que la de la batería.

Puesto que la potencia en un condensador consta de tres componentes, dos de ellos con un ángulo de 90 grados, uno con respecto al otro, los tres componentes pueden relacionarse mediante el teorema de Pitágoras, ya que forman un triángulo rectángulo:

$$S^2 = P^2 + Q^2$$

Hace unos 26 siglos, Pitágoras estableció el teorema que lleva su nombre y que dice que para triángulos rectos la suma de los cuadrados de los catetos es igual al cuadrado de la hipotenusa. ¿Qué pensaría Pitágoras al saber que su teorema matemático, establecido al principio de la civilización, tiene aplicaciones tan importantes hoy en día?

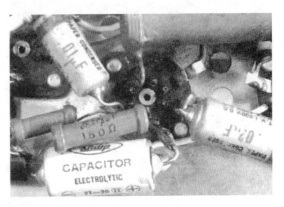

Figura A ■ Condensadores.

FUENTE: Hecht, E.: *Physics*, Brooks/Cole, California, 1994.

■ adaptacionismo

La diferencia principal radica en que en la naturaleza, donde nacen más individuos de los que pueden sobrevivir para reproducirse, es la condición ambiental la que "selecciona". Con el tiempo, las especies se extinguen o se adaptan y dan lugar a nuevas especies. Esta visión de la vida en el planeta es lo que conocemos como **adaptacionismo:** la idea de que la selección natural ha moldeado el genotipo de las especies, de tal forma que el fenotipo resultante se acerque lo más posible a una opción óptima para desenvolverse en el ambiente natural Las especies que sobreviven están determinadas por una variedad de factores, por ejemplo los accidentes naturales; pero indudablemente las características fenotípicas (capítulo 9) representan un factor muy importante en la reproducción diferencial de los organismos. El concepto de selección natural ha sufrido algunas modificaciones desde que lo postuló Darwin y a menudo se ha abusado de él (algunos de estos abusos son criticados por Stephen J. Gould en varios de sus múltiples escritos). No obstante, en la actualidad el concepto de evolución por selección natural constituye la base filosófica de las ciencias biológicas y, por tanto, de la medicina, la agricultura y la biotecnología. El concepto, sin embargo, contiene elementos intrincados y de difícil comprensión. Un excelente tratado sobre las bases filosóficas de la evolución es la obra de Daniel C. Dennett *Darwin's Dangerous Idea*, escrita en un lenguaje accesible para todo público.

CUESTIONARIO

1. ¿Por qué se dice que la física es la más fundamental de las ciencias naturales?

2. ¿Por qué se considera el norte la parte de arriba del planeta y qué relación tiene este concepto con la teoría geocéntrica?

3. ¿De qué manera la ciencia es una actividad colectiva?

4. ¿Qué características distinguen a la ciencia de otras disciplinas?

UNIDAD

4

Ambiente

CAPÍTULO

11

El planeta Tierra

Origen del universo y sistema solar

En términos generales, la comunidad científica acepta el modelo de la **Gran Explosión** *(Big Bang)* como explicación sobre el origen del universo. En efecto, es un concepto aceptado que el universo se expande en un espacio infinito; pero hace unos 15 millardos de años, el volumen de este universo era cero (un millardo equivale al "billion" del inglés estadounidense, es decir, a 1000 millones). Con la Gran Explosión comenzó a expandirse el universo, y la temperatura, hasta entonces increíblemente alta, empezó a descender. En estas condiciones y siendo el hidrógeno el elemento dominante, cerca del 25% de los protones se convirtieron en átomos de helio, lo que nos explica la gran abundancia de este elemento en el universo.

Al continuar la expansión y el enfriamiento del universo, algunas masas de escombro cósmico, ayudadas por la fuerza gravitacional, comenzaron a aglutinarse. Estas masas densas se convirtieron en galaxias y en enormes estrellas. Muchas de estas estrellas dieron lugar a explosiones gigantescas conocidas como **supernovas**; los gases y escombros que se desprendieron de éstas dieron origen a sistemas solares como el nuestro.

■ Gran Explosión

■ supernovas

El concepto actual de fuerza gravitacional se lo debemos a Isaac Newton. No obstante, algunos de los patrones observados en el universo se explican mejor con la teoría general de la relatividad de Albert Einstein, que con la ley universal de la gravedad de Newton. Este científico difundió y elaboró la visión aristotélica de que la Tierra atraía los cuerpos hacia ella; estableció que cada masa atrae otras masas a su alrededor, es decir, que todo cuerpo ejerce una fuerza de atracción sobre otros cuerpos cercanos. Esta fuerza es mayor mientras mayor sea la masa del cuerpo, y es menor mientras mayor sea la distancia entre los cuerpos.

■ masa

■ peso

El concepto de **masa** también fue establecido por Newton, y difiere de manera sutil del concepto de peso, que le precede. Cuando hablamos de la masa de un cuerpo nos referimos a la cantidad de inercia que el cuerpo posee; esto es, cuán fácil o difícil es acelerarlo o detenerlo si ya se encuentra en movimiento. El **peso**, por su parte, es la fuerza ejercida por la masa multiplicada por su aceleración. Mientras nos encontremos en la Tierra no hay gran diferencia entre masa y peso, puesto que la aceleración impartida por la atracción gravitacional del planeta es constante (9.8 m/s^2). Sin embargo, si nos moviéramos al espacio con dos objetos, uno con una masa de 100 gramos y otro de 1000 gramos, ninguno de los dos tendría peso en el espacio, pero el de 1000 gramos sería más difícil de acelerar y detener que el de 100 gramos.

■ Vía Láctea

Formación del planeta Tierra

Figura 11.1 ■ El sistema solar. El diámetro de los planetas está dibujado a escala, no así las distancias (los planetas siguen el orden de la tabla 11.1).

FUENTE: Michell *et al.: Integrated Science, Book 1*, Thomas Nelson, Scarbourough, 1992, p. 10.

Nuestro Sol, compuesto principalmente de hidrógeno, se comenzó a formar hace unos 5000 millones de años y se estima que durará otros tantos antes de consumirse. A su alrededor giran ocho planetas (figura 11.1 y tabla 11.1) y millones de estrellas, y juntos forman la galaxia que conocemos como **Vía Láctea** (figura 11.2). Hasta hace unos años, se consideraba a Plutón como el noveno planeta de nuestro sistema solar. Por su pequeño tamaño y las particularidades de su órbita, Plutón fue recientemente eliminado de la lista de planetas y añadido como planeta enano a los objetos del Cinturón Kuiper, que se extiende hasta la órbita de Neptuno. Este cinturón está formado

Tabla 11.1 ■ Características generales y relativas de los planetas que componen nuestro Sistema Solar en comparación con la Tierra.

Cuerpo celeste	Diámetro (Tierra=1)	Masa (Tierra=1)	Gravedad (Tierra=1)	Periodos de rotación			Periodo de traslación en años	Distancia relativa del Sol (Sol–Tierra=1)	Número de lunas
				días	horas	minutos			
Sol	109.0	333 000.00	28.00	25	9				
Mercurio	0.40	0.06	0.40	58	16		0.2	0.4	0
Venus	0.95	0.80	0.90	244	7		0.7	0.7	0
Tierra	1.0	1.0	1.00		23	56	1.0	1.0	1
Marte	0.53	0.10	0.40		24	37	1.9	1.5	2
Júpiter	11.18	317.00	2.60		9	50	11.9	5.2	16*
Saturno	9.42	95.00	1.10		10	14	29.5	9.5	15*
Urano	3.84	14.50	0.90		10	49	84.0	19.2	5*
Neptuno	3.93	17.20	1.20		15	48	164.8	30.1	2

* = más anillos

principalmente por objetos compuestos de metano, amoniaco o agua congelados, así como por algunos planetas enanos, de entre los que Plutón es el de mayor tamaño.

Nuestra galaxia tiene forma espiral, y en unos de sus brazos se formaron hace 4500 millones de años algunos planetas, entre ellos la Tierra, que es el tercer planeta desde el Sol, la cual había asumido una forma definida. El enfriamiento de la nube cósmica y la aglomeración de partículas espaciales se combinaron para dar origen a nuestro planeta. Pero aún estaba muy caliente, especialmente en su centro, donde la actividad radiactiva y la compresión de la masa planetaria producían una temperatura elevada. Hoy día, el interior del planeta todavía es muy caliente (figura 11.3). Por ejemplo, el agua hierve a 100 °C, pero en el centro del planeta la temperatura puede llegar a los 4500 °C.

Las rocas que formaron el planeta liberaron gases, éstos quedaron atrapados por su fuerza gravitacional y dieron origen a lo que conocemos como atmósfera, que era muy distinta a la actual. Esta atmósfera primitiva no contenía el oxígeno gaseoso que hoy es indispensable para la mayoría de las formas de vida, sino que estaba constituida por hidrógeno (H_2), nitrógeno (N_2), monóxido de carbono (CO) y dióxido de carbono (CO_2), principalmente. La Luna, satélite natural de la Tierra, no podía retener estos gases

Figura 11.2 ■ La Vía Láctea, galaxia en la cual se encuentra nuestro sistema solar, está constituida por muchas otras estrellas. El inciso **a)** de la ilustración muestra la galaxia de lado y el **b)**, una vista desde arriba. El punto negro representa la ubicación aproximada de nuestro Sistema Solar en la galaxia.

FUENTE: Michell *et al.: Integrated Science, Book 1*, Thomas Nelson, Scarbourough, 1992, p. 16.

a)   b)

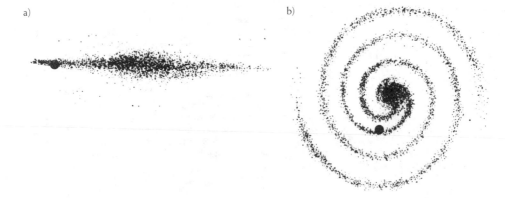

Figura 11.3 ■ Capas del planeta Tierra. **a)** Centro del planeta, constituido principalmente por un núcleo interno sólido y un núcleo externo líquido, ambos de hierro y níquel, su temperatura puede alcanzar los 4500 °C; **b)** el manto tiene porciones de magma sobre la cual se desplazan las placas tectónicas de la corteza, su temperatura puede sobrepasar los 2000 °C; **c)** la corteza terrestre es una zona fina y sólida donde se encuentran todas las formas de vida.

FUENTE: Michell *et al.: Integrated Science, Book 1*, Thomas Nelson, Scarbourough, 1992, p. 39.

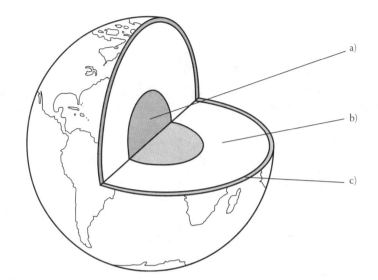

■ eón hadeano
■ eón

debido a su reducido tamaño y masa, razón por la cual no tiene una atmósfera como la de la Tierra.

Todo esto ocurrió en el **eón hadeano,** hace unos 4000 millones de años. El **eón** es la unidad de tiempo geológico más grande que usan los cosmólogos y geólogos. Más adelante veremos otras unidades menores: eras, periodos, épocas y edades (Edad del Hielo, por ejemplo).

La superficie de la Tierra y el origen de la vida

■ eón arqueano

■ tectonismo

Durante el **eón arqueano**, 2600 a 3900 millones de años, la corteza terrestre se enfrió, el agua en la atmósfera se condensó en forma de nubes y cayó sobre la Tierra. Comenzó el **tectonismo** o movimiento de las placas que forman la corteza (figura 11.4). La

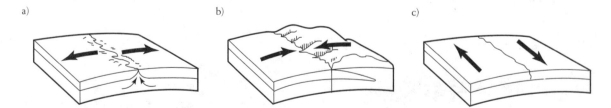

Figura 11.4 ■ Patrones de actividad tectónica ilustrados mediante las posibles interacciones en la frontera entre dos placas. **a)** Divergencia: Las flechas gruesas indican el movimiento de dos placas que se desplazan en direcciones opuestas. Las flechas pequeñas señalan el movimiento del magma según fluye hacia la superficie, formando nueva roca. **b)** Subducción o convergencia: Dos placas se mueven una contra la otra y chocan. Una de las placas se desplaza sobre la otra y al doblarse forma montañas. El magma fluye hacia la superficie y origina una actividad volcánica. **c)** Transformación: Dos placas se desplazan una junto a la otra en direcciones contrarias; el resultado puede ser actividad volcánica y terremotos.

FUENTE: Michell *et al., Integrated Science, Book 1*, Thomas Nelson, Scarbourough, 1992, p. 53.

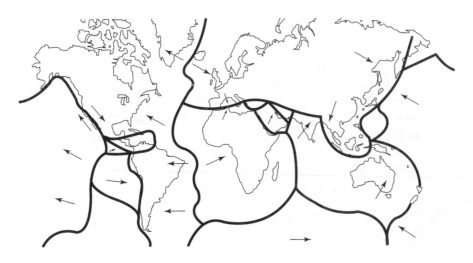

Figura 11.5 ■ Placas principales que componen la superficie terrestre hoy día. Las flechas indican la dirección en la cual se desplazan las placas.

FUENTE: Michell *et al.: Integrated Science, Book 1*, Thomas Nelson, Scarbourough, 1992, p. 53.

corteza terrestre no es una capa o cascarón continuo; por el contrario, está fraccionada en muchas **placas tectónicas** que se desplazan sobre roca derretida en el manto.

Durante este mismo eón, hace 3500 millones de años, aparecieron las primeras formas de vida. Este hecho se dedujo al examinar los depósitos de carbón de origen orgánico de ese tiempo que aún existen.

¿Cómo se originaron estas primeras formas de vida? Aún no se sabe con exactitud; lo que sí se ha descubierto es que al reproducir en el laboratorio las condiciones de la atmósfera arqueana se obtienen las moléculas orgánicas que son la base de la vida. Claro está que no se conoce cada detalle de la atmósfera primitiva, pero una cosa es cierta: las primeras formas de vida no eran capaces de sintetizar su propio alimento a través del proceso de la fotosíntesis.

Durante el **eón Proterozoico**, hace entre 600 y 2600 millones de años, se formó la tectónica actual (figura 11.5) y aparecieron los primeros continentes de naturaleza **granítica** (figura 11.6), es decir, continentes formados a partir de **magma** o roca derretida intrusiva que se solidificó sin estar expuesta al aire, de forma contraria a la roca extrusiva, que es cuando se solidifica expuesta al aire, como la lava.

■ **placas tectónicas**
■ **eón Proterozoico**
■ **granítica**
■ **magma**

Figura 11.6 ■ Formación de granito. **a)** Se deposita sedimento, formándose roca sedimentaria; **b)** magma proveniente del manto es inyectada en la roca sedimentaria, donde se enfría y solidifica dando lugar a una intrusión, y **c)** la erosión remueve roca sedimentaria exponiendo el granito.

FUENTE: Michell *et al.: Integrated Science, Book 1*, Thomas Nelson, Scarbourough, 1992, p. 49.

a)   b)   c)

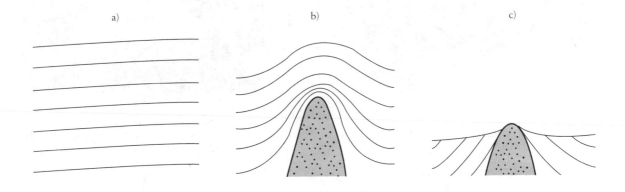

■ **meteorización**
■ **erosión**

Figura 11.7 ■ Rearreglo del paisaje. **a)** La meteorización degrada la superficie terrestre; **b)** este suelo es erosionado por el agua y el viento, y **c)** se sedimenta en cuerpos de agua o en terrenos más bajos.

FUENTE: Michell *et al.: Integrated Science, Book 1*, Thomas Nelson, Scarbourough, 1992, p. 41.

La solidificación del magma no es el único factor de la formación de cuerpos terrestres. Éstos surgen cuando la actividad tectónica hace que sobrepasen la superficie del mar, o cuando el mar desciende, exponiendo formaciones sumergidas. Choques entre placas ocasionan pliegues en la corteza, que dan por resultado la formación de grandes cadenas montañosas como los Himalayas. Estas montañas surgieron como resultado del choque de la India contra el continente asiático. Una vez formado, el cuerpo terrestre será esculpido por las inclemencias del tiempo; procesos conocidos como **meteorización** y **erosión**, donde la lluvia y el viento degradan y desgastan la roca, y luego acarrean los sedimentos de un lugar a otro, rearreglan el paisaje original (figuras 11.7 y 11.8) y dan como resultado valles con ríos, cañones y cuevas.

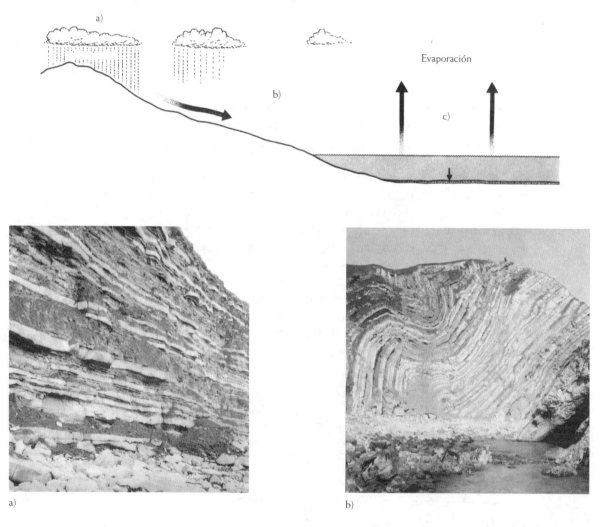

Figura 11.8 ■ **a)** La roca sedimentaria se deposita en capas horizontales; **b)** debido a presiones que se generan en la corteza, esta capa puede doblarse o fracturarse.

FUENTE: Michell *et al.: Integrated Science, Book 1*, Thomas Nelson, Scarbourough, 1992, p. 45.

En nuestros días, se puede observar que muchos sedimentos del Proterozoico muestran **oxidación**, es decir, que reaccionaron con oxígeno. Esta observación se interpreta como prueba de que el nivel de oxígeno (O_2) en la atmósfera había aumentado, y esto tiene aún más sentido si tomamos en cuenta que durante el Proterozoico aparecieron las **cianobacterias**.

Las cianobacterias fueron los primeros organismos capaces de llevar a cabo la fotosíntesis. Como veremos en el próximo capítulo, la fotosíntesis es un proceso durante el cual se libera oxígeno (O_2) a la atmósfera, al tiempo que se remueve dióxido de carbono (CO_2). La creciente actividad metabólica de las cianobacterias y otros organismos unicelulares (y posteriormente multicelulares) cambiaron de manera gradual, a través de los eones, la composición química de la atmósfera, hasta dar la composición actual de 79% nitrógeno, 21% oxígeno y 2% distribuido entre dióxido de carbono, monóxido de carbono, metano, hidrógeno y otra decena de compuestos. De este eón se han identificado **estromatolitos** en Australia, África y Canadá, que son fósiles de comunidades microbianas capaces de llevar a cabo la fotosíntesis.

■ oxidación

■ cianobacterias

■ estromatolitos

Tabla 11.2 ■ Escala geológica del Fanerozoico con una breve descripción de los eventos mayores.

Era	Periodo	Época	Millones de años en el pasado	Principales acontecimientos
Paleozoica	Cámbrico			Diversificación de la mayoría de los animales.
	Ordoviciano		505	Primeros vertebrados.
	Siluriano		436	Aparecen las plantas y artrópodos terrestres.
	Devoniano		410	Surgen los anfibios y los insectos.
	Carbonífero		360	Primeros reptiles.
	Permiano		290	Gran diversificación de reptiles. Muchas extinciones.
Mesozoica	Triásico		240	Diversificación de dinosaurios. Aparecen los mamíferos.
	Jurásico		205	Primeras aves y plantas con flores.
	Cretácico		138	Gran diversificación de plantas con flor y de insectos. Extinción de los dinosaurios.
Cenozoica	Terciario	Paleoceno	65	Diversificación de mamíferos primitivos.
		Eoceno	54	Aparecen órdenes modernos de mamíferos.
		Oligoceno	38	Familias modernas de mamíferos.
		Mioceno	25	Diversificación y extinción de mamíferos.
		Plioceno	5	Evolución de homínidos.
	Cuaternario	Pleistoceno	1.65	Edad del hielo. *Homo sapiens* es común.
		Reciente	0.01	Desarrollo de agricultura y civilización.

■ Fanerozoico

■ fósiles

El **Fanerozoico**, eón que comenzó hace 600 millones de años y en el cual aún vivimos, se divide en eras, periodos y épocas (tabla 11.2) a las que comúnmente se les denomina prehistoria, porque la mayoría de los **fósiles** provienen de este eón. Durante este tiempo se originaron los organismos multicelulares y los continentes comenzaron a desplazarse hasta alcanzar su posición actual (figura 11.9).

Figura 11.9 ■ Posición de los continentes durante el eón Fanerozoico.
a) Permiano, **b)** Triásico, **c)** Cretácico y **d)** Cuaternario.

FUENTE: Michell *et al., Integrated Science, Book 1,* Thomas Nelson, Scarbourough, 1992, p. 54.

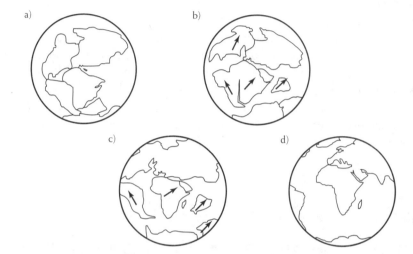

Enlace ■ ■ ■ □

Fósiles y fechado de tiempo geológico

Por lo general, los fósiles pasan desapercibidos para la mayoría de nosotros, pero son relativamente comunes en nuestro alrededor. Podemos verlos en algunos rellenos para la construcción, en un lugar donde se lleve a cabo movimiento de suelo o a la orilla de una carretera donde se ha cortado el paisaje. En terrenos de origen calizo es común encontrar fósiles de invertebrados marinos (figura A) e incluso huesos de sirenios extintos (mamíferos del grupo del manatí o vaca marina).

Cuando encontramos un fósil, no siempre vemos el organismo mismo. El fósil a menudo se forma cuando un organismo es sepultado rápida-

mente por sedimentos. Poco a poco, los minerales del suelo reemplazan los tejidos del organismo muerto hasta formar un molde de él. Determinamos su edad mediante fechado radioisotópico. Esta técnica se basa en dos hechos fundamentales:

1. Los isótopos (capítulo 2) radiactivos se descomponen a una velocidad constante. Por ejemplo, la mitad de potasio-40 se descompone en argón-40 cada 1.3 millardos de años, mientras la mitad del carbono-14 se descompone en carbono-13 cada 5770 años. El tiempo que tarda en descomponerse la mitad de un isótopo es lo que se conoce como vida media.

2. Puesto que los organismos vivos incorporan nutrientes del entorno, asimilan isótopos en proporción a su abundancia en el ambiente. Cuando el organismo muere, deja de asimilar isótopos, que continuarán descomponiéndose. Si analizamos el tejido muerto y determinamos las proporciones de isótopos que contiene, descubrimos cuánto tiempo ha pasado desde que murió.

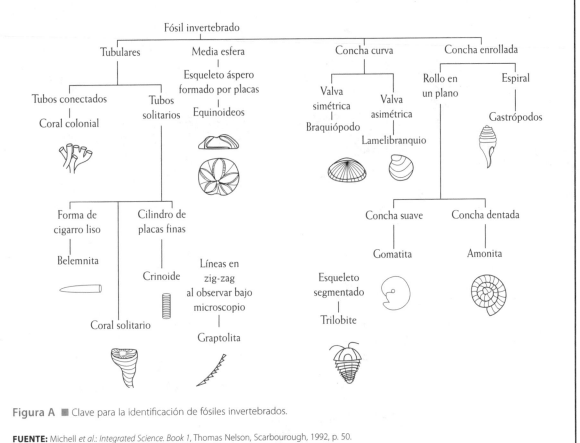

Figura A ■ Clave para la identificación de fósiles invertebrados.

FUENTE: Michell *et al.: Integrated Science. Book 1*, Thomas Nelson, Scarbourough, 1992, p. 50.

CUESTIONARIO

1. ¿Cómo podemos verificar la existencia de un cambio gradual en la concentración de oxígeno en la atmósfera desde el origen de la vida?

2. ¿Qué fuente de energía utilizaron las primeras formas de vida si eran incapaces de realizar la fotosíntesis?

CAPÍTULO 12

Biosfera

Todas las formas de vida de nuestro planeta interactúan de una forma u otra y dan lugar a lo que se conoce como **biosfera** (figura 12.1). Estas distintas interacciones entre los organismos y su ambiente físico son objeto de estudio principalmente de la **ecología**, término que proviene de las raíces griegas *oikós* (casa, hogar) y *logos* (estudio o tratado). Claro está que la vida ejerce una influencia recíproca no sólo en los seres vivos, sino también en los componentes inertes o abióticos del ambiente. En este sentido, la geografía, la geología y la meteorología son importantes dentro de la ecología para entender la distribución y abundancia de los organismos. También la astronomía cobra importancia, pues la biosfera no es un sistema cerrado; su energía la recibe principalmente del Sol y se disipa al espacio. De manera similar, aspectos como las mareas y la actividad de muchos organismos son afectados por la posición y las fases de la Luna (figuras 12.2, 12.3, 12.4 y 12.5).

- biosfera

- ecología

En este capítulo veremos cómo se relacionan los componentes de la biosfera para mantenerla funcionando y cómo nuestras actividades cotidianas amenazan la integridad de todo el sistema. Conocer nuestra relación con el ambiente debe contribuir a la modificación de algunos aspectos de nuestra conducta.

Patrones climatológicos

Tres factores principales afectan los patrones climatológicos del planeta: a) el calentamiento desigual de la superficie terrestre (figura 12.6); b) el movimiento de rotación de la Tierra (figura 12.7) y c) la distribución desigual de cuerpos terrestres, océanos y montañas (figura 12.8).

Figura 12.1 ■
Representación esquemática de la Tierra que muestra la porción que constituye la biosfera.

FUENTE: Miller: *Living in the Environment,* Wadsworth, Belmont, p. 90.

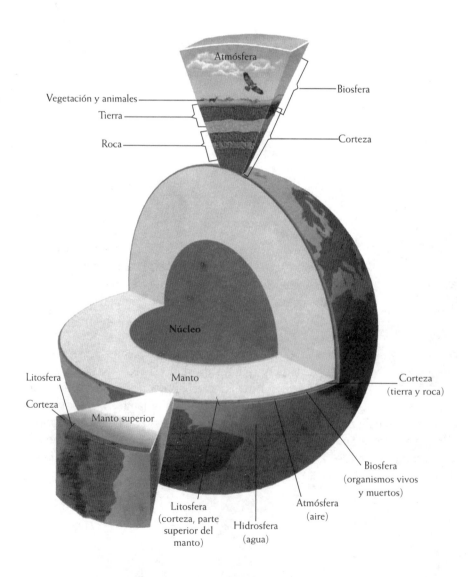

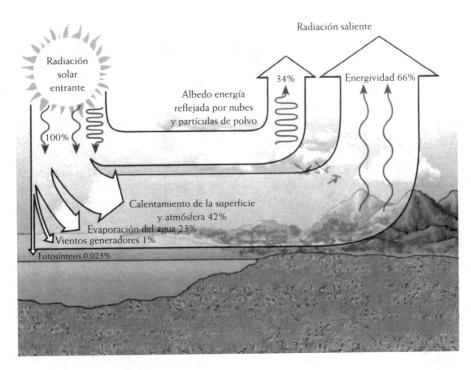

Figura 12.2 ■ Modelo general del flujo de energía en la Tierra a partir de la radiación solar.

FUENTE: Miller: *Living in the Environment*, Wadsworth, Belmont, p. 92.

El calentamiento desigual de la superficie terrestre se debe no sólo a la curvatura del planeta, sino también a su inclinación. El eje de rotación de la Tierra se encuentra inclinado 23.5° respecto al plano en que inciden los rayos solares (figura 12.9). Como consecuencia de esta inclinación, el **ecuador solar,** es decir, el lugar de la Tierra donde los rayos solares inciden en ángulo recto respecto a la superficie, se desplaza 23.5° al norte y al sur del ecuador terrestre, dependiendo de la época del año. Estos extremos del ecuador solar se conocen como trópico de Cáncer y trópico de Capricornio (figura 12.10) y la región comprendida entre ambos recibe el nombre de **zona tropical** que, como es bien sabido, sufre fluctuaciones termales mínimas durante el año. Por su parte, los hemisferios norte y sur experimentan estaciones invertidas; es decir, el verano de Nueva York es el invierno de Buenos Aires y viceversa. Este calentamiento desigual de la superficie produce masas de aire frío y caliente que se desplazan poniendo la atmósfera en movimiento.

■ **ecuador solar**

■ **zona tropical**

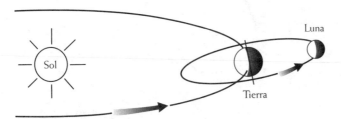

Figura 12.3 ■ Órbita de la Tierra alrededor del Sol y de la Luna alrededor de la Tierra.

FUENTE: Michel *et al*: *Integrated Science, Book 1*, Thomas Nelson, Scarbourough, 1992, p. 5.

Figura 12.4 ▤ Relación entre la posición de la Luna y sus fases. En la posición 1 el lado iluminado de la Luna no se observa desde la Tierra; se conoce como Luna nueva. En la posición 5, se le nombra Luna llena.

FUENTE: Michell *et al.: Integrated Science, Book 1*, Thomas Nelson, Scarbourough, 1992, p. 5.

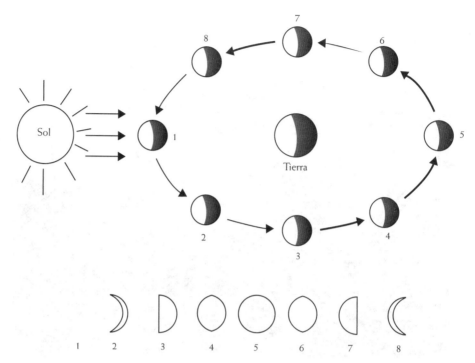

Figura 12.5 ▤ La posición de la Luna y el Sol influye en las mareas en la Tierra al variar la fuerza de atracción que aquéllos ejercen sobre el planeta.

FUENTE: Michell *et al.: Integrated Science, Book 1*, Thomas Nelson, Scarbourough, 1992.

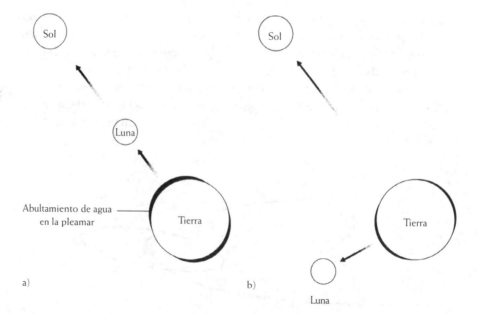

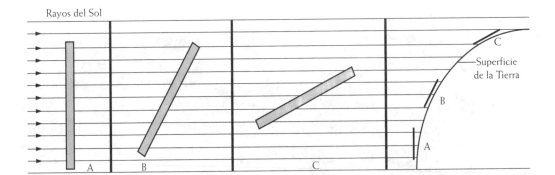

La distribución desigual de cuerpos terrestres, océanos y montañas es importante por varias razones. La capacidad que tiene el agua para absorber calor es mucho mayor que la del aire, por lo que las zonas costeras, así como el hemisferio sur, experimentan temperaturas menos extremas que el interior de los grandes continentes; en otras palabras, los cuerpos de agua amortiguan las fluctuaciones termales. Por su parte, las montañas hacen que las masas de aire caliente que llegan a sus faldas asciendan y se enfríen; esto reduce la capacidad del aire para llevar agua, la cual se condensa y se precipita (figura 12.8).

Figura 12.6 ■ La curvatura del planeta ocasiona que la cantidad de energía que se recibe en la superficie disminuya según nos movemos del ecuador hacia los polos.

FUENTE: Michell *et al.: Integrated Science, Book 1*, Thomas Nelson, Scarbourough, 1992, p. 3.

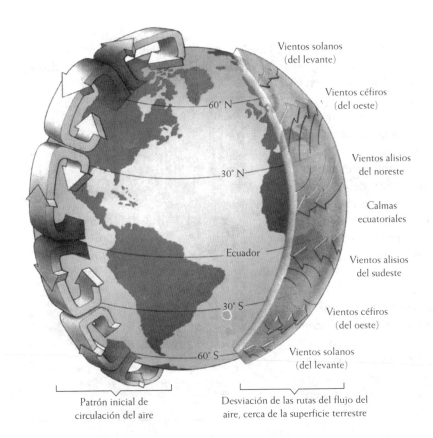

Patrón inicial de circulación del aire

Desviación de las rutas del flujo del aire, cerca de la superficie terrestre

Figura 12.7 ■ A medida que la Tierra rota sobre su eje, la superficie se mueve más rápidamente bajo las masas de aire ecuatorial que bajo los polares. Este movimiento causa que se desvíen las corrientes de aire que han sido generadas por el calentamiento desigual de la superficie.

FUENTE: Miller: *Living in the Environment*, Wadsworth, Belmont, p. 131.

Figura 12.8 ■ Las montañas tienen la propiedad de producir "sombras de lluvia" (*rain shadow*), donde los dos lados de una cordillera muestran regímenes muy distintos de precipitación pluvial. El desierto de Mojave, al este de la Sierra Nevada en California, así como el bosque seco al suroeste de la cordillera central en Puerto Rico son el resultado de este efecto.

FUENTE: Miller: *Living in the Environment,* Wadsworth, Belmont, p. 135.

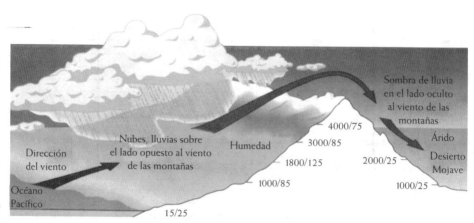

Sombra de lluvia en el lado oculto al viento de las montañas

4000/75

Árido

Desierto Mojave

3000/85

2000/25

1800/125

1000/25

Nubes, lluvias sobre el lado opuesto al viento de las montañas

Humedad

1000/85

Dirección del viento

Océano Pacífico

15/25

Enlace ■■■■

Cambio climático

Juan Trías

Los cambios climatológicos son alteraciones del clima a largo plazo a nivel mundial; no deben confundirse con las modificaciones en el tiempo que ocurren diariamente en una localidad dada. Las variantes del tiempo en un área geográfica específica son altamente dinámicas y a menudo difíciles de predecir.

La variación principal que influye en el clima a largo plazo es la temperatura que, a su vez, altera los patrones de lluvia y de circulación del viento. Estas modificaciones climatológicas pueden durar décadas o miles de años y son causadas por los procesos dinámicos naturales de la tierra o por actividades antropogénicas.

Uno de los indicadores de cambio en el clima son los glaciares, los cuales se derriten durante periodos de altas temperaturas y se extienden durante eras de bajas temperaturas. Al presente, la tendencia de los glaciares ha sido derretirse a consecuencia de altas temperaturas en la atmósfera y la corteza terrestre. El derretimiento

de estos hielos no solamente aumenta el nivel del mar, también modifica las densidades y sa-

Figura A ■ La energía producida por el Sol es la fuente esencial de todo calor necesario para moldear nuestro sistema climatológico.

linidades de las corrientes oceánicas, alterando así su patrón de circulación y variando, a su vez, las temperaturas climatológicas.

Otros cambios en el clima, ocurren a consecuencia de la interacción entre la atmósfera y los océanos. Una de las más conocidas, la corriente de El Niño en el Pacífico sur, tiene su origen en las diferentes formas en que los océanos almacenan energía y la transportan de un lugar a otro a través de la columna de agua. La circulación de la termohalina (circulación a gran escala de corrientes profundas a base de gradientes globales en densidad) y el efecto del viento en las corrientes superficiales son los procesos principales para la redistribución y transporte de la energía en los océanos.

La energía producida por el sol es la fuente esencial de todo calor necesario para moldear nuestro sistema climatológico. Entre los cambios solares que modifican el clima están las variaciones solares o cambios en la cantidad de energía emitida por el sol, que ocurren aproximadamente cada 11 años.

Las variaciones de la órbita del planeta producen cambios en la distribución de la cantidad de energía y de luz que llega a la Tierra, donde ésta o uno de sus hemisferios estará más lejos o más cerca del Sol, de modo que la climatología terrestre se ve afectada. Estas variaciones se conocen como los ciclos de Milankovitch, en honor del matemático e ingeniero de origen serbio. El ciclo de excentricidad, que ocurre cada 100 000 años, es donde la Tierra puede estar tan cerca como 147 millones y tan lejos como 153 millones de kilómetros del Sol. En el ciclo de precesión, que ocurre cada 24 000 años, la Tierra oscila y gira de manera similar a un trompo. El tercer ciclo, que ocurre cada 43 000 años, es el de inclinación, donde el ángulo entre una línea perpendicular al plano del ecuador y otra perpendicular al plano orbital de la Tierra producen un ángulo

Figura B ■ Entre otros factores, el derretimiento de los hielos produce un aumento en la temperatura, pues permite una mayor absorción de la energía solar y un incremento de la temperatura en la corteza terrestre y la atmósfera.

que al presente se calcula en 23.5°. Se considera que estas variaciones influyen en gran medida en los ciclos de glaciación e interglaciación en el planeta.

El efecto de los gases de invernadero al absorber calor es necesario para mantener una temperatura promedio de unos 15° C, ideal para la presencia de la vida en la Tierra. Sin embargo, cuando estos gases absorben una energía mayor a lo normal, se produce un calentamiento global en detrimento de la vida.

Entre los gases naturales de invernadero cuya concentración en la atmósfera ha aumentado como resultado de la actividad humana y que han creado altas temperaturas en el clima global, está el dióxido de carbono (CO_2). Según el reporte del Panel Intergubernamental de Cambios Climatológicos, 2007 (IPCC, por sus siglas en inglés), la concentración de CO_2 en 2005 fue de 379 ppm, comparado con los valores anteriores a la revolución industrial, de unas 280 ppm. Óxido nitroso, metano y vapor de agua son otros gases naturales cuya concentración ha aumentado a consecuencia de la actividad antropogénica.

Los gases sintéticos también son responsables del calentamiento global y también alteran el clima. Son los fluorocarbonos, utilizados principalmente como refrigerantes, y se clasifican en dos grupos principales: los clorofluocarbonos (CFC), y los hidrofluorocarbonos (HFC). El Tratado de Montreal de 1985 prohibió la manufactura de los CFC debido al daño que producían en la capa de ozono y con el tiempo fueron sustituidos por los HFC, que no son tan dañinos para el ambiente.

Modificaciones del albedo a causa del derretimiento de los hielos y de la alteración de los bosques a favor del cultivo producen un aumento en la temperatura al permitir una mayor absorción de la energía solar y un incremento de la temperatura en la corteza terrestre y la atmósfera.

Entender el proceso climatológico a largo plazo es importante para proteger la vida humana, la infraestructura y el ambiente.

Fotosíntesis y productividad

Prácticamente toda la energía del planeta proviene del Sol. Aun cuando los distintos renglones de esta energía son responsables de calentar la superficie terrestre, los cuerpos de agua generan vientos y lluvias, elementos todos importantes para la vida. La **fotosíntesis** transforma la energía solar en energía química necesaria para sostener la vida del planeta. La que presentan los organismos autótrofos (figura 12.11) se resume de la siguiente manera:

■ fotosíntesis

$$6CO_2 + 12H_2O + \text{energía solar} \longrightarrow C_6H_{12}O_6 + 6O_2 + 6H_2O$$

Figura 12.9 ■ La inclinación del eje de rotación de la Tierra es la causa de los cambios de las estaciones del año.

FUENTE: Miller: *Living in the Environment*, Wadsworth, Belmont, p. 131.

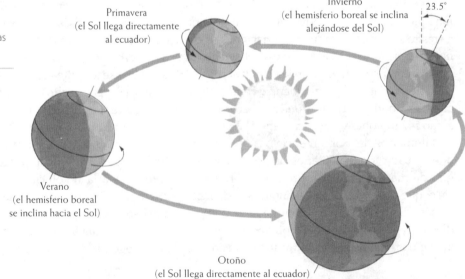

Primavera
(el Sol llega directamente al ecuador)

Invierno
(el hemisferio boreal se inclina alejándose del Sol)

23.5°

Verano
(el hemisferio boreal se inclina hacia el Sol)

Otoño
(el Sol llega directamente al ecuador)

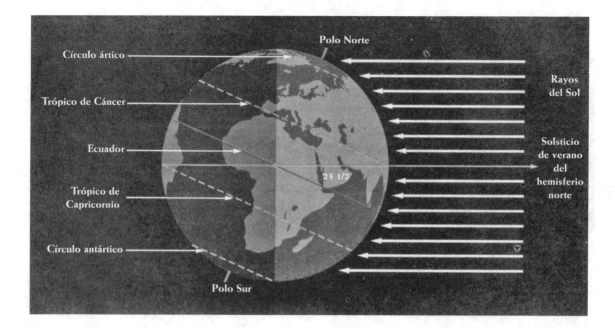

En otras palabras, 6 moléculas de dióxido de carbono y 12 de agua en presencia de luz solar en el cloroplastidio producen una molécula de glucosa, 6 de oxígeno y 6 de agua. En los enlaces de la molécula de glucosa queda atrapada parte de la energía que viene del Sol. Esta molécula es movilizada por las plantas para usar su energía y es consumida por otros organismos con el mismo propósito.

Figura 12.10 ■ La latitud de la Tierra sobre la cual los rayos solares inciden directamente varía durante el año. Los extremos de esta zona de desplazamiento son los que se conocen como trópico de Cáncer y trópico de Capricornio.

Enlace ■ ■ ■ ■

La bio-remediación ambiental
Oscar Ruiz

La bio-remediación es la utilización de seres vivos para la remediación o el mejoramiento de lugares contaminados. Aunque el término bio-remediación abarca todos los organismos que cuentan con la capacidad de limpiar contaminantes ambientales, mayormente se refiere al uso de microorganismos como las bacterias e incluso los hongos. Cuando la bio-remediación ambiental es llevada a cabo por plantas, se conoce como fito-remediación.

La contaminación del ambiente es uno de los problemas más apremiantes de nuestra sociedad que compete a todos.

Cada día, como resultado de los esfuerzos de mantener el desarrollo socioeconómico, se liberan toneladas de desperdicios al ambiente en forma solida, líquida y gaseosa. La acumulación de dichos contaminantes ambientales puede producir efectos de alcance global; ejemplo de ello es el "efecto de invernadero" o el calentamiento de

Figura A ■ La contaminación ambiental es uno de los problemas más apremiantes de nuestra sociedad que nos incumbe a todos.

nuestra atmósfera debido a la retención de radiación causada en su mayor parte por gases de origen antropogénico. El problema principal de la contaminación es que una vez liberada al ambiente es muy costoso y difícil de limpiar o remediar mediante los métodos fisicoquímicos convencionales. Debido a esto, se requiere un esfuerzo cónsono de la sociedad a nivel global para reducir la producción de contaminantes ambientales en el futuro. Para poder lidiar con la contaminación actual y futura de nuestro planeta nuevas tecnologías están siendo desarrolladas. Entre éstas, la bio-remediación despunta como una alternativa menos costosa, más sencilla y positiva para el ambiente, que se apoya en las capacidades naturales de los seres vivos para resistir y utilizar compuestos tóxicos. Mediante la bio-remediación los seres vivos pueden transformar compuestos y desperdicios tóxicos en productos que representan menor o ningún peligro para el ambiente.

Las tecnologías de bio-remediación basadas en el uso de bacterias son muy prominentes hoy día, ya que la variabilidad genética de estos microorganismos les confiere una gran capacidad para adaptarse a condiciones adversas de crecimiento. Ejemplos de la aplicación de las bacterias en la bio-remediación son su utilización en la limpieza de derrames de petróleo y sus derivados al igual que compuestos orgánicos e inorgánicos de alta toxicidad, como los plaguicidas y los fertilizantes que se encuentran en acuíferos. Incluso bacterias como *Deinococcus radiodurans* se han descrito como posibles agentes de bio-remediación de agentes radiactivos como el uranio, los cuales son en general altamente letales para los seres vivos. Por otro lado la utilización de hongos o mico-remediación encuentra su lugar dentro de la bio-remediación gracias a su gran capacidad para descomponer materia orgánica, especialmente aquella con niveles altos de celulosa, como lo son el papel, el cartón y la madera. De igual forma la fito-remediación utiliza vegetación para limpiar ambientes contaminados.

Las plantas tienen mayor aceptación por el público en general ya que, comparadas con las bacterias, son más fáciles de contener en el lugar donde ocurre la contaminación, producen

Figura B ■ Se ha descubierto que las raíces de los girasoles pueden limpiar la tierra de metales pesados como el plomo o el cadmio. Una vez que los han absorbido, las plantas deben ser retiradas. Por esta importante propiedad, fueron usadas para tratar el terreno próximo a la central nuclear de Chernobyl, luego del accidente.

su propio alimento, de modo que son menos costosas y proveen un aspecto estético placentero. Un factor adverso en el uso de las plantas es que son resistentes a un grupo menor de contaminantes y usualmente sólo los toleran en concentraciones de bajas a moderadas, mientras que las bacterias pueden crecer en concentraciones altas. Aun así se han encontrado especies de plantas conocidas como híper acumuladores que pueden almacenar altas concentraciones de algunos metales pesados. Los mecanismos de bio-remediación utilizados por las plantas incluyen la fito-extracción, fito-acumulación, fito-degrada-

ción y fito-volatilización; que implican la absorción, acumulación, degradación e incluso la liberación de la forma remediada al ambiente en forma gaseosa, respectivamente. En la actualidad, la biotecnología molecular a través de la tecnología de recombinación genética permite la inserción de genes provenientes de microorganismos y hasta de animales en el genoma de las plantas, permitiendo el desarrollo de nuevas características de fito-remediación para las cuales naturalmente las plantas no son resistentes. Estos avances tecnológicos presentan una gran promesa en el mejoramiento ambiental.

El oxígeno se genera como un producto de desecho que resulta del rompimiento de las moléculas de agua. Los organismos aeróbicos lo utilizan para liberar la energía atrapada en la molécula de glucosa mediante el proceso de respiración celular (figura 12.12). La velocidad a la que los organismos productores atrapan energía es lo que conocemos como producción primaria bruta. La diferencia en la velocidad a la que las plantas atrapan esta energía a través de la fotosíntesis y la velocidad a la que la usan por el proceso de respiración celular se denomina producción primaria neta. Ésta varía entre ecosistemas (figura 12.13) y representa la energía que queda disponible para ser utilizada por los organismos consumidores o *heterótrofos*.

Comunidad y redes alimentarias

Hasta aquí hemos examinado la importancia del ambiente abiótico sobre los ecosistemas. Igualmente importantes para la supervivencia de los organismos son las interacciones con su ambiente biótico, es decir, con otros organismos. Un tipo fundamental de ecosistema es la **comunidad** o asociación natural de organismos interdependientes que de manera constante fijan, utilizan y liberan energía. Los organismos de una comunidad están organizados en una red alimentaria (figura 12.14), que no es sino una representación gráfica del flujo de energía dentro de la comunidad (figura 12.15). Estas comunidades se nombran de acuerdo con la especie dominante, que por lo general es un árbol. Así, por ejemplo, tenemos que en el Bosque Nacional del Caribe en la Sierra de Luquillo en Puerto Rico, uno de los bosques tropicales mejor estudiados del mundo, encontramos comunidades tales como el Bosque de Tabonuco, Bosque de Palma de

■ comunidad

Sierra y Bosque de Palo Colorado. El nombre de estas comunidades no implica que contengan una sola especie, sino que hace alusión a la especie dominante.

Las comunidades se dividen en asociaciones más pequeñas o se agrupan en ecosistemas mayores conocidos como **biomas** (figura 12.16), término que no debe ser confundido con el de *biomasa*, el cual se refiere a la masa orgánica. El conjunto de biomas constituye la biosfera.

■ biomas

Figura 12.11 ■
Diagrama de la fotosíntesis, la cual se lleva a cabo en los cloroplastidios de las células de plantas y de algunos otros organismos.

FUENTE: Starr, C.: *Basic Concepts in Biology,* Wadsworth, Belmont, 1997, p. 94.

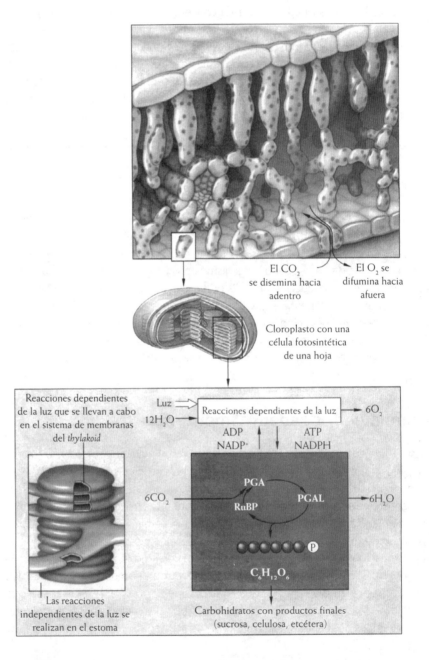

El CO_2 se disemina hacia adentro

El O_2 se difunde hacia afuera

Cloroplasto con una célula fotosintética de una hoja

Reacciones dependientes de la luz que se llevan a cabo en el sistema de membranas del *thylakoid*

Las reacciones independientes de la luz se realizan en el estoma

Luz

$12H_2O$

Reacciones dependientes de la luz

$6O_2$

ADP
NADP⁺

ATP
NADPH

PGA

$6CO_2$

RuBP

PGAL

$6H_2O$

Ⓟ

$C_6H_{12}O_6$

Carbohidratos con productos finales (sucrosa, celulosa, etcétera)

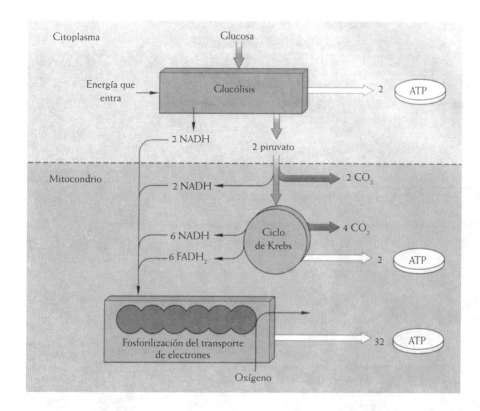

Figura 12.12 ■ Diagrama del proceso de respiración celular que comienza en el citoplasma y continúa en el mitocondrio.

FUENTE: Starr, C.: *Basic Concepts in Biology*, Wadsworth, Belmont, 1997, p. 99.

Figura 12.13 ■ Producción primaria neta promedio de varios ecosistemas principales, expresada en kilocalorías de energía producida por metro cuadrado por año.

FUENTE: Miller: *Living in the Environment*, Wadsworth, Belmont, p. 11.

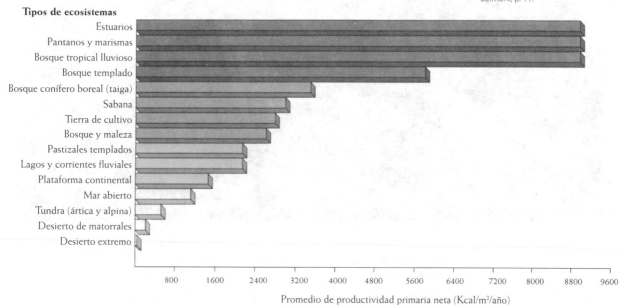

Promedio de productividad primaria neta (Kcal/m²/año)

Figura 12.14 ■ Diagrama de una red alimentaria en un estuario. Las flechas representan la dirección en la que fluye la energía.

FUENTE: Miller: *Living in the Environment*, Wadsworth, Belmont, p. 153.

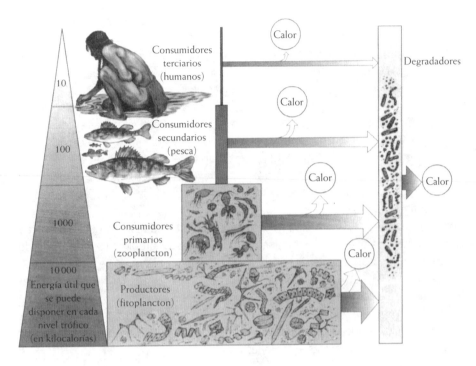

Figura 12.15 ■ Al aplicar la segunda ley de la termodinámica a las redes alimentarias se obtiene una pirámide ecológica, que resulta de la pérdida de energía de un nivel trófico al siguiente.

FUENTE: Miller: *Living in the Environment*, Wadsworth, Belmont, p. 109.

Figura 12.16 ■ Biomas mayores que se observan según se cambia de latitud sobre la superficie del planeta o de elevación en el trópico.

FUENTE: Starr, C.: *Basic Concepts in Biology*, Wadsworth, Belmont, 1997, pp. 686-687.

Crecimiento poblacional

Un tema que gana cada vez mayor atención en las sociedades modernas es el deterioro del ambiente. Se observan políticos con plataformas ambientalistas en sus programas de gobierno, protestas ciudadanas y demandas en las cortes. Las instituciones políticas, privadas y religiosas se señalan unas a otras como responsables del problema, y el ciudadano común cree que todas ellas son responsables. Sin embargo, en la mayoría de los casos se pierde de vista la causa principal del deterioro ambiental, esto es, el rápido crecimiento de la población humana y la consecuente necesidad de explotar más recursos naturales para sostener esta población (figura 12.17).

La velocidad a la que crece la población depende de la diferencia entre la tasa de nacimiento y la de mortalidad. Aunque la tasa de mortalidad en países en desarrollo es alta, la tasa de nacimiento es tal que es ahí donde observamos el crecimiento demográfico más acelerado (figura 12.18). El grado de educación de un pueblo tiene una influencia significativa en los patrones de crecimiento demográfico, debido principalmente a la disponibilidad de métodos anticonceptivos, la actitud y la manera de usarlos (figura 12.19).

Sin lugar a dudas, en todos los problemas ambientales de este planeta la densidad poblacional tiene una función dominante. La negación del problema puede ser desde doctrinal hasta utópica, cuando se argumenta que el problema es de distribución de recursos.

Independientemente del argumento esgrimido, el planeta tiene una capacidad de sustentación limitada y, por tanto, el crecimiento de la población no puede continuar de forma ilimitada. Además, este crecimiento demográfico redunda en la destrucción del hábitat, causa principal de las extinciones.

Figura 12.17 ■ Curva de crecimiento demográfico geométrico o exponencial con proyecciones de crecimiento posteriores al año 2100.

FUENTE: Miller: *Living in the Environment,* Wadsworth. Belmont, p. 77.

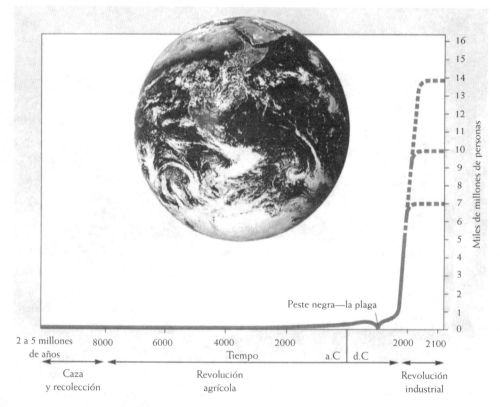

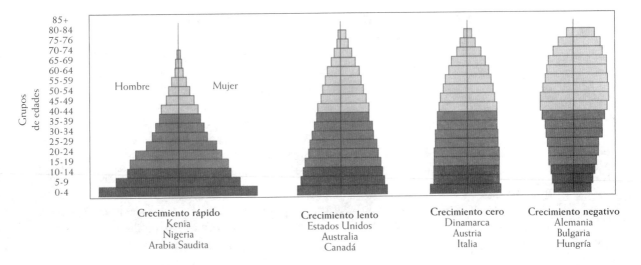

Figura 12.18 ■ Diagrama de la distribución de edades en distintos países. Cuanto mayor sea la base de la "pirámide", mayor será el crecimiento de la población.

FUENTE: Starr, C.: *Basic Concepts in Biology*, Wadsworth, Belmont, 1997, p. 639.

Extremadamente eficaz

Abstinencia total — 100%

Aborto — 100%

Esterilización — 99.6%

Implante hormonal (Norplant) — 99%

Muy eficaz

DIU con base en liberación de hormonas — 98%

DIU más espermaticida — 98%

Saco vaginal ("condón femenino") — 97%

DIU — 95%

Condón (marca de buena calidad) más espermaticida — 95%

Anticonceptivo oral — 94%

Eficaz

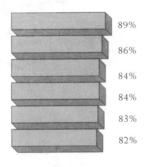

Capuchón cervical — 89%

Condón (marca de buena calidad) — 86%

Diafragma más espermaticida — 84%

Método del ritmo (Bilings, indicios térmicos) — 84%

Esponja vaginal impregnada con espermaticida — 83%

Espermaticida espuma — 82%

Moderadamente eficaz

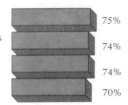

Espermaticida (cremas, gelatinas, supositorios) — 75%

Método del ritmo (lecturas diarias de temperatura) — 74%

Eyaculación externa — 74%

Condón (marca de mala calidad) — 70%

Figura 12.19 ■
Comparación del grado de eficacia de distintos métodos anticonceptivos.

FUENTE: Miller: *Living in the Environment*, Wadsworth, Belmont, p. 229.

No confiable

Ducha vaginal — 40%

Al azar sin método — 10%

Impacto humano en el ambiente

Ninguna especie ha tenido el mismo efecto que el ser humano en la Tierra, y como dijimos, se debe en gran medida a que ninguna otra especie ha alcanzado el mismo crecimiento demográfico que la nuestra. Al aumentar la población y la utilización de los recursos naturales de manera geométrica o exponencial (figura 12.20), el efecto en la naturaleza (figura 12.21) ha tenido que aumentar de la misma manera. Este creciente impacto en el ambiente se ve reflejado en la reducción de la biodiversidad, las hambrunas, el número cada vez mayor de especies en peligro de extinción y la degradación general del ambiente (figura 12.22). Sólo mediante una política pública sensata de control demográfico, reciclaje y sustitución de materias primas, puede llevarse a este proceso de deterioro ambiental a niveles bajos aceptables. Un uso inteligente permite alargar la vida útil de los recursos naturales no renovables, como los minerales, y la conservación de recursos naturales renovables, como el agua y los bosques.

Figura 12.20 ■ Tipos de recursos naturales separados en renovables, no renovables y potencialmente renovables. La manera de utilizarlos determina si estos últimos son o no renovables.

FUENTE: Miller: *Living in the Environment*, Wadsworth. Belmont, p. 13.

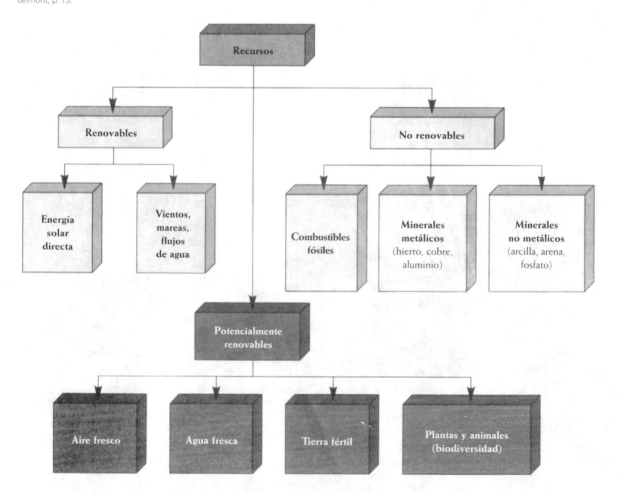

Urbanización de tierra productiva

Pésima administración del suelo

Salinización e inundación de la tierra

Deforestación

Destrucción de tierras húmedas

Agotamiento de las aguas freáticas

Contaminación

Excesivo apacentamiento del ganado

Reducción de la biodiversidad por la eliminación de seres vivos

Figura 12.21 ■ Tipos principales de degradación ambiental. El mal uso de los recursos potencialmente renovables puede ocasionar que pasen a ser no renovables.

FUENTE: Miller: *Living in the Environment,* Wadsworth, Belmont, p. 15.

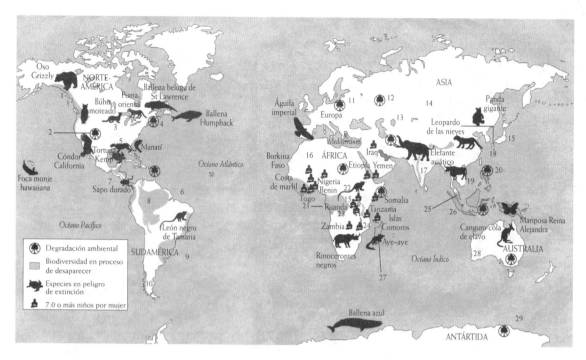

1. Más del 60% de los bosques costeros del noroeste del Pacífico han sido talados

2. Cuarenta por ciento del terreno de Norteamérica ha perdido productividad

3. Hurón de patas negras

4. La pesca en la costa noreste del Atlántico ha descendido 32% desde 1970

5. Pantera de la Florida

6. Cada año se destruyen 1400 kilómetros cuadrados de bosque tropical lluvioso en la cuenca del Amazonas

7. La mitad del bosque restante en Honduras y Nicaragua desaparecerá para principios del siglo XXI

8. Colombia perderá un tercio de su bosque para principios del siglo XXI

9. Pequeño remanente del bosque del Atlántico de Brasil

10. El bosque tropical lluvioso del sur de Chile está amenazado

11. Polonia es el país más contaminado del mundo

12. Muchas regiones de la ex Unión Soviética están contaminadas con desechos industriales y radiactivos

13. El área del Mar Aral se ha reducido un 46%

14. Asia central, desde el Medio Oriente hasta China, ha perdido 72% de tierras de pastoreo y tierras cultivables

15. Las importaciones japonesas de madera son la causa de gran parte de la deforestación tropical del mundo

16. Seiscientos cuarenta mil km² al sur del Sahara se han convertido en desierto desde 1940

17. India y Sri Lanka casi no tienen selvas tropicales

18. La deforestación en los Himalayas causan las inundaciones en Bangladesh

19. Buey salvaje

20. En las Filipinas 90% de los arrecifes de coral están amenazados, todas las selvas vírgenes se habrán extinguido en el año 2010

21. Sesenta y ocho por ciento de las selvas tropicales del Congo se han talado para desmonte

22. Tití leonado

23. Burundi

24. Malawi

25. En la península de Malasia casi todas las selvas se habrán extinguido para el año 2000

26. Los arrecifes de coral de Indonesia están amenazados

27. Madagascar ha perdido 66% de sus selvas tropicales

28. Gran parte de las tierras de pastoreo y de las tierras cultivables de Australia se han convertido en desierto

29. Un agujero en la capa de ozono se abre encima de la Antártida durante el verano

Figura 12.22 ■ Ejemplo de algunos efectos negativos del ser humano en el planeta.

FUENTE: Miller: *Living in the Environment*, Wadsworth, Belmont, pp. 16-17. Datos de 1996.

Enlace ■ ■ ■ ■

Erosión de las costas

Juan Trías

Muchos países costeros tienen graves problemas de erosión en la mayoría de sus playas. La erosión provoca daños económicos a la industria turística que depende de sus playas, reduce el hábitat de organismos litorales y también es responsable de la destrucción de la infraestructura costera. Efectos naturales como el aumento en el nivel del mar y eventos de oleaje de alta energía son responsables de la erosión.

Figura A ■

La pérdida de arena también es una consecuencia de actividades antropogénicas, entre éstas la construcción de estructuras ilegales en playas y la extracción de arena para su uso en la construcción. Un evento de erosión a causa de actividades antropogénicas es más grave que uno natural, puesto que puede convertirse en una erosión irreversible. La construcción de una estructura en una playa puede alterar el patrón de corrientes litorales, modificando a su vez los ciclos naturales de deposición y erosión

del sedimento. La extracción de arena de una playa, duna o desembocadura de un río elimina la arena que pudiera ser fuente de reemplazo de la arena perdida por erosión natural. La destrucción de las dunas de arena también disminuye la protección de una costa ante los embates de eventos de oleaje de alta energía, con el consecuente daño de las áreas costa adentro. Independientemente de las causas de la erosión, es imperativo utilizar la tecnología para entender el comportamiento de los procesos de acreción y erosión del sedimento en nuestras costas.

Entre los métodos utilizados están las fotos aéreas, donde se comparan fotos de diferentes años, a una misma altura y escala, esto permite medir los cambios ocurridos a lo largo de una orilla. Otra herramienta son los perfiles perpendiculares a una playa utilizando una metodología similar a la agrimensura, de tal manera que se comparan perfiles de diferentes fechas de una misma localidad permitiendo medir el volumen de sedimento depositado o erosionado. Ya sean fotos aéreas o perfiles, también se aplica la tecnología del sistema global de navegación (GPS, por sus siglas en inglés) para determinar la latitud, longitud y elevación de los puntos de control necesarios para hacer estos estudios.

Sin embargo no es suficiente entender los procesos de acumulación y pérdida de arena, también hay que buscar fuentes alternas a la extracción de arena de las playas. La alternativa son los depósitos submarinos de arena en la plataforma insular o continental de los países afectados. Para identificar estos depósitos también se integran varias técnicas, como líneas sísmicas de alta resolución. Este método produce una imagen transversal del fondo marino donde se identifican diferentes estratos de sedimentos. Las líneas sísmicas se obtienen arrastrando un transductor por la popa de una embarcación el cual envía señales acústicas al fondo marino. Estas señales penetran y rebotan en los diferentes sustratos y son reflejadas a la superficie del mar donde son detectadas por hidrófonos, amplificadas, filtradas y acumuladas en un registro gráfico (figura B).

También se usa el "sidescan-sonar" (figura C), esta técnica permite una representación gráfica de cómo el sonido interacciona con el fondo marino. La señal acústica resultante pro-

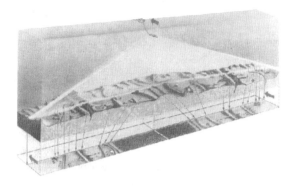

Figura C ■ Diagrama de reflexiones del "sidescan-sonar". Una reflexión fuerte acústica de un fondo duro crea una tonalidad clara y una reflexión acústica débil de un sedimento fino produce una tonalidad oscura. GLORIA (geological long-range sidescan sonar image) es una de las técnicas de "sidescan-sonar" que se utilizan en este tipo de investigación.

FUENTE: www.usgs.gov.side-sca

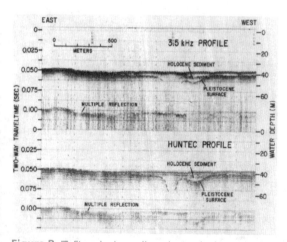

Figura B ■ Ejemplo de una línea sísmica de alta resolución obtenida fuera de la costa de Luquillo, P.R. La línea entrecortada es el sustrato del Pleistoceno. El reflejo múltiple no es un dato real, es un eco acústico de otras estructuras reales. El sedimento del Holoceno es sedimento que se ha depositado en depresiones de la superficie del Pleistoceno. HUNTEC es el nombre del fabricante del sistema acústico utilizado; la frecuencia de la parte superior de la figura es diferente al perfil inferior.

FUENTE: Schwab, W.C. et al., 1996. *High resolution marine geologic maps showing sediment distribution on the insular shelf of Luquillo*, P.R.: U.S. Geological Survey Miscellaneous Investigations Series Map MF-2276.

duce imágenes de tonalidades claras u oscuras, que son interpretadas por los geólogos como diferentes tipos de sedimentos o estructuras. Una reflexión acústica de un fondo duro crea una tonalidad clara, un eco acústico débil de un sedimento fino produce una tonalidad oscura.

La tecnología también permite determinar si la calidad de la arena en el depósito submarino es la mejor para la construcción. Para esto se llevan a cabo análisis en laboratorios de suelos para determinar la adaptabilidad de la arena para usarse como agregado en la manufactura del concreto. Entre estos análisis se mide la presión que puedan resistir los constituyentes de las arenas.

Los métodos presentados son una mínima muestra de la gran gama de herramientas que la tecnología nos provee para aplicarlas a la ciencia de la geología marina.

CUESTIONARIO

1. ¿A qué se debe la estabilidad térmica de las zonas tropicales?

2. ¿Qué factores han contribuido al crecimiento acelerado de la población humana?

3. ¿Cuál es la diferencia entre recursos renovables y no renovables?

4. ¿Cómo se explica la existencia de las estaciones del año?

Glosario

Ácido   Sustancia que en el agua desprende iones de hidrógeno y tiene un pH menor de 7. Ejemplo: ácido clorhídrico, HCl.

Ácido desoxirribonucleico   Mejor conocido por la abreviatura ADN. Este ácido es el responsable del control celular y de la transmisión de características hereditarias.

Ácido ribonucleico   Molécula que ayuda al ADN en el control de las actividades de la célula; hay diferentes tipos de este ácido.

Adhesión   Unión de moléculas distintas.

ADN   Ácido desoxirribonucleico; es la molécula que posee la información de material genético o herencia.

ADP   Abreviatura de adenosina disfosfatada, molécula importante en el movimiento de energía en la célula.

Adrenalina   Hormona producida por la médula de las glándulas adrenales (nombre comercial de la epinefrina).

Aeróbico   Organismo que utiliza oxígeno en la respiración celular.

Albinismo   Ausencia del pigmento en la piel, pelo y ojos en un animal o ausencia de clorofila en las plantas.

Albúmina   Proteína que se encuentra en casi todos los tejidos animales y en muchos vegetales.

Alcalinidad   Exceso de iones hidroxilos en una solución. El pH es mayor de 7. Ejemplo: NaOH.

Alelos   Par o serie de formas alternas de un gen en locus de un cromosoma.

Alveolos   Cavidad pequeña o saco de aire en los pulmones, donde ocurre el intercambio de gases (oxígeno y dióxido de carbono).

Amnios   Membrana más interna, delgada, transparente, plateada y resistente que protege el embrión en el útero durante el embarazo.

Aminoácido   Sustancia orgánica en cuya molécula figuran los grupos amino y carboxilo. Las proteínas están formadas de aminoácidos.

Aneuploidía   Organismo o célula que posee un genoma con un número de cromosomas que no es exactamente en múltiplos. Ocurre en casos en que parte de un cromosoma es duplicado o deficiente.

Arteria   Vaso que lleva a los tejidos sangre procedente del corazón. Ejemplo: la aorta átomo, unidad básica de la cual se compone la materia y se forma de protones, neutrones y electrones.

Arterias   Vasos por los cuales se aleja la sangre del corazón hacia las diversas partes del cuerpo.

Átomo   Unidad más pequeña de un elemento que conserva sus propiedades.

ATP   Abreviatura de trifosfato de adenosina, molécula importante en el movimiento de energía en la célula.

Autótrofos   Organismos que sintetizan su propio alimento.

Bioma   Unidad del ecosistema más extensa en la que se subdivide la biosfera.

Biomasa   Masa de materia orgánica.

Biosfera   Porción del planeta donde medra la vida.

Bocio   Agrandamiento de la glándula tiroides que causa inflamación de la parte anterior del cuello.

Capilares   Cualquiera de los pequeños vasos que comunican con las arteriolas y las vénulas y que forman una red en casi todas las partes del organismo.

Capilaridad   Capacidad del agua para moverse en espacios extremadamente pequeños. Se debe a dos propiedades: la cohesión y la adhesión.

Carbohidratos   Compuestos orgánicos simples formados por átomos de carbono (C), hidrógeno (H) y oxígeno (O) en una proporción de aproximadamente 1:2:1.

Cariotipo   Constitución cromosómica de una célula o un individuo; arreglo de los cromosomas en orden de tamaño y conforme a la posición del centrómero.

Catetos   Lados del ángulo recto en un triángulo rectángulo.

Célula   Diminuta unidad viviente que es independiente o forma parte de un organismo multicelular.

Centriolo   Organelo celular que se activa durante la división celular.

Cianobacterias   Microorganismos que llevan a cabo fotosíntesis.

Ciclo menstrual Ciclo de liberación de óvulos; formación de la cubierta uterina (endometrio) para recibir el óvulo fecundado o esfacelación del mismo al no ocurrir la fecundación.

Cigoto Primera célula de un nuevo organismo, formada por la fusión del núcleo de un esperma con el núcleo de un huevo (fecundación).

Citoesqueleto Esqueleto interno de la célula que le da soporte y ayuda en el movimiento de sustancias al interior de la célula. El citoesqueleto está formado principalmente por microtúbulos y microfilamentos.

Citoplasma Parte interior de la célula en la que se encuentran todos los organelos; tiene una consistencia semilíquida.

Cloroplastidio Organelo celular donde ocurre el proceso de fotosíntesis.

Cloroplasto Organelo celular responsable de la fotosíntesis. Las plantas, algas y algunos protistas son los únicos organismos con cloroplastos. Adquiere la energía radiante del Sol y la convierte en moléculas de glucosa.

Cohesión Atracción entre moléculas iguales.

Compuesto Unión de dos o más elementos diferentes. Las propiedades de cada elemento se pierden y la sustancia adquiere nuevas propiedades. Ejemplo: H_2O.

Compuestos inorgánicos Dícese de los compuestos que no contienen carbono (C), exceptuando el dióxido de carbono (CO_2) y los carbonatos (CO_3). Ejemplo: agua (H_2O), sal (Na^+Cl^-) y ácido clorhídrico (HCl).

Compuestos orgánicos Dícese de los compuestos que contienen el elemento carbono exceptuando el dióxido de carbono (CO_2) y los carbonatos (CO_3). Ejemplo: glucosa ($C_6H_{12}O_6$) y hemoglobina ($C_{3032}H_{4816}O_{872}N_{780}S_8Fe_4$).

Comunidad Población de todas las especies que ocupan la misma área.

Conducto deferente Par de conductos que transportan los espermatozoides.

Conducto eyaculador Parte del conducto que transporta los espermatozoides.

Cordón umbilical Medio de comunicación entre el feto y la madre. Lugar de intercambio de nutrientes y desechos entre el feto y la madre.

Corión Cubierta más externa del óvulo fertilizado al cual le brinda protección y nutrición.

Corpúsculo de Golgi Organelo celular donde se terminan los cambios de la estructura de la proteína y se sintetizan otras sustancias como azúcares y almidones.

Cretinismo Trastorno crónico causado por falta congénita de secreción tiroidea.

Cromátidas hermanas Duplicado cromosómico: dos moléculas de ADN que se mantienen unidas por su centrómero durante la división nuclear.

Cromosoma Estructuras compuestas de ADN y proteína que se forma al multiplicarse la célula. En los humanos, las células tienen 23 pares de cromosomas.

Cromosoma X En los seres humanos, cromosoma sexual con los genes que originan un embrión femenino.

Cromosoma Y En los seres humanos, cromosoma sexual con los genes que originan un embrión masculino.

Cromosomas Cuerpo de nucleoproteínas que se observa durante la división celular; cada uno de ellos contiene el arreglo linear de genes.

Cromosoma autosómico   Cualquier cromosoma que no es el cromosoma sexual.

Cromosomas homólogos   Par de cromosomas que generalmente son similares en tamaño y forma, y uno de ellos proviene de la parte masculina y el otro de la femenina. Estos cromosomas contienen el mismo arreglo de genes.

Cromosomas sexuales   En la mayoría de los animales y algunas plantas, cromosomas que determinan la presencia de un género.

Cuadrado de Punnett   Manera esquemática de predecir los posibles resultados de cruces.

Dato   Observación anotada que permite llegar al conocimiento de algún fenómeno natural.

Deducción   Razonamiento que va de lo general a lo particular.

Deglución   Acto de tragar.

Diástole   Dilatación o relajación de las cámaras.

Diploide   Organismo o célula con dos grupos de cromosomas (2n) o dos genomas. Los tejidos somáticos de las plantas superiores y animales poseen la constitución genética diploide.

Dominancia   En células diploides, alelo que marca la expresión independientemente de su compañero en el cromosoma homólogo.

Dominancia incompleta   Expresión de dos alelos en un heterocigoto en el que se distingue de ambos padres. Fenotípicamente se presenta una expresión genética diferente e intermedia entre los padres.

Ecología   Estudio de la distribución y abundancia de los organismos.

Ecosistema   Una comunidad y su ambiente físico.

Electrón   Partícula del átomo que tiene carga negativa, su peso es ínfimo y se mueve alrededor del núcleo. La cantidad de electrones determina cómo reacciona un elemento.

Elemento   Sustancia que no se puede descomponer por reacciones químicas ordinarias. Las características que tiene un elemento se deben a la cantidad de protones que posee el átomo. Ejemplos: hidrógeno y oxígeno.

Embrión   Fase del desarrollo temprano de todo organismo. En el hombre dícese del producto de la concepción durante los dos primeros meses de existencia en la matriz.

Endocardio   Cubierta alrededor de las cámaras del corazón.

Endometrio   Capa interna del útero, en donde se implanta el óvulo fecundado.

Energía cinética   Energía en movimiento.

Energía potencial   Energía latente lista para realizar trabajo.

Enlace iónico   Unión entre elementos en la que se dona o se gana electrones. Ejemplo: sal, NaCl.

Enlace covalente   Unión entre elementos en la que comparten electrones. Ejemplo: metano, CH_4.

Enlace de hidrógeno   Unión débil entre oxígeno, hidrógeno o nitrógeno; es común e importante en la molécula de agua.

Entropía   Medida de desorden de un sistema.

Enzima   Proteína que actúa como catalizador; sustancia que acelera una reacción.

Epidídimo   Conducto en donde los espermatozoides completan su madurez y son almacenados.

Eritrocitos   Glóbulos rojos de la sangre. Su forma es bicóncava.

Erosión   Arrastre de partículas del suelo.

Escala de pH   Proviene de *poder de hidrógeno*. Escala confeccionada para clasificar las sustancias de acuerdo con su reactividad. El valor neutral es 7; valores menores de 7 son sustancias ácidas; valores mayores de 7 son sustancias alcalinas (bases).

Escroto   Cubierta de piel que contiene los testículos.

Esfínter   Músculo en forma de anillo en torno a un orificio natural como el esfínter anal.

Espermatogénesis   Formación de espermatozoides maduros de una célula germinal.

Espermatozoide   Gameto maduro masculino.

Espiración   Fase de salida de aire de la cavidad torácica.

Estromatolito   Fósil de comunidad bacteriana prehistórica.

Eucariota   Tipo de célula con núcleo y organelos rodeado por membranas internas, células de plantas y animales.

Fecundación   Unión de óvulo y espermatozoide.

Fibrinógeno   Proteína soluble en el plasma sanguíneo que por acción de la trombina se convierte en fibrina, produciendo así coagulación de la sangre.

Fenotipo   Característica observable de un individuo, surge de la interacción entre genes.

Feto   Producto que se desarrolla en el útero, llamado así después del segundo mes.

Fotón   Partícula de energía electromagnética sin masa, carga eléctrica ni tiempo de vida definido.

Fotosíntesis   Reacción mediante la cual las plantas y algunos otros organismos transforman la energía lumínica en energía química.

Fusión atómica   Unión de protones en la que se forman nuevos elementos; la fusión de hidrógeno en el Sol transforma gran cantidad de energía.

Gametos   Célula haploide que participa en la reproducción sexual. El espermatozoide y el óvulo son ejemplos de gametos.

Gametogénesis   Desarrollo de células masculina y femenina o gametos.

Gemelos fraternos   Resultado de dos óvulos fecundados durante el mismo ciclo menstrual.

Gemelos idénticos   Resultado de una división de un solo óvulo fecundado.

Genealogía   Gráfica de la conexión genética entre individuos. Se construye según métodos establecidos.

Genes   Unidad biológica de la herencia. Se localizan en una posición definida de un cromosoma determinado.

Genética   Ciencia que estudia la herencia y variación.

Genotipo   Constitución genética de un organismo.

Glándula bulbouretral   Glándula que secreta una mucosidad lubricante en el varón.

Glándulas endocrinas   Glándulas que secretan un producto hormonal hacia los espacios extracelulares para ser transportados por la sangre.

Glándulas exocrinas   Glándulas que secretan un producto a una superficie o por medio de un conducto.

Glándulas mamarias   Dos órganos femeninos accesorios de la reproducción, cuya función es producir leche.

Globulina   Proteína constituyente de la hemoglobina que tiene la capacidad de resistir infecciones.

Gónadas   Ovario o testículo. Órgano de producción de gametos.

Granítica   Roca intrusiva formada por granito.

Hemoglobina   Pigmento rojo de los eritrocitos que transporta oxígeno.

Haploide   Organismo o célula con un solo grupo de cromosomas (*n*) o un genoma. Los gametos poseen la constitución genética haploide.

Herencia   Transmisión de características de padre a hijo.

Heterocigótico   Organismo que posee miembros diferentes de cualquier par o serie de alelos y como resultado producirá gametos diferentes.

Heterótrofos   Organismos que no producen su propio alimento, sino que lo obtienen de consumir a otros organismos.

Hipotálamo   Porción del encéfalo que ejerce control sobre las actividades viscerales, equilibrio del agua, temperatura, sueño, entre otros.

Hipotenusa   Lado opuesto del ángulo recto en un triángulo rectángulo.

Hipótesis   Presunción tentativa adoptada para explicar algún fenómeno observado.

Homeostasis   Capacidad que tiene el cuerpo de mantener constantes las condiciones internas. Los sistemas nervioso y endocrino vigilan y controlan los órganos encargados de mantener las condiciones internas constantes.

Homocigótico   Par o serie de alelos iguales para una característica; puede ser homocigótico dominante u homocigótico recesivo.

Hormonas   Sustancias secretadas por glándulas sin conductos que regulan la función de otros órganos.

Huevo (óvulo)   Gameto maduro femenino.

Implantación   Proceso en que el óvulo fecundado (en etapa de blastocito) se enclava en el endometrio para continuar su desarrollo y crecimiento.

Inducción   Razonamiento que va de lo particular a lo general.

Inspiración   Fase de entrada de aire en la cavidad torácica.

Isótopo   Forma de un elemento en que hay variación en el número de neutrones en el núcleo. Ejemplo: el carbono tiene tres isótopos C^{12}, C^{13} y C^{14}.

Lactancia   Proceso de producción de leche en las glándulas mamarias mediante el control hormonal.

Ley   Regla o principio para el cual no se conoce excepción.

Lípidos   Compuestos orgánicos formados de carbono (C), hidrógeno (H) y oxígeno (O); tienen gran capacidad para almacenar energía y se dividen en grasas y aceites.

Lipoproteína   Unión de proteína y lípido.

Lisosoma   Organelo celular que se origina del retículo endoplasmático o en los corpúsculos de Golgi. Produce enzimas digestivas que descomponen células muertas, bacterias, grasas, carbohidratos y otros componentes de la sangre que no tengan uso. Los lisosomas pueden tener docenas de enzimas digestivas en un medio ácido.

Locus   Localización específica de un gen en particular en un cromosoma.

Médula   Porción central de un órgano, en contraste con su corteza.

Meiosis   Tipo de división celular durante la maduración de las células sexuales, en que el número diploide normal de cromosomas se reduce a una sola serie (haploide).

Membrana celular   Parte exterior de la célula formada de una capa doble de fosfolípidos y diferentes moléculas de proteínas.

Menopausia   Finalización del periodo potencial de reproducción humana femenina.

Menstruación   Proceso de eliminación periódica de la cubierta uterina enriquecida de sangre que ocurre al no haberse fecundado el óvulo.

Meteorización   Destrucción de la roca por la acción del agua y el viento.

Miocardio   Sustancia carnosa del músculo cardiaco.

Miometrio   Capas musculares del útero que se estiran durante la preñez.

Mitocondrio   Organelo celular que realiza la respiración celular; convierte la energía química de la glucosa en trifosfato de adenosina.

Mitosis   Modo característico de división de las células germinales y de las somáticas.

Molécula   Unidad de dos o más átomos del mismo o diferentes elementos enlazados.

Monosacárido   Compuesto orgánico, azúcar simple. Ejemplo: glucosa, $C_6H_{12}O_6$.

Mutación   Cambio en el ADN en un locus particular de un organismo.

Mutación cromosómica   Cambio o alteración que ocurre en un cromosoma.

Mutación génica   Cambio o alteración de un solo gen.

Neurona   Célula nerviosa considerada la unidad estructural del sistema nervioso. Hay tres tipos de neuronas: sensoriales, de asociación y motoras.

Neurotransmisores   Sustancias químicas liberadas en las terminales de una neurona para estimular las dendritas de la otra neurona y transmitir un mensaje entre las neuronas; estos neurotransmisores son liberados en la sinapsis.

Neutrón   Partícula neutral del átomo, no tiene carga pero posee masa. Forma parte del núcleo, número atómico, cantidad de protones que tiene un átomo. Las características de un átomo se deben al número atómico. Ejemplo: hidrógeno = 1, oxígeno = 8.

Nódulo sinoauricular o marcapaso   Región en la aurícula derecha del corazón que controla el ciclo cardiaco.

Noradrenalina   Hormona producida por la médula de las glándulas adrenales (nombre comercial de la norepinefrina).

Núcleo   Organelo del control celular compuesto de una membrana exterior, la cual contiene poros, alberga el ADN y donde se encuentran también el ARN y proteínas.

Nucléolo   Organelo celular que se encuentra en el interior del núcleo; forma los ribosomas.

Oligosacáridos   Compuestos formados por moléculas cortas de dos o más azúcares simples. Ejemplo: sacarosa.

Organismo multicelular   Individuo compuesto y especializado, con células interdependientes en tejidos, órganos y sistemas.

Órgano   Estructura cuyos tejidos se combinan en cantidades y diseños específicos y que realiza una misma tarea.

Organelo   Estructura interna de la célula en la que transcurren diferentes procesos metabólicos; permiten que se lleven a cabo diferentes reacciones químicas simultáneamente.

Ovarios   Gónada femenina; órgano principal reproductivo en el cual se producen los gametos femeninos y las hormonas sexuales.

Ovogénesis   Formación de gametos femeninos a partir de la maduración de una célula germinal en un óvulo haploide.

Ovulación   Liberación de un óvulo del ovario durante el ciclo menstrual.

Oxidación   Reacción con oxígeno.

Pared celular   Estructura rígida compuesta principalmente de celulosa que se encuentra en el exterior de las células de plantas y hongos. El soporte de una planta se debe a la rigidez de cada pared celular individual.

Partícula subatómica   Un electrón, protón o neutrón, una de las tres mayores partículas de las que están compuestos los átomos.

Pericardio   Cubierta de protección del corazón.

Peroxisoma   Organelo celular que contiene enzimas y lleva a cabo funciones similares a los lisosomas. Las células de plantas no tienen lisosomas pero tienen peroxisomas.

Peso atómico   Suma de la masa de los protones y los neutrones. Ejemplo: la forma más común de carbono tiene seis protones y seis neutrones, por tanto el peso atómico es 12.

Placas tectónicas   Piezas en las cuales está dividida la corteza terrestre.

Plaqueta   Disco oval o circular en la sangre de todos los mamíferos, relacionado con la coagulación sanguínea.

Placenta   Órgano localizado en el útero, compuesto de tejido maternal y membranas extraembrionarias que nutren al feto. Realiza el intercambio de nutrientes y desechos con la madre.

Plasma   Porción líquida de la sangre en la cual están suspendidas las células.

Población   Grupo de individuos de la misma especie que ocupan un área determinada al mismo tiempo.

Polaridad   Diferencia en carga positiva de los hidrógenos y negativa del oxígeno en la molécula de agua. Esta diferencia permite que el agua se una a otras sustancias polares y repela a moléculas no polares.

Polisacáridos   Compuesto formado de la unión de muchos (poli) azúcares. Ejemplo: almidón, glucógeno, celulosa.

Procariotas   Término que proviene del griego y significa "antes del núcleo". Son células que no tienen un núcleo organizado; células de bacterias.

Productores   Organismos que llevan a cabo la fotosíntesis fijando la energía utilizada en los demás niveles tróficos.

Progenie   Descendencia que resulta de un cruce o unión de dos gametos en la reproducción sexual.

Próstata   Glándula que secreta sustancias que son parte del semen.

Proteína   Compuesto constituido de unidades más pequeñas conocidas como aminoácidos que contienen carbono (C)/ hidrógeno (H), oxígeno (O)/ nitrógeno (N) y otros elementos como azufre, fósforo y hierro.

Protombina   Proteína soluble en el plasma sanguíneo que participa en el proceso de coagulación sanguínea.

Protón   Partícula del átomo que tiene carga positiva. La cantidad de protones imparte las características a la sustancia. Forma parte del núcleo.

Quimo   Material semilíquido homogéneo cremoso producido por la digestión gástrica de los alimentos.

Recesivo   En heterocigóticos, alelo cuya expresión es completa o parcialmente enmascarada por la expresión de su compañero y sólo se expresa en condición homocigótica.

Red alimentaria   Representación de las interacciones tróficas y energéticas entre distintos organismos de una comunidad.

Reflejo   Acción refleja de movimiento; la suma total de toda actividad involuntaria.

Reproducción   Proceso por el cual se produce una nueva generación de células o individuos multicelulares.

Reproducción sexual   Modo de reproducción que consiste en la formación de gametos, mediante la división celular llamada meiosis, y culmina con la fecundación.

Reproducción asexual   Producción de un nuevo individuo por cualquier método que no requiera gametos.

Retículo endoplásmico   Red de canales formados por membranas. Se origina en el núcleo y termina en la membrana. Cerca del núcleo, el retículo endoplasmático contiene mayor cantidad de ribosomas. En el retículo, las proteínas producidas por los ribosomas adquieren su forma final y viajan hasta la membrana donde se encapsulan en pequeños sacos.

Ribosomas   Organelos celulares pequeños, esféricos y numerosos, responsables de la formación de proteínas. Están constituidos principalmente de ARN y se forman en el nucléolo. Se encuentran en el citoplasma o adherido a membranas internas del retículo endoplásmico de la célula.

Secundina Nombre dado a la placenta que se desprende del útero durante el parto, una vez que ha nacido el bebé.

Semen Fluido espermático que ofrece protección, nutrición y movilidad a los espermatozoides.

Semilunar aórtica Válvula formada de pliegue membranoso localizado entré el ventrículo izquierdo y la aorta.

Semilunar pulmonar Válvula formada de pliegue membranoso localizado entré el ventrículo derecho y la arteria pulmonar.

Sinapsis Región de contacto entre las prolongaciones de dos neuronas adyacentes, en cuyo lugar es transmitido el impulso nervioso de una neurona a otra.

Sistema de órganos Dos o más organismos que interactúan química o físicamente para contribuir a la supervivencia común.

Septo Pared gruesa que divide el corazón humano en mitad izquierda y derecha.

Sístole Contracción de las cámaras del corazón.

Supernova Explosión de una estrella.

Tabla periódica Organización de los elementos por la cantidad de protones y por la disposición de los electrones.

Tectonismo Actividad geológica que resulta en el movimiento de la corteza terrestre.

Tejido Grupo de células y sustancias aledañas que funcionan juntas en una actividad especializada.

Testículos Gónada masculina, órgano principal reproductivo en el cual se producen los gametos masculinos y las hormonas sexuales.

Teoría Serie de conocimientos conceptuales y pragmáticos que forman el marco de referencia de una disciplina.

Teoría de segregación Es el primer principio de herencia mendeliana que presenta la separación del cromosoma materno del cromosoma paterno en meiosis.

Trompas de Falopio Par de canales por los cuales el óvulo es conducido del ovario hasta el útero; también se llaman oviductos.

Tubos seminíferos Conductos donde se forman los espermatozoides.

Uretra Canal tubular para el flujo de orina, desde la vejiga hasta fuera del cuerpo.

Vacuola Organelo celular, compartimento donde se almacenan sustancias en la célula. Las vacuolas de las plantas son mucho más grandes que la de los animales y ayudan a regular el paso de sustancias en la membrana al cambiar de tamaño.

Válvula bicúspide Pliegue membranoso de dos partes localizado entre la aurícula y ventrículo izquierdo del corazón.

Válvula tricúspide Pliegue membranoso de tres partes localizadas entre la aurícula y el ventrículo derecho del corazón.

Venas Vasos que conducen sangre hacia el corazón.

Ventrículos Cavidades inferiores del corazón que transportan sangre hacia los pulmones y el resto del cuerpo.

Vesícula seminal Par de glándulas que secretan fructuosa y protoglandinas que forman parte del semen.

Bibliografía, hemerografía y cibergrafía

Aguayo, C. y Biaggi, V., *Diccionario de biología animal,* Editorial de la Universidad de Puerto Rico, Río Piedras, Puerto Rico, 1982.

Asimov, I., *Asimov On Chemistry,* Doublesday and Co. Garden City, Nueva York, 1974.

————, *Understanding Physics, vol. I, Motion, Sound and Heat,* Mentor, Nueva York, 1966.

————, *Understanding Physics, vol. II, Magnetism and Electricity,* Mentor, Nueva York, 1966.

————, *Understanding Physics, vol. III, The Electron, Proton and Neutron,* Mentor, Nueva York, 1966.

Bondi, H., "Karl Popper (1902-1994)", en *Nature,* 371:478, 1994.

Boylestad, R. L., *Introductory Circuit Analysis,* Macmillan Publishing Co., Nueva York, 1994.

Bradie, M., "Taking Popper Seriously", en *Biology and Philosophy,* 11: 259-270, 1996.

Culotta, E. y D. E. Koshland, Jr., "Buckyballs: Wide Open Playing Field for Chemists", en *Sciences,* 254:1706-1709, 1991.

Dennet, D. C., *Darwin's Dangerous Idea*, Simon and Schuster-Touchstone, Nueva York, 1995.

Dixon, D. y R. L. Bernor, *The Practical Geologist*, Simon and Schuster-Fireside, Nueva York, 1992.

Erlich, H. A., D. Gelfand y J. Sninsky, "Recent Advances in the Polymerase Chain Reaction", en *Science*, 252:1643-1650, 1992.

Futuyma, D. J., *Science on Trial: The Case for Evolution*, Pantheon Books, Nueva York, 1983.

Giancoli, Douglas C., *The Ideas of Physics*, Harcourt Brace Jovanovich, San Diego, 3a. ed., 1986.

Goldstein, T., *Dawn of Modern Science*, Houghton Mifflin, Boston, 1980.

Halliday, D., R. Resnick y J. Walker, *Fundamentals of Physics Extended*, John Wiley and Sons, Nueva York, 1997.

Hecht, E., *Physics*, Brooks/Cole Publishing Co., San Francisco, 1994.

Hein, M., L. R. Best, S. Pattison y S. Arena, *College Chemistry: An Introduction to General, Organic and Biochemistry*, Brooks/Cole Publishing Co., San Francisco, 5a. ed., 1993.

Hawking, S. W., *A Brief History of Time*, Bantam Books, Nueva York, 1988.

Michel, M., J. Cracker-Michell, H. Hannon, R. Page-Jones y T. Thornley, *Integrated Science 1*, Thomas Nelson, Scarbourough, 1992.

Klug, W. y M. Cummings, Concepts of Genetics, Prentice Hall, 7a. ed., 2003.

Kuhn, T. S., *The Structure of Scientific Revolutions*, University of Chicago Press, Chicago, 1970.

Lawler, A., "Building a Bridge Between the Big Bang and Biology", en *Science*, 274:912, 1996.

Lewin, B. Genes VIII. Prentice Hall, 2004.

Lygre, D. G., *General, Organic and Biological Chemistry*, Brooks/Cole Publishing Co., California, 1995.

Organización Panamericana de la Salud. Evaluación Decenal de la Iniciativa Regional de Datos Básicos en Salud. Washington D.C. OPS; 1º. de octubre de 2004. Documento CD45/14

Organización Panamericana de la Salud. Indicadores de Salud: Elementos básicos para el análisis de situación de salud. Boletín Epidemiológico OPS, 2001; 22(4): 1-5.

Organización Panamericana de la Salud. Recopilación y Utilización de Datos Básicos de Salud. Washington D.C. OPS; 14 de julio 1997. (CD40/19 document and CD40/R10 Resolution)

Marmor, G. y L. Spruch, *The Ubiquitous Atom*, Charles Scribner's and Sons, Nueva York, 1974.

Margulis, L., *Symbiosis in Cell Evolution*, Freeman, San Francisco, 1996.

Miller, G. Tyler, *Living in the Environment*, Wadsworth, Belmont, 1996.

Minkoff, E. C. y Baker, P. J., *Biology Today: An Issues Approach,* McGraw-Hill, Nueva York, 1996.

Montgomery, C. W., *Environmental Geology,* W. C. Brown, Iowa, 1992.

Peña, M. y Bacallao, J. 2001. La obesidad y sus tendencias en la Región, en Revista Panamericana de la Salud/Public Health, 10(2): 75-78, 2001.

Prescot, David M., *Cells: Principles of Molecular Structure and Function,* Jones and Bartlett, Boston, 1988.

Roitt, I., J. Brostoff y D. Male, *Immunology,* The C. V. Mosby Co., Saint Louis, 2a. ed., 1989.

Sellers, P. J., R. E. Dickinson, D. A. Randall, A. K. Betts y F. G. Hall, Berry, J. A, G. J. Collats, A. S. Denning, H. A. Mooney, C. A. Nobre, N. Sato, C. B. Field y A. Henderson-Sellers, "Modeling the exchange of energy, water and carbon between continents and the atmosphere", en *Science,* 275:502-509, 1997.

Sherwood, L., *Human Physiology: From Cells to Systems,* Wadsworth Publishing Co., Belmont, 3a. ed., 1997 y 2004.

Snustad, D. P., M. J. Simmons y J. B. Jenkis, *Principles of Genetics,* John Wiley & Sons, Inc., Nueva York, 1997 y 2004.

Stamos, D. N., "Popper. Falsifiability and Evolutionary Biology", en *Biology and Philosophy,* 11:161-191, 1996.

Starr, C. *Biology: A Human Emphasis,* Wadsworth Publishing Co., Belmont, 1997.

————, *Biology: Concepts and Applications,* Wadsworth Publishing Co., Belmont, 3a. ed., 1997.

———— y B. McMillan, *Human Biology,* Wadsworth Publishing Co., Belmont, 2a. ed., 1997.

———— y B. McMillan, *Human Biology,* Wadsworth Publishing Co., Belmont, 3a. ed., 1999.

———— y R. Taggart, *Biology: The Unity and Diversity of Life,* Wadsworth, Belmont, 7a. ed., 1995.

Starr, C. y Taggart, R., *Biology: The Unit and Diversity of Life*, Wadsworth, Belmont, 2007

Tortora, G. y S. Grabowski, Principles of Anatomy and Physiology, John Wiley & Sons, 10a. ed., 2003.

Trefil, J. y R. M. Hazen, *The Science: An Integrated Approach,* John Wiley & Sons, Nueva York, 1995.

Vaczek, Louis, *The Enjoyment of Chemistry,* The Viking Press, Nueva York, 1964.

Vogel, G., "Phylogenetic Analysis: Getting its day in Court", en *Science,* 275:1559-1560.

Weiss, R., "Scotish Scientist Clone Adults Sheep", en *Washington Post,* 24 de febrero de 1997.

Young, H. D., *Physics,* Addison-Wesley Publishing Co., Reading, 1992.

Índice analítico